COLLECTION
L'île aux mots

Sous la direction
d'Alain **BENTOLILA**

Jacques CRINON
formateur
à l'IUFM de Créteil

Soizic PACHET
formateur
à l'IUFM de Versailles

Jean-Claude LALLIAS
formateur
à l'IUFM de Créteil

Sylvie SEBAG
formateur
à l'IUFM de Créteil

LECTURE EXPRESSION

CYCLE 3

NATHAN

Avant-propos

Si le cycle 2 est celui de la maîtrise des mécanismes de base de la lecture et de l'écriture, le **cycle 3** constitue la période cruciale au cours de laquelle l'élève doit, à l'oral comme à l'écrit, **conquérir son autonomie et dominer la variété des textes et des discours.**

C'est le moment où l'enfant doit devenir capable de passer d'un type de texte à un autre en variant ses projets de lecture et ses attitudes de lecteur : il doit pouvoir lire avec plaisir des textes narratifs, jouer avec les mots et les sonorités d'un poème, faire vivre la richesse des dialogues d'un texte théâtral, sélectionner avec précision les informations d'un texte documentaire…

En même temps qu'il lit, l'élève lecteur doit **apprendre à écrire avec l'exigence d'être compris** au plus juste du texte produit.

Chaque élève doit **acquérir ces compétences** avant l'entrée au collège, mais chacun doit pouvoir les acquérir **à son rythme**, progresser avec lucidité et sérénité en fonction de ses propres capacités.

L'Île aux Mots Lecture Expression cycle 3 associe étroitement les apprentissages en lecture et en écriture.

Le manuel est structuré en **six grandes parties** correspondant à une typologie de textes : les contes, des histoires personnelles, des récits différents, les textes documentaires, les poésies et les fables, le théâtre.

À l'intérieur de chaque partie, **une progression de cycle en deux niveaux** (CE2/CM1 et CM1/CM2) permet à l'enseignant de construire des parcours adaptés à des élèves dont les rythmes respectifs d'apprentissage sont différents.

Dans chaque partie, une ou deux introductions permettent de faire appréhender les spécificités du genre, en comparant et en questionnant de courts extraits de textes. Cette mise en route doit donner à l'élève l'envie de partir à l'aventure des textes pour un voyage à la fois exigeant et passionnant vers *L'Île aux Mots*.

Alain Bentolila
Directeur de collection

Éditions Nathan/VUEF, 9, rue Méchain, 75014 Paris - 2001
ISBN : 2.09.121493-0.

COMMENT TE REPÉRER DANS TON LIVRE ?

Ton livre est découpé en **six parties**. Une couleur t'indique dans quelle partie tu te trouves.

Les contes

Des histoires personnelles

Des récits différents

Les textes documentaires

Les poésies et les fables

Le théâtre

Chaque partie est divisée en **deux niveaux**. Un numéro en couleur en haut et à droite t'indique le niveau concerné.

| 1 | CE2/CM1 | 2 | CM1/CM2 |

Pour chaque unité

 Cette pastille te dit dans quelle unité tu te trouves (*exemple :* unité 10).

 Chaque séance d'écriture est suivie d'une séquence de travail en une ou deux parties.

 Ce point d'interrogation t'indique que tu vas devoir répondre à un ensemble de questions sur le texte.

 Voici des mots et des expressions pour enrichir ton vocabulaire. Prends aussi un dictionnaire et consulte-le !

 Tu as envie de lire des livres sur le même thème… Voici quelques propositions.

 Ce dessin te signale que tu vas écrire des textes. Alors, munis-toi d'un papier (ou d'un cahier de brouillon) et d'un crayon.

 Ce symbole t'indique des récréations, c'est-à-dire des textes en plus que tu peux lire quand tu le souhaites.

1. Les contes

Unités	Textes à lire	Projets d'écriture	Pour mieux écrire	Récréations

2. Des histoires personnelles

3. Des récits différents

4. Les textes documentaires

5. Les poésies et les fables

6. Le théâtre

1. Les contes

De la page 9 à la page 70

Pour lire des contes

Des contes, tu en connais beaucoup : depuis des siècles, on raconte aux petits et aux grands *Le Petit Chaperon rouge*, *Le Petit Poucet*, *Boucle d'or* ou *Les Trois Petits Cochons* !
Ces belles histoires te transportent dans le monde des fées, des ogres et des dragons. Un héros y affronte mille dangers, il y connaît mille aventures…

Le chasseur et le dragon

Un chasseur arrive dans une ville inconnue avec ses animaux : un lièvre, un renard, un loup, un ours et un lion. La fille du roi doit être livrée à un dragon et il décide de la sauver.

Le chasseur […] prit ses bêtes et monta avec elles sur la montagne du dragon. Au sommet il y avait une petite chapelle et sur l'autel étaient posées trois coupes pleines portant l'inscription : « *Celui qui videra les coupes deviendra l'homme le plus fort du monde et maniera l'épée qui est enterrée devant le seuil.* »

Le chasseur ne but pas tout de suite, il sortit et chercha l'épée dans la terre, mais ne parvint pas à la déplacer. Alors il rentra et vida les coupes, et ensuite il fut assez fort pour prendre l'épée et la manier aisément. […]

Quand la princesse arriva en haut de la montagne, elle n'y trouva pas le dragon, mais le jeune chasseur qui la réconforta en lui disant qu'il voulait la sauver ; il la fit entrer dans la chapelle et l'y enferma. Très peu de temps après, le dragon à sept têtes s'en vint au milieu d'un grand tumulte.

À la vue du chasseur, il s'étonna et dit : « Que viens-tu faire sur cette montagne ? »

Le chasseur répondit : « Je veux me battre avec toi. »

Le dragon dit : « Plus d'un chevalier y a laissé sa vie, je viendrai bien à bout de toi aussi » et il se mit à souffler le feu par ses sept gueules. Le feu devait faire flamber l'herbe sèche et le chasseur serait mort étouffé dans la fumée du brasier, mais ses animaux accoururent et piétinèrent le feu.

Alors le dragon se jeta sur le chasseur, mais celui-ci brandit son épée si vite qu'elle siffla en l'air et lui trancha trois têtes.

²⁵ Plus furieux que jamais, le dragon se dressa, cracha ses flammes sur le chasseur et voulut se précipiter sur lui, mais celui-ci brandit de nouveau son épée et lui trancha encore trois têtes. Le monstre était épuisé, il s'affaissa tout en voulant encore s'élancer sur le chasseur, mais celui-ci rassembla ses dernières forces pour ³⁰ lui trancher la queue et, comme il ne pouvait plus combattre, il appela ses animaux qui le mirent en pièces. Le combat terminé, le chasseur ouvrit la porte de la chapelle et trouva la princesse étendue sur le sol, car, de peur et d'effroi, elle avait perdu connaissance pendant la bataille. Il la porta dehors et, quand elle se ³⁵ ranima et ouvrit les yeux, il lui montra le dragon taillé en pièces et lui dit qu'à présent elle était délivrée.

Jacob et Wilhelm Grimm, « Les deux frères », dans *Contes*,
traduction de Marthe Robert, © Gallimard.

A *Les héros et leurs aventures*

● **Quel est le personnage principal de ce conte (le héros) ?
Quels autres personnages y agissent ?**

●**Voici quinze informations tirées du texte *Le chasseur et le dragon*.
Sélectionne les trois plus importantes, c'est-à-dire celles que tu garderais pour présenter rapidement l'histoire à quelqu'un qui ne la connaît pas.**

1. Le chasseur veut combattre le dragon.
2. Sur la montagne, il y a une chapelle.
3. Le chasseur trouve trois coupes pleines.
4. Il trouve une épée.
5. Il boit le contenu des coupes.
6. Il devient l'homme le plus fort du monde.
7. La princesse arrive sur la montagne pour être dévorée.

8. Le chasseur réconforte la princesse.
9. Le dragon est étonné de voir le chasseur.
10. Le dragon a sept gueules.
11. Le dragon souffle le feu.
12. Le chasseur tranche trois des têtes du dragon, puis encore trois têtes.
13. Le dragon essaie encore de se précipiter sur le chasseur.
14. Le chasseur et ses animaux tuent le dragon.
15. Le chasseur ranime la princesse évanouie.

● **Comment t'expliques-tu l'étonnement du dragon (lignes 15-16) ?**

Pour bien comprendre une histoire, tu dois repérer qui sont les personnages, ce qu'ils font et ce qui leur arrive.
Tu dois aussi retenir les actions et les événements les plus importants.

B Un univers merveilleux

● **L'univers des contes est différent de l'univers réel.**
Trouve des éléments merveilleux dans l'extrait de conte que tu viens de lire.
Classe ces éléments dans le tableau.

Personnages merveilleux	Objets magiques
…	…

Beaucoup de contes pourraient commencer comme ce conte chinois : « Cette histoire est peut-être vraie, mais personne ne pourrait l'affirmer. » Ils nous racontent des événements extraordinaires, où les hommes sont aux prises avec des forces surnaturelles.

C La couleur du conte

● **Lis ces extraits de contes.**

Le chien aux sept chaînes

La jeune fille […] marcha longtemps, traversant des villes inconnues. Mais c'est en plein désert qu'elle arriva au bout de ses vivres. Elle se traînait, morte de fati-
5 gue et de faim, quand elle aperçut au loin une grande maison. Elle arriva pénible-
ment jusqu'à la porte et frappa. Pas de réponse. Elle frappa plus fort et appela, mais son appel s'évanouit dans le silence. Alors, elle se hasarda à ouvrir la porte et pénétra dans une pièce qui avait tout l'air
10 d'être habitée : un grand plat de couscous fumait sur la table. Elle se jeta dessus et dévora d'une seule traite presque la moitié du plat.

Nacer Khemir, *L'ogresse*, © Syros.

Kounan

Le jour même de sa naissance, Kounan mangea une chèvre entière ; le lendemain, il en mangea une autre. Alors, ses parents furent consternés :

« Encore un jour, dirent-ils, et il ne restera rien de la vache.
5 De quoi vivrons-nous ensuite ? »

Le troisième jour, Kounan dit à sa mère :

« Ahma, nous sommes très pauvres ; il ne nous reste plus qu'une vache ; laisse-moi partir pour chercher du travail. Je ne peux pas rester toujours sous la tente. » […]

10 Il dit adieu à ses parents et partit le ventre vide.

À mi-chemin, il rencontra un loup affamé ; dès qu'il vit le garçon, le loup se jeta sur lui, mais Kounan le saisit à bras-le-corps et le tua ; puis il le dépouilla, alluma un grand feu pour le faire rôtir et le mangea. Il continua ensuite son chemin et vers le soir, arriva à la yourte du khan.

« Le manteau en peau de roi des tigres », dans *Le poignard magique*,
© Éditions en langues étrangères, Pékin.

● **Chacun des contes que tu as lus vient d'un pays différent. Lequel ? Quels détails te permettent de répondre ?**

Le chasseur et le dragon (pp. 11-12)	Europe
Le chien aux sept chaînes (p. 13)	Afrique
Le manteau en peau de roi des tigres (p. 14)	Asie

Les contes traditionnels sont très anciens. Ils se sont transmis oralement de génération en génération. Ils portent les marques des coutumes et des croyances des régions où on les racontait autrefois.

D La morale du conte

● **Voici les fins de plusieurs contes.**

La méchante belle-mère dut comparaître en justice, on la mit dans un tonneau rempli d'huile bouillante et de serpents venimeux et elle mourut de malemort. (*Les douze frères*)

Et ils s'embrassèrent et se firent mille caresses et rentrèrent joyeusement chez eux. (*Les sept corbeaux*)

Ils durent vivre dans la misère comme avant, en punition de leur mauvais cœur. (*La petite sardine*)

Secourus par Kounan, les alads trouvèrent enfin le bonheur et on entendit partout s'élever leurs chants joyeux. (*Le manteau en peau de roi des tigres*)

● **Quel est le point commun à toutes ces fins ?**

À la fin des contes traditionnels, les bons sont récompensés et les méchants punis.

Formulettes et sortilèges

La chèvre
dans la cabane du loup

Il était une fois un loup qui, en rentrant chez lui, trouva la porte de sa cabane fermée : la chèvre était dedans.

— Qui est là ? dit le loup.

— C'est moi !   *Ma couète relevète,*

5   *Ma corne sur ma tête,*

                Mon petit couteau pointu.

                   Si tu entres,

                   Je t'éventre.

Alors le loup alla trouver le renard, pour lui demander aide
10 et conseil. Le renard vint à la cabane du loup et demanda à son tour :

— Qui est là ?

La voix répondit encore :

— C'est moi !   *Ma couète relevète,*

15   *Ma corne sur ma tête,*

                Mon petit couteau pointu.

                   Si tu entres,

                   Je t'éventre.

Le renard eut peur et s'en alla.

20 Alors le loup alla chez l'abeille :

— Viens, lui dit-il. Il y a une bête étrange dans ma cabane.

L'abeille s'approcha à son tour, demanda :

— Qui est là ?

Elle reçut la même réponse :

— C'est moi ! *Ma couète relevète,*

Ma corne sur ma tête,

Mon petit couteau pointu.

Si tu entres,

Je t'éventre.

30 Mais l'abeille n'eut pas peur ; elle entra dans la cabane par un pertuis[1] et piqua tant la chèvre par tout le corps que celle-ci sortit et s'enfuit.

— Merci, bonne abeille, dit le loup : je ne t'aurais jamais crue capable de me rendre un pareil service.

1. *pertuis :*
ouverture.

Extrait des *Contes merveilleux des pays de France*, © Éd. Iona.

① Qui est dans la cabane du loup ?

② Pourquoi le loup va-t-il trouver le renard ?

③ L'aide du renard est-elle efficace ? À qui le loup demande-t-il alors de l'aide ?

④ Combien y a-t-il de personnages dans cette histoire ?

⑤ Lis à voix haute ce texte avec tes camarades. Essayez de varier les voix en fonction de la situation : étonnement, crainte, embarras…

⑥ Essaie de tirer la leçon de cette histoire.

⑦ Quel petit texte revient plusieurs fois dans l'histoire ? Quel est son rôle ?

J'écris **une formulette**

Dans un conte, un petit texte rythmé et qui revient souvent, comme celui que tu viens de lire, s'appelle une formulette.

Recopie la formulette de *La chèvre dans la cabane du loup* en respectant sa présentation.

Je vais à la ligne quand il faut

 ## Aller à la ligne dans un récit

J'observe

■ **Voici un passage de *La chèvre dans la cabane du loup* :**

Alors le loup alla trouver le renard, pour lui demander aide et conseil. Le renard vint à la cabane du loup et demanda à son tour…

■ **Combien de fois va-t-on à la ligne dans cet extrait ? Cela correspond-il au nombre de phrases ?**

> *Dans un récit, on va à la ligne quand on arrive au bord de la page.*
> *Le début d'une ligne ne correspond pas forcément au début d'une phrase.*

Je m'exerce

■ **Choisis un paragraphe dans le texte suivant et recopie-le deux fois, sur deux feuilles de largeur différente. Que remarques-tu ?**

« Tu vas me remettre tous ces gens et le taxi dans l'état où ils étaient. »
La sorcière a retransformé la citrouille en automobile. Mais comme le rat l'avait rongée, la carrosserie était trouée.
Elle a refait du rat rouge un chauffeur. Mais le chauffeur n'était pas content, parce qu'il ne pouvait plus manger sa voiture.

D'après P. Gripari, *La Sorcière et le Commissaire*, Le Livre de Poche copain, © B. Grasset.

 ## Disposer une formulette

J'observe

■ **1. Tu as appris quand aller à la ligne dans un récit. Observe le début du conte *La chèvre dans la cabane du loup* et redonne les règles habituelles du passage à la ligne.**

■ **2. Observe la formulette de la chèvre :**

> *Ma couète relevète,*
> *Ma corne sur ma tête,*
> *Mon petit couteau pointu.*
> *Si tu entres,*
> *Je t'éventre.*

■ **Que peux-tu dire de sa disposition ?**

■ **Les règles habituelles du passage à la ligne s'appliquent-elles ici ?**

■ **Quand va-t-on à la ligne ? Par quoi commence une nouvelle ligne ?**

> *Une formulette est une sorte de poème. Elle est faite de vers.*
> *Comme dans un poème, on va à la ligne à la fin de chaque vers et on commence un nouveau vers par une majuscule, même si ce n'est pas le début d'une phrase.*

Je m'exerce

■ **a) Le poème suivant a été mal recopié. On ne voit plus où chaque vers se termine. Cherche où on devrait aller à la ligne et dis ce qui te guide.**

■ **b) Recopie le poème correctement et n'oublie pas la majuscule au début de chaque vers.**

Le myosotis

Ayant perdu toute mémoire un myosotis s'ennuyait. Voulait-il conter une histoire ? Dès le début, il l'oubliait. Pas de passé, pas d'avenir, myosotis sans souvenir.

R. Desnos, *Chantefables et chantefleurs, Contes et Fables de toujours*, © Librairie Gründ, Paris.

Le petit coq noir

C'était un petit coq noir aux plumes lustrées et au jabot luisant. Il portait sa crête avec arrogance et possédait la voix la plus stridente des coqs alentour. Il appartenait à une très pauvre femme et ils vivaient tous deux, tout seuls, au bout du village, dans une vieille masure… Toute la journée, le petit coq grattait la terre ou le fumier entassé devant la maison et piquait du bec les vers, les grains, les miettes.

Un matin qu'il grattait ainsi, il déterra une pièce d'or qui se mit aussitôt à luire au soleil. Juste à ce moment passait le Sultan[1]. Apercevant l'écu d'or il cria :

— Petit coq noir, donne-moi ta pièce d'or !

5 — Pour ça non, répondit le petit coq. Je la donnerai à ma maîtresse qui en a plus besoin que toi.

Mais le Sultan, sans se soucier des cris du coq, s'empara de la pièce et, rentré dans son palais, la porta dans la Chambre aux Trésors.

Le petit coq en colère l'avait suivi. Il se pencha sur les grilles du 10 palais et s'égosilla[2] :   *Sultan ventru ! Sultan pansu !*
Rends-moi mon bel écu !

Tant et si bien qu'à la fin le Sultan appela la sentinelle qui gardait la porte du palais.

— Va, lui ordonna-t-il. Prends cet insupportable oiseau et 15 jette-le dans le puits. Ça le fera taire.

La sentinelle prit le petit coq et le jeta dans le puits. Mais le coq se mit à marmotter[3] : *Pompe, pompe, mon petit jabot[4] !*
Pompe toute l'eau !

Et le jabot pompa toute l'eau du puits. Le petit coq alla se per-20 cher alors sur la fenêtre du Sultan et s'égosilla de nouveau :
Sultan pansu ! Sultan ventru !
Rends-moi mon bel écu !

L'empereur appela le jardinier.

— Va, lui ordonna-t-il. Empare-toi de cet insolent petit coq et 25 jette-le dans le four brûlant. Cette fois, il se taira.

Le jardinier s'empara du petit coq et le jeta dans le four brûlant. Mais le petit coq se mit à marmotter :
Crache, crache, mon beau jabot !
Crache vite toute l'eau !

Et le jabot cracha toute l'eau du puits et éteignit le four.

1. *Sultan :*
empereur.
2. *s'égosilla :*
cria le plus fort
possible.
3. *marmotter :*
murmurer.
4. *jabot : gorge.*

Puis le petit coq s'envola et réussit à pénétrer dans la chambre du Sultan où il s'égosilla de plus belle :

> *Sultan pansu ! Sultan ventru !*
> *Rends-moi mon bel écu !*

35 L'empereur, furieux, appela son fidèle Vizir[5].

— Attrape ce coq du diable, cria-t-il, et mets-le dans une des ruches ! Que les abeilles le piquent jusqu'à ce qu'il se taise. Je ne veux plus l'entendre.

Le fidèle Vizir se saisit du malheureux petit coq et le mit dans 40 une ruche. Mais le petit coq se mit à marmotter :

> *Petit jabot sans pareil,*
> *Avale les abeilles, avale les abeilles !*

Et le jabot aspira toutes les abeilles. Après quoi, le petit coq retourna dans la chambre du Sultan, et lui cria dans l'oreille :

45
> *Sultan ventru ! Sultan pansu !*
> *Me rendras-tu mon bel écu ?*

L'empereur hors de lui se mit à crier :

— Eh bien, je t'étoufferai moi-même, satané petit coq, puisque personne n'est capable de venir à bout de toi !

50 Saisissant le petit coq, il le mit sous son caftan[6] et voulut s'asseoir dessus. Mais le petit coq se mit à marmotter :

> *Petit jabot sans pareil,*
> *Lâche les abeilles, lâche les abeilles !*

Et voilà toutes les abeilles qui sortent du jabot et se mettent à 55 bourdonner, bourdonner sous le caftan et piquent et piquent le gros derrière du Sultan… Le Sultan bondit sur ses pieds.

— Oh ! Oh ! hurla-t-il. Que le diable emporte cet infernal petit coq ! Ouvrez-lui la Chambre aux Trésors, qu'il reprenne son écu d'or, qu'il emporte tout ce qu'il voudra, mais que je n'entende plus 60 jamais parler de lui ! […]

Natha Caputo, *Contes des quatre vents*, © Nathan.

5. *Vizir : ministre.*
6. *caftan : robe longue et brodée.*

1 Qui est le héros de ce conte ?

2 Lorsque le coq trouve l'écu d'or, que veut-il faire ? Qu'est-ce qui l'empêche de faire ce qu'il désire ?

3 Le Sultan essaie de se débarrasser du coq de quatre manières : lesquelles ?

4 Il y a dans ce conte deux formulettes qui reviennent plusieurs fois. Relis-les. Quel est le rôle de chacune ?

5 L'histoire n'est pas terminée. Invente la fin en reprenant une des formulettes. « *Le petit coq entra dans la Chambre aux Trésors et se mit à marmotter : …* »

Voici une formulette :

Oiselet, oiselette,
Avez-vous vu un garçon et une fillette ?

1 Combien y a-t-il de personnages dans cette formulette ?
À qui s'adresse la question ? Qui la pose ? Que cherche celui qui la pose ?
Avec ta classe, recherche des scénarios d'histoires et de contes dans lesquels tu pourrais employer cette formulette.

2 À toi ! Écris une petite histoire où tu inséreras plusieurs fois cette formulette. Tu peux reprendre les idées de scénarios trouvées en classe.

Des mots pour mieux écrire

À partir d'un mot, on peut parfois former un autre mot qui veut dire « plus petit » ou « le petit de … ». Voici quelques exemples :

oiseau —> *oiselet, oiselette*   chat —> *chaton*
fille —> *fillette*   souris —> *souriceau, souricette*
garçon —> *garçonnet*   lapin —> *lapereau*

1 À partir des mots suivants, écris le mot qui signifie « plus petit » :
âne, lion, aigle, caisse, éléphant, goutte, cloche, renard, ours.

2 Essaie d'en trouver d'autres. Tu peux t'aider d'un dictionnaire.

Pistes de lecture

Qu'arrive-t-il au petit coq noir ?
Tu peux lire la fin
de l'histoire dans :

Histoires pour tous les jours,
Nathan.

Un jour, Ali Baba découvre
la formule magique des 40 voleurs pour
rentrer dans leur grotte aux trésors…

Ali Baba et les 40 voleurs,
dans *Les Mille et Une Nuits.*

Si tu as envie de découvrir
d'autres histoires à formulettes,
tu peux lire en bibliothèque :

Eugène Guillevic,
La Danse des korrigans,
La Farandole.

Yvon Mauffret,
La Nuit des korrigans, Hatier,
« Ma Première amitié ».

Grimm,
Outroupistache.

Je mets la ponctuation

Bien mettre les points

J'observe

A. Un jour, un homme traversait un bois. Il trouva un loup pendu par le pied au haut d'un chêne. « Homme, dit le loup, tire-moi d'ici… »

> J.-F. Bladé, *Dix Contes de loups,* © Nathan,
> © Pocket pour la présente édition.

B. Le Loup se mit à courir de toute sa force par le chemin qui était le plus court, et la petite fille s'en alla par le chemin le plus long, s'amusant à cueillir des noisettes, à courir après des papillons, et à faire des bouquets des petites fleurs qu'elle rencontrait.

> C. Perrault, *Le Petit Chaperon rouge.*

■ **1. Combien y a-t-il de phrases dans chaque extrait ?**

■ **2. Quel est le texte le plus facile à dire à voix haute ? Pourquoi ?**

: *Un texte se compose de plusieurs phrases.*
: *Une phrase finit par un point.*
: *À l'écrit, en général, il vaut mieux couper son énoncé en phrases assez courtes. Mais on trouve parfois des phrases longues pour décrire en même temps plusieurs personnages ou plusieurs actions.*

Je m'exerce

■ **Recopie le texte en formant des phrases.**

Un homme avait deux enfants, et il avait un œuf qu'il avait partagé entre ses enfants, l'un voulut faire cuire sa moitié d'œuf, l'autre ne voulut pas manger la sienne, il prit sa moitié d'œuf et la couva, oui, il se mit à couver sa moitié d'œuf, au bout d'un temps, il en sortit une petite moitié de coq.

> « La petite moitié de coq », extrait des *Contes merveilleux des pays de France,* © Éd. Iona.

Utiliser d'autres signes de ponctuation

J'observe

■ **Regarde les signes de ponctuation dans ces deux répliques.**
— Qui est là ? dit le loup.
— C'est moi !

■ **1. Quels sont ces signes de ponctuation ? Qu'est-ce qui justifie leur emploi ?**

■ **2. Trouve d'autres exemples de ces signes dans *Le petit coq noir*. Ces exemples confirment-ils ta réponse à la question 1 ?**

: *Pour couper le texte en phrases, il existe d'autres signes de ponctuation que le point.*
: *Le point d'interrogation indique que l'on pose une question.*
: *Le point d'exclamation indique que l'on manifeste ses sentiments : étonnement, indignation, surprise, décision, etc. (Il correspond à plusieurs intonations de l'oral.)*

Je m'exerce

■ **Remplace chaque étoile par le signe de ponctuation qui convient : . ! ou ?**

Petiton, enfermé dans le sac, se mit à crier :
— Au secours ★ Au secours ★
À ce moment passait un jeune homme avec un troupeau de mille porcs ★
— Au secours ★ Au secours ★
Le porcher s'approcha :
— Mon ami, quels sont les gueux qui t'ont enfermé dans le sac ★
— Ce sont deux valets du roi, qui me portent à leur maître ★ Le roi veut me faire épouser sa fille, une princesse belle comme le jour et riche comme le Pérou ★ Mais j'ai promis au bon Dieu de me faire prêtre ★ Et jamais je n'épouserai la fille du roi ★

> D'après J.-F. Bladé, *Dix Contes de loups,* © Nathan,
> © Pocket pour la présente édition.

Reprends le texte que tu as écrit (voir p. 20) pour l'améliorer.

1 Relis ton texte et souligne ce que tu voudrais changer ou corriger. Utilise la grille de réécriture ci-dessous pour regarder dans ton texte ce qui va et ce qui ne va pas.

2 Réécris les passages soulignés. Travaille directement sur ton brouillon : rature ce qui ne va pas et ajoute ce qui convient mieux. Ne recopie ton texte au propre que lorsque tu auras fait toutes les modifications et tous les ajouts nécessaires sur ton brouillon.

1. Je coupe mes phrases si elles sont trop longues.

2. Je n'oublie pas la majuscule et le point de chaque phrase.

3. Je choisis la ponctuation qui convient le mieux (point, point d'interrogation, point d'exclamation).

4. Je vérifie que j'ai correctement présenté les formulettes.

Formulettes et comptines

Les formulettes et les comptines ont une origine très ancienne. Ce sont des sortes de formules magiques, qu'un personnage prononce pour trouver ou pour obtenir quelque chose. Voici, par exemple, une comptine champenoise pour faire venir les escargots :

Escargot de Bourgogne,
Montre-moi tes cornes,
Je te dirai où est ton père
Je te dirai où est ta mère.
Si tu ne les montres pas,
Je ne te le dirai pas.

Comptines de langue française,
© Seghers.

Et voici une vieille formule de conjuration qu'on disait en Gascogne pour éloigner les loups !

Ventre vidé, ventre saoul
Sauf chez moi, va-t'en partout
Étrangler brebis et moutons,
Étrangler veaux, poulains, mules,
Sauf chez moi, va-t'en où tu voudras,
Va-t'en partout pour mal faire
Sauf dans ma maison,
Pater du loup,
Ventre vidé, ventre saoul
Sauf chez moi, va-t'en partout.

J.-F. Bladé, *Les Contes du vieux Cazaux,*
© Éd. Fédérop.

▶ **Rassemble des comptines que tu connais et fais-en un recueil.**

Horace

Il y avait une fois une famille qui habitait dans une petite maison au milieu de la forêt. C'était une grande famille : Arrière-grand-papa, Arrière-grand-maman, Grand-papa, Grand-maman, Papa, Maman, Paul et la petite Lulu.

5   Et avec eux vivait Horace.
    Horace était un **ours** !

Un matin, Papa partit à la chasse
et, sur le chemin du retour, il rencontra
Arrière-grand-maman, Grand-papa, Grand-maman,
10 Maman, Paul et la petite Lulu.
    Du plus loin qu'ils le virent, tous, ils lui crièrent :
    « Devine ce qui est arrivé ! »
    Et Papa dit :
    « Qu'est-ce qui est arrivé ?
15   — Horace a mangé Arrière-grand-papa ! »
    Alors Papa fou de colère s'écria :
    « Je vais tuer Horace ! »
    Mais ils protestèrent tant et si bien
qu'il n'eut pas le cœur de le faire.

20 Et le lendemain, Papa repartit à la chasse.
Sur le chemin du retour, il rencontra
Grand-papa, Grand-maman, etc.

D'après Alice M. Coats, *The Story of Horace*, D.R.

On appelle ce genre de récit une *randon-née* parce qu'il y a une liste et des répétitions qui font que celui qui écoute peut retenir le texte sans effort.

❶ Fais la liste des personnages qui composent cette étrange famille. Tu vas ainsi découvrir comment le récit avance.

❷ Pourquoi la famille proteste-t-elle quand Papa veut tuer Horace ? Imagine ce que disent les personnages.

❸ Le récit n'est pas terminé ; tu vas compléter oralement la randonnée.
a) ● Repère les pointillés.
    ● Apprends par cœur le dialogue qui doit être répété (lignes 11 à 17).
    ● Contrôle bien la liste des personnages quand tu raconteras.

b) Entraîne-toi à dire la randonnée. Attention, pour qu'elle soit amusante, il faut raconter cette histoire le plus vite possible !

Je raconte et j'écris une histoire répétitive

Voici la chute (c'est-à-dire la fin inattendue) de l'histoire d'Horace. Complète-la oralement, puis recopie-la.

Un matin, Papa partit à la chasse
et, sur le chemin du retour,
il rencontra _____ !
Et Horace lui dit :
« _____ ! »
Et Papa dit :
« Qu'est-ce qui est arrivé ?
— J'ai mangé _____ »
Alors Papa terriblement en colère s'écria :
« _____ ! »
Mais Horace protesta tant et si bien
que Papa n'eut pas le cœur de le faire.
**Et le lendemain,
c'est Horace qui** _____ .

D'après Alice M. Coats, *The Story of Horace*, D.R.

J'apprends à raconter une histoire (1)

Repérer les personnages

J'observe

■ **Voici le début et la fin d'une randonnée.**

Pour la retenir, il n'est pas nécessaire de l'apprendre par cœur ! Mais que faut-il absolument retenir ?

Voici la maison que Pierre a bâtie.
Voici la farine qui est dans le grenier de la maison que Pierre a bâtie.

Voici Pierre qui a semé le grain qui a nourri le coq qui a réveillé le bon monsieur qui a arrêté le méchant brigand qui a battu la servante qui a trait la vache qui a corné le chien qui a étranglé le chat qui a attrapé le rat qui a mangé la farine qui est dans le grenier de la maison que Pierre a bâtie.

S. Cone Bryant, *Comment raconter des histoires à nos enfants*, © Nathan.

: *Pour retenir certaines histoires, il suffit de se souvenir de la liste des personnages ou des objets, et de l'ordre dans lequel ils apparaissent.*

Je m'exerce

■ **a) Fais la liste des personnages de la randonnée ci-dessus** (*Voici la maison que Pierre a bâtie…*)**. Essaie de reconstituer l'ensemble de l'histoire, puis de te la raconter à toi-même (ou à ton voisin), de mémoire.**

■ **b) Voici un passage d'une autre randonnée. Recopie-le en écrivant les noms des personnages à la place des numéros.**

Le feu a bien voulu brûler la poutre. La (1) a bien voulu tuer le chat. Le (2) a bien voulu manger le rat. Le (3) a bien voulu ronger la corde. La (4) a bien voulu attacher le bœuf…

D'après L. Pineau, *Les Contes du Grand-père*, cité dans *L'Oiseau-lyre*, © Hachette.

Repérer la structure de l'histoire

J'observe

■ **Observe cette chanson traditionnelle du Languedoc :**

Au bois de l'Alzonne, il y a un plan
Sur ce plan, il y a trois peupliers
Sur le plus élevé, il y a une branche
Sur cette branche, il y a cent feuilles
Entre les feuilles, il y a trois fleurs
Entre les fleurs, il y a un nid
Dans ce nid, il y a un œuf
Dans cet œuf, il y a un oiseau
Lorsque le vent du nord souffle, l'oiseau chante et dit : Je suis dans l'œuf, l'œuf dans le nid, nid dans les fleurs, fleurs entre les feuilles, feuilles sur la branche, branche sur le peuplier, peuplier sur le plan, le plan du bois de l'Alzonne.

Extrait des *Contes merveilleux du pays de France*, © Éd. Iona.

■ **1. Par quoi commence cette chanson ? Par quoi finit-elle ?**

■ **2. Comment passe-t-on du début à la fin ? Selon toi, que faut-il bien retenir pour se rappeler facilement la chanson ?**

: *Pour retenir une randonnée, et bien d'autres histoires, on peut garder en mémoire le début et la fin, et, entre les deux, chacune des étapes.*

Je m'exerce

■ **Entraîne-toi à dire la chanson *Au bois de l'Alzonne* de mémoire. Tu as le droit de changer des mots, mais il faut bien retrouver la succession des étapes.**

Pour t'aider, tu peux revoir dans ta tête la succession des scènes.

Le chêne de l'Ogre

L'on raconte qu'aux temps anciens il était un pauvre vieux qui s'entêtait à vivre et à attendre la mort tout seul dans sa masure. Il habitait en dehors du village. On lui avait traîné son lit près de la porte, et cette porte, il en tirait la targette à l'aide d'un fil. Or ce vieux avait une petite-fille, Aïcha, qui lui apportait tous les jours son déjeuner et son dîner.

La fillette, portant une galette et un plat de couscous, chantonnait à peine arrivée :

— Ouvre-moi la porte, ô mon père Inoubba !

Et le grand-père répondait :

5 — Fais sonner tes petits bracelets, ô Aïcha ma fille !

La fillette heurtait l'un contre l'autre ses bracelets et il tirait la targette[1]. Aïcha entrait, balayait la masure[2], aérait le lit. Puis elle servait au vieillard son repas, lui versait à boire. Après s'être longuement attardée près de lui, elle s'en retournait, le laissant calme

10 et sur le point de s'endormir. Mais un jour, l'Ogre aperçut l'enfant. Il la suivit en cachette jusqu'à la masure et l'entendit chantonner :

— Ouvre-moi la porte, ô mon père Inoubba !

Il entendit le vieillard lui répondre :

— Fais sonner tes petits bracelets, ô Aïcha ma fille ! […]

15 Le lendemain, peu avant que n'arrive la fillette, l'Ogre se présenta devant la masure et dit de sa grosse voix :

— Ouvre-moi la porte, ô mon père Inoubba !

— Sauve-toi, maudit ! lui répondit le vieux. Crois-tu que je ne te reconnaisse pas ?

20 L'Ogre revint à plusieurs reprises mais le vieillard, chaque fois, devinait qui il était. L'Ogre s'en alla finalement trouver le sorcier.

— Indique-moi le moyen d'avoir une voix aussi fine, aussi claire que celle d'une petite fille.

— Va, lui répondit le sorcier, enduis-toi la gorge de miel et

25 allonge-toi par terre au soleil, la bouche grande ouverte. Des fourmis y entreront et racleront ta gorge. Mais ce n'est pas en un jour que ta voix s'éclaircira et s'affinera !

1. *targette :*
verrou.
2. *masure :*
maison misérable.

L'Ogre fit ce que lui recommandait le sorcier : il acheta du miel, s'en remplit la gorge et alla s'étendre au soleil, la bouche
30 ouverte. Une armée de fourmis entra dans sa gorge. [...]

Le quatrième jour, sa voix fut aussi fine, aussi claire que celle de la fillette. L'Ogre se rendit alors chez le vieillard et chantonna devant sa masure :

— Ouvre-moi la porte, ô mon père Inoubba !

35 — Fais sonner tes petits bracelets, ô Aïcha ma fille ! répondit l'aïeul.

L'Ogre s'était muni d'une chaîne : il la fit tinter. La porte s'ouvrit. L'Ogre entra et dévora le pauvre vieux. Et puis il revêtit ses habits, prit sa place et attendit la petite fille pour la dévorer aussi.
40 Elle vint. Mais elle remarqua, dès qu'elle fut devant la masure, que du sang coulait sous la porte. Elle se dit : « Qu'est-il arrivé à mon grand-père ? » Elle verrouilla la porte de l'extérieur et chantonna :

— Ouvre-moi la porte, ô mon père Inoubba !

L'ogre répondit de sa voix fine et claire :

45 — Fais sonner tes petits bracelets, ô Aïcha ma fille !

La fillette, qui ne reconnut pas dans cette voix celle de son grand-père, courut au village alerter ses parents.

— L'Ogre a mangé mon grand-père, leur annonça-t-elle en pleurant. J'ai fermé sur lui la porte.

50 Le père fit crier la nouvelle sur la place publique. Alors, chaque famille offrit un fagot et des hommes accoururent de tous côtés pour porter ces fagots jusqu'à la masure et y mettre le feu. L'Ogre essaya vainement de fuir... C'est ainsi qu'il brûla.

L'année suivante, à l'endroit même où l'Ogre fut brûlé, un
55 chêne s'élança. On l'appela le « Chêne de l'Ogre ».

D'après Taos Amrouche, *Le Grain magique, Contes, Poèmes, Proverbes berbères de Kabylie*, © Éd. La Découverte.

❶ Qui est Aïcha ? Que fait-elle chaque jour ? Pourquoi ?

❷ Combien de fois la formule « Ouvre-moi la porte, ô mon père Inoubba ! » est-elle prononcée ? Par qui ?

❸ Combien de jours faut-il à l'Ogre pour se faire ouvrir la porte ? Pour quelle raison ?

❹ Pourquoi Aïcha se méfie-t-elle quand elle entend la réponse de l'Ogre, à la fin de l'histoire ?

❺ Ce conte ressemble à un conte de Perrault que tu connais bien. Lequel ? Qu'est-ce qui est pareil ? Qu'est-ce qui est différent (personnages, lieux, événements) ?

J'écris et je raconte une histoire

Prépare-toi maintenant à raconter *Le chêne de l'Ogre* à un auditoire qui n'a pas lu l'histoire.

1 Pour t'aider à commencer, écris le début de l'histoire avec tes propres mots.

Relis le texte et note rapidement des mots qui t'aideront à retenir le déroulement.

N'apprends par cœur que la formule prononcée par la fillette et la réponse du grand-père. Tout le reste, dis-le avec tes propres mots.

2 Avant de te lancer, raconte-toi l'histoire dans ta tête. Vérifie que tu te souviens bien du déroulement.

Exerce-toi à changer ta voix pour faire parler l'Ogre.

Des mots pour mieux dire

1 Cherche dans *Le chêne de l'Ogre* les mots qui désignent Aïcha et son grand-père et complète le tableau suivant :

Aïcha	une petite fille, …
Le grand-père Inoubba	un pauvre vieux, …

2 Parmi ces mots, quels sont ceux qui indiquent l'âge des personnages et ceux qui indiquent sa parenté avec l'autre personnage ? Classe les mots dans ce second tableau :

Âge	le vieux, …	
Parenté	le grand-père, …	

Pistes de lecture

Un rat, un chat, un chien, et bien d'autres encore, vont aider Jack à bâtir une maison. Découvre-la donc !

John Yeoman et Quentin Blake,
La maison que Jack a bâtie,
Gallimard.

Des contes célèbres (Cendrillon, Barbe Bleue) écrits par C. Perrault pour ses enfants, voilà déjà 300 ans !

Charles Perrault,
Contes de ma mère l'Oye,
Folio junior.

Italo Calvino,
Romarine,
Kid Pocket.

Nacer Khemir,
L'Ogresse,
Syros.

Rabah Bélamri,
Contes de l'Est algérien,
Publisud (2 volumes).

J'apprends à raconter une histoire (2)

 **Repérer les lieux de l'action**

J'observe

■ Observe cette photo d'une maison de Kabylie, en Algérie : c'est la région d'où provient le conte *Le chêne de l'Ogre.*

Décris la photo.

: *Pour bien raconter une histoire, il faut avoir en tête une image des lieux, une atmosphère. Cela aide à retenir l'histoire. Cela permet aussi à la personne qui écoute de se représenter, à son tour, le cadre de l'action.*

Je m'exerce

■ a) Relis *Le chêne de l'Ogre* en relevant toutes les indications sur les lieux où se passe l'histoire.

■ b) Dessine le plan du village, comme tu l'imagines. Puis situe sur ton plan les maisons de tous les personnages et leurs trajets.

Repérer la chronologie de l'histoire

J'observe

■ Voici les étapes de l'histoire du *Chêne de l'Ogre.* Relève les mots et les expressions qui indiquent le « calendrier » des événements.

Mais un jour, l'Ogre aperçut l'enfant.
Le lendemain, l'Ogre se présenta devant la masure.
L'Ogre revint à plusieurs reprises.
Le quatrième jour, sa voix fut aussi fine, aussi claire que celle de la fillette.
L'année suivante, à l'endroit même où l'Ogre fut brûlé, un chêne s'élança.

: *Pour bien raconter une histoire, il faut avoir en tête le « calendrier » des événements. Certains mots et expressions permettent de marquer le déroulement du temps : « le lendemain, le quatrième jour, deux mois plus tard, etc. »*

Je m'exerce

■ Voici les premières étapes de l'histoire du *Petit Poucet.* Remets à leur place ces indications de temps :

Un soir – Lorsqu'ils se virent seuls – De bon matin.

Le bûcheron dit : « Il faut aller perdre nos enfants dans la forêt. »
Le petit Poucet sortit et emplit ses poches de petits cailloux blancs.
On partit.
Les enfants se mirent à crier et à pleurer.

1 Essaie plusieurs manières de « travailler » ton récit du *Chêne de l'Ogre* (voir p. 28), comme le fait un vrai conteur :
– Tu te le racontes dans ta tête ou à mi-voix en te promenant dans la cour ou dans la rue.
– Tu t'enregistres au magnétophone et tu te réécoutes.
– Tu le racontes à quelqu'un qui ne connaît pas l'histoire.

2 Relis bien *Le chêne de l'Ogre* (pp. 26-27) pour vérifier ce que tu n'as pas bien su raconter. Tu peux t'aider de la grille ci-dessous.

3 À présent, tu pourras te lancer devant un public (enfants ou adultes, selon les circonstances).

1. J'ai bien respecté l'ordre d'apparition des personnages.
2. J'ai retenu par cœur la formule prononcée par Aïcha et la réponse du grand-père.
3. J'ai changé ma voix pour faire parler chaque personnage.
4. J'ai respecté le déroulement de l'histoire : le début et la fin, et, entre les deux, chacune des étapes.
5. J'ai utilisé différentes expressions pour marquer le déroulement des événements : « le lendemain, le quatrième jour… ».

Récréation

Virelangues

Voici des *virelangues,* c'est-à-dire des comptines et des formulettes à répéter très vite pour se dérouiller la langue :

Le chasseur sachant chasser chasse bien sans son chien…

Ton thé t'a-t-il ôté ta toux ?…

En dialecte poitevin, un premier virelangue facile à dire :

Au bout du pont
La cane y coud
La poule y pond

Un second plus difficile :

LE PÈRE : « Mon enfant, décontredéca-découreille-moi* cette porte !»

L'ENFANT : « Comment veux-tu que je te la décontredécadécoureille ?
Mon grand-père avec son grand contre décadécoureilleur n'a jamais pu la contredécadécoureiller. »

*Le coureil : *système de fermeture de porte.*

Extraits de « Les Virelangues », *Récits et Contes populaires du Poitou,* recueillis par
C. Robert et M. Valière, © Gallimard.

Dis-moi pourquoi...

Voilà pourquoi le crocodile vit dans les rivières

Quand le monde était encore jeune et que les choses étaient autres, le crocodile et le chien étaient grands amis et partageaient la même demeure sur les berges d'un grand fleuve.

En ce temps-là, le crocodile avait la gueule toute petite, c'est
5 à peine s'il pouvait manger et boire. Quant à mordre, il n'en était pas question. Et le chien n'était pas beaucoup mieux loti[1].

Un beau jour, le chien en eut assez de cette déplorable[2] situation. Il prit son couteau, alla trouver le crocodile et lui dit :

« Viens à mon aide, crocodile, fends-moi un peu le museau
10 que j'aie une gueule suffisante pour pouvoir mordre convenablement. »

Le crocodile trouva l'idée fort bonne :

« Bien volontiers, chien ! Mais ensuite, tu me tailleras aussi le museau. »

15 « Bien entendu », promit le chien.

Le crocodile se mit aussitôt à l'œuvre et tailla à son ami une gueule qui lui permettait de mordre très bien. Il fit très attention, s'appliqua ; en vérité, c'était du bel ouvrage[3] et le chien fut très satisfait. Mais quand ce fut à son tour, il ne fit pas très attention
20 et fendit à son ami le museau de si belle manière que ce fut miracle qu'il ne lui fendît pas la tête en deux.

1. *mieux loti :*
favorisé.
2. *déplorable :*
pénible, triste.
3. *du bel ouvrage :*
*du travail bien
fait.*

Le crocodile était furieux :

« Regarde-moi ça ! Mais qu'as-tu donc fait ! Je ne vais plus oser me montrer ! Tout le monde se moquera de moi ! Je ne pour
25 rai supporter ce ridicule. J'aime mieux me cacher dans la rivière. Mais jamais je ne te pardonnerai. Je te préviens, si tu t'approches de la rivière, je te tirerai au fond de l'eau et je te dévorerai. »

Depuis ce jour, le crocodile a la gueule fendue jusqu'aux deux oreilles et il vit au fond de l'eau. Et si, par mégarde, le chien
30 s'aventure au bord de la rivière, il l'attrape, le tire dans l'eau et, sans merci, le dévore.

Extrait de *Les Plus Belles Histoires d'animaux,* © Librairie Gründ, Paris.

❶ Relis le titre de cette histoire. Pose la question correspondante. Trouveras-tu la réponse dans le texte ?

❷ À quelle époque cette histoire est-elle supposée se passer ?

❸ Qui sont les deux personnages de ce récit ? Que décident-ils de faire ? Pourquoi ?

❹ Lequel des deux animaux devient furieux ?
Selon toi, a-t-il de bonnes raisons d'être furieux ?

❺ À ton avis, est-ce une histoire vraie ou inventée ?

❻ Connaît-on l'auteur de cette histoire ? Pourquoi ?

J'écris ce qui a changé

1 Lis ces exemples :

« Autrefois, le porc-épic avait des plumes,
Mais un jour, il croisa des hérissons,
Maintenant, il est couvert de piquants. »

« Autrefois, les perroquets étaient silencieux,
Mais un jour, ils rencontrèrent un singe parleur,
Maintenant, ils répètent tout ce qu'ils entendent. »

« Autrefois, Arthur rêvait d'être pompier,
Mais un jour, …
Maintenant, il a peur du feu. »

2 À ton tour, invente des métamorphoses en reprenant la tournure :
« Autrefois, …
Mais un jour, …
Maintenant, … »

J'organise un récit (1)

Écrire le début du récit

J'observe

■ **1. Comment comprends-tu le début de l'histoire du chien et du crocodile ?**

Quand le monde était encore jeune et que les choses étaient autres…

Cherche d'autres expressions que tu pourrais mettre à la place.

■ **2. Lis ces débuts de contes et relève les expressions qui servent à démarrer le récit.**

A. Un jour, l'aigle dit au roitelet : « … »

B. Il y avait une fois, dans un village, un homme et une femme qui avaient autant d'enfants que de trous dans un crible.

C. En d'autres temps, la fille du roi était malade, et personne ne pouvait la guérir.

D. En ces temps-là, le bois d'Aubrac couvrait toutes les montagnes. Au pied du Puy du Gudet vivait un de ces ogres qui mangeaient les enfants.

E. Il y a de cela bien longtemps, vivait un pauvre bûcheron qui du matin au soir coupait du bois dans la forêt.

> *Un conte peut commencer par « Il était une fois », mais aussi par bien d'autres expressions comme « En ce temps-là », « Il y a de cela bien longtemps », « Un jour »…*

Je m'exerce

■ **Voici le début d'un conte auquel il manque la première phrase. Écris-la.**
Tu peux faire plusieurs propositions.

……. Le vieux avait un petit coq, la vieille avait une poulette.

Or un jour que le coq et la poulette grattaient la terre, ils déterrèrent, le coq, un pois, et la poulette, un haricot.

N. Caputo, « Histoire du vieux, de la vieille, du pois et du haricot », *Contes des quatre vents*, © Nathan.

Organiser son texte en paragraphes

J'observe

Quand le monde était encore jeune […], le crocodile et le chien étaient grands amis.

En ce temps-là, le crocodile avait la gueule toute petite, c'est à peine s'il pouvait manger et boire. […] Et le chien n'était pas beaucoup mieux loti.

Un beau jour, le chien en eut assez de cette déplorable situation. Il prit son couteau, alla trouver le crocodile…

■ **1. Dans ce texte, combien vois-tu de paragraphes ? Qu'est-ce qui te permet de les reconnaître ?**

■ **2. Donne un titre à chacun d'eux.**

■ **3. Pourquoi a-t-on écrit ce texte avec des paragraphes ?**

> *Un paragraphe commence toujours au début d'une ligne, le plus souvent après un espace (un « alinéa »). Il introduit une idée ou une action nouvelle.*

Je m'exerce

■ **a) Dans le texte *Voilà pourquoi le crocodile…*, compte le nombre de paragraphes.**

■ **b) Retrouve les paragraphes dans le texte suivant. Recopie-le.**

Autrefois, tous les animaux vivaient ensemble. Quand arrivait le printemps, il y avait un grand bal. Et chacun y venait pour y danser toute la nuit. Ce jour-là, la cigale menait le bal. Elle jouait si bien du violon…

Le léopard faisant amitié avec le feu

Jadis, dans les temps très anciens, le léopard et le feu étaient bons amis. Le feu était alors jaune et rouge et le léopard avait un pelage blanc comme la neige des montagnes.

Chaque jour, dans sa fourrure blanche, le léopard allait
5 rendre visite à son ami le feu. Il s'asseyait auprès de lui, tenant conversation, puis s'en retournait. Mais le feu, lui, jamais ne se rendait chez son ami.

Un jour, le léopard demanda :

« Pourquoi ne viens-tu jamais me voir ? Moi, je viens ici
10 chaque jour, mais tu n'as jamais pénétré dans ma demeure. »

« Tu as raison, répondit le feu. Mais c'est mieux ainsi. »

Le léopard s'en étonna :

« Mais pourquoi ? Viens, je t'en prie ! »

« N'auras-tu pas peur ? » demanda le feu.

15 « Je n'aurai pas peur », répondit le léopard.

Le feu dit :

« Réfléchis un peu ! Quand une fois je me suis mis en route, rien ne m'arrête ni ne me fait retourner ! »

Mais le léopard insista :

20 « Viens, je t'en prie encore ! »

Et, en vérité, le soir, le feu quitta sa hutte pour se rendre chez le léopard. Il avançait à travers les herbes, il avançait à travers les fourrés, il avançait à travers les bois, allant toujours plus loin. Là où il passait, tout se mettait à flamber ; il ne laissait derrière lui
25 que terre brûlée et champs de cendre. Il arriva ainsi auprès de la hutte où vivait le léopard. Voyant ce ravage, le léopard fut pris de peur.

« Arrête, mon ami le feu ! s'écria-t-il. Ou plutôt, retourne ! »
Mais le feu continua d'avancer :
30 « Ne t'avais-je pas dit qu'il fallait me craindre ? Ne t'avais-je pas dit que je ne recule jamais ? »
Et il arriva au seuil[1] de la hutte.

D'un coup, celle-ci ne fut plus que flammes ardentes[2]. Le léopard s'en échappa juste à temps. Il sauva sa vie mais garda jus-
35 qu'à la mort les traces laissées par la visite de son ami le feu. Les braises tombant sur son pelage blanc y avaient imprimé à jamais des taches noires. Et depuis, il a si peur du feu qu'il ne le fréquente plus et qu'il ne vit plus dans une hutte comme jadis.

Extrait de *Les Plus Belles Histoires d'animaux,* © Librairie Gründ, Paris.

1. *le seuil :* l'entrée.
2. *ardentes :* brûlantes.

1 Qui sont les personnages de ce récit ? Quel lien les unit ?

2 Pourquoi le léopard insiste-t-il pour que le feu vienne chez lui ?

3 À quel moment du texte devines-tu ce qui va arriver ?

4 Compare la fin de ce récit avec la fin du texte précédent (p. 32) : qu'ont-elles en commun ?

5 Modifie le titre de ce récit en prenant modèle sur le texte de la page 31 : « Voilà pourquoi… »

6 Les hommes ont toujours cherché à expliquer l'origine des choses. Ils ont inventé des histoires pour répondre aux questions qu'ils se posent : on appelle celles-ci des récits « en pourquoi ».
Que penses-tu des explications que proposent les textes de cette unité (pp. 31-32 et 34-35) ?

1 À ton tour, tu vas imaginer un récit « en pourquoi ».
- Choisis un animal qui a une particularité physique ou un comportement qui t'étonne : la trompe ou les défenses de l'éléphant, le cou de la girafe, la fierté du paon, le perroquet bavard…
- Imagine à quoi cet animal pouvait ressembler *autrefois,* sans cette particularité. Cherche des événements qui expliquent sa transformation.

2 Écris ton récit. Ton texte devra commencer par :
« Autrefois… » ou *« Il y a bien longtemps… »*
et finir par : *« Depuis lors… »* ou *« Depuis ce temps-là… »*
N'oublie pas de donner un titre à ton récit !

Des mots pour mieux écrire

On utilise souvent des noms d'animaux pour parler, de manière imagée, des qualités ou des défauts d'une personne :

– *Quelle puce !*
– *C'est une vraie tête de mule !*
– *Il avance comme un escargot !*

– *On dirait une grande sauterelle.*
– *La voisine est une vieille chouette.*

1 Cherche, pour chaque expression, la particularité qui caractérise l'animal dont il est question.
Classe ces particularités en deux catégories :

Particularité physique	Comportement

2 Essaie de trouver d'autres expressions imagées. Pense par exemple aux particularités d'un âne, d'une fourmi, d'un lézard, d'une pie…

Pistes de lecture

Pourquoi personne ne porte-t-il plus le caïman pour le mettre à l'eau ? Découvre-le dans ce livre.

Pour les 365 jours de l'année, tu trouveras des réponses à tes questions : pourquoi la Terre est ronde ?…

Si tu as envie de savoir pourquoi le kangourou a une poche, le chameau une bosse…, lis ces drôles d'histoires !

▶▶▶ Blaise Cendras,
Petits contes nègres pour les enfants des blancs, Gallimard.

▶▶▶ Muriel Bloch,
365 Contes des pourquoi et des comment, Gallimard.

▶▶▶ Rudyard Kipling,
Histoires comme ça,
Folio junior.

J'organise un récit (2)

Utiliser les mots qui organisent le récit

J'observe

■ **Retrouve ces passages dans *Voilà pourquoi le crocodile...* :**

En ce temps-là, le crocodile avait…
Un beau jour, le chien en eut assez…
Le crocodile se mit aussitôt à l'œuvre…
Mais quand ce fut à son tour, il ne fit pas très attention…

■ **Quel(s) mot(s) permet(tent) d'indiquer la succession des actions ou le passage à un nouvel épisode de l'histoire ?**

Pour organiser les moments et les actions dans un récit, on dispose de toute une variété de mots et d'expressions : « alors, ensuite, pendant ce temps, le lendemain », etc.

Je m'exerce

■ **a) Complète ce début de conte avec les mots qui conviennent :** là-dessus, alors, mais, de temps à autre, un jour, puis.

Le chien dit … au varan : « Suis-moi et je t'apprendrai à parler. »
…, le chien fait monter le varan sur son dos et le conduit au village. Ils se promènent dans tous les coins, partout où ils espèrent trouver à manger.
…, ils reçoivent des coups de bâton. … le chien dit au varan : « Crie donc, aboie comme moi ! » … ils détalent au plus vite pour aller chercher ailleurs.
… le varan ne faisait toujours entendre qu'un sourd gémissement.

D'après A. Raponda-Walker, *Contes gabonais*, © Présence africaine.

■ **b) Enrichis la liste de mots :** cherche dans d'autres textes que tu as lus dans ce livre, ou aide-toi d'un dictionnaire.

Remonter le temps

J'observe

■ **1. Es-tu d'accord avec ces affirmations ?**

« L'éléphant a un long nez. »
« La girafe a un long cou. »
« Le vautour est chauve. »

■ **2. À quel endroit d'un récit « en pourquoi » vont-elles figurer ?**

■ **3. De quels mots seront-elles précédées ?**

Pour inventer un récit « en pourquoi », on commence par la fin. On s'étonne devant la nature (par exemple devant les taches du léopard). Puis on cherche à remonter le temps, en imaginant un « autrefois » où c'était très différent.

On peut alors écrire une histoire qui commencera par : « Dans ce temps-là » (ou « Autrefois »…) et se terminera par « Depuis ce temps-là » (ou « Depuis lors »…).

Je m'exerce

■ **Remets dans l'ordre ce résumé d'un récit « en pourquoi ».**

1. Le renard arriva le premier et choisit la plus belle, la plus touffue.
2. Un jour, le bruit se répandit qu'il y aurait une foire où des queues seraient vendues.
3. Dans ce temps-là, les animaux n'avaient pas de queue.
4. Le chien arriva ensuite et trouva une queue qui le contenta.
5. Depuis ce temps-là, les bêtes ont toujours porté une queue.
6. Mais quand le cochon arriva, il ne restait plus qu'une petite queue en tire-bouchon.
7. Puis le chat, le cheval, la vache…

D'après N. Caputo, « La plus belle queue », *Contes des quatre vents*, © Nathan.

1 Reprends ton récit « en pourquoi » (voir p. 36). Fais-le lire à tes camarades en petit groupe et lis toi-même leurs histoires.

2 Pour analyser ton texte et celui des autres, sois particulièrement attentif aux éléments de la grille de réécriture ci-dessous.

1. Mon récit répond à une question que l'on peut se poser au sujet d'un animal : c'est un récit « en pourquoi ».

2. J'ai remonté le temps en imaginant comment était l'animal autrefois et j'ai utilisé les expressions « autrefois, depuis lors… ».

3. J'ai bien disposé mon récit en paragraphes.

4. J'ai organisé mon texte au moyen d'expressions comme « un jour, alors, ensuite, pendant ce temps », etc.

5. J'ai essayé de rendre mon récit amusant et original.

Récréation

Tu peux lire maintenant des réponses scientifiques à quelques questions sur les crocodiles :

Qu'est-ce qui fait sourire le crocodile ?

Même s'il en a l'air, un crocodile ne sourit jamais. Il ouvre toute grande sa gueule pour laisser échapper la chaleur de son corps et, ainsi, se rafraîchir.

Le crocodile partage-t-il ?

Lorsqu'un crocodile attrape une proie, une quarantaine de copains viennent la partager. Ils ne se battent pas, comme on pourrait le croire. Chacun aide son voisin à déchirer des petites bouchées faciles à avaler.

Quel reptile a la mère la plus attentive ?

La plupart des reptiles laissent leurs œufs ou leurs petits se débrouiller tout seuls. La maman crocodile, elle, protège son nid contre les oiseaux et autres animaux gourmands ; ensuite, elle aide ses bébés à sortir de leur coquille et les transporte dans sa gueule jusqu'à l'eau.

« Tortues, lézards et autres reptiles »,
Questions/Réponses, 6-9 ans, © Nathan.

Pour lire des contes

Tu as lu des contes de tous les pays, dramatiques ou amusants. Et tu as peut-être déjà remarqué, quand tu lis un nouveau conte, qu'il te rappelle une autre histoire que tu connais. À quelle histoire connue te fait penser le texte suivant ?

Polly la futée et cet imbécile de loup

Tous les quinze jours, Polly traversait toute la ville pour rendre visite à sa grand-mère. Parfois, elle lui apportait un petit cadeau mais, le plus souvent, c'est elle qui revenait avec un cadeau. Parfois, toute la famille l'accompagnait mais, le plus sou-
5 vent, elle y allait toute seule.

Un jour, comme elle s'apprêtait à partir, elle est tombée sur cet imbécile de loup qui l'attendait devant la porte.

— Bonjour, Polly, dit le loup. Puis-je te demander où tu vas comme ça ?
10 — Oui, tu peux, dit Polly. Je vais voir ma grand-mère.

— J'en étais sûr ! dit le loup, enchanté. Je connais un livre sur une petite fille qui rend visite à sa grand-mère ; c'est même mon histoire préférée.

— Ce ne serait pas *Le Petit Chaperon rouge*, par hasard ?
15 — Justement ! s'écria le loup. Je l'ai lu à haute voix des dizaines de fois. J'adore ce bouquin. Le loup finit par manger la grand-mère et le Petit Chaperon rouge. C'est une des seules histoires où le loup ne reste pas sur sa faim, ajouta-t-il tristement.

— C'est bizarre. Dans mon livre à moi, il ne mange pas le Petit
20 Chaperon rouge, dit Polly. Son père arrive juste à temps pour tuer
le loup !

— Oh ! Dans mon livre à moi, il ne fait pas ça ! dit le loup.
J'espère que mon livre est le bon, et que le tien n'est qu'une invention. De toute façon, c'est une excellente idée.

25 — Quelle idée? demanda Polly.

— L'idée d'attraper les petites filles quand elles vont chez leur
grand-mère, dit le loup. Maintenant, où dois-je aller ?

— Je ne comprends pas, dit Polly.

— Oh, je veux dire, où dois-tu aller ? dit le loup. Ah, voilà !
30 Je dois te demander : « Où habite-t-elle ? » Où habite ta grand-
mère, Polly-Chaperon rouge ?

— De l'autre côté de la ville, répondit Polly.

Le loup fit la grimace.

— Il fallait dire « Au fond du bois », dit-il. Enfin, va pour la
35 ville. Et comment y vas-tu, Polly-Chaperon rouge ?

— D'abord, je prends le train et puis je prends le bus, dit Polly.

Le loup tapa du pied.

— Non, non et non ! hurla-t-il. Ça ne va pas du tout ! Tu ne
dois pas dire ça ! Tu dois répondre « Par ce sentier qui court entre
40 les arbres », ou un truc du même genre. Tu n'as pas le droit de
prendre des trains, des bus et des machins. C'est pas de jeu !

— Écoute, je peux dire tout ce que tu veux, mais ce n'est pas
vrai. Il faut que je prenne le train et le bus si je veux aller voir ma
grand-mère. C'est comme ça, et je n'y peux rien.

45 — Mais alors, ça ne marchera jamais, dit le loup avec impatience. Je ne pourrai pas arriver avant toi pour engloutir la grand-
mère, enfiler ses habits pour te faire croire que je suis elle, et
puis… et puis, de toute façon, je n'ai pas d'argent pour le train.
Tu ne peux pas dire ça.

50 — Bon, alors je ne le dis pas, dit Polly gentiment, mais c'est
vrai tout de même. Maintenant, je suis désolée, loup, mais il faut
que j'aille à la gare si je ne veux pas louper mon train. J'ai l'argent, moi.

Le loup trotta derrière Polly en grommelant. Il la suivit jus-
55 qu'au guichet, il l'entendit demander son billet, il la regarda passer
sur le quai et ce fut tout. Sans argent, il ne pouvait aller plus loin.

Le train s'éloigna avec Polly, tandis que le loup rentrait chez
lui, penaud, la queue basse. […]

Mais le loup s'était juré d'avoir Polly et, deux semaines plus
60 tard, le jour où elle devait retourner chez sa grand-mère, le loup
prit un billet. Il se souvenait de la station où il fallait descendre, il
avait entendu Polly demander son billet. Puis il prit le bus et bientôt il était devant la maison de la grand-mère.

— Ah ! ah ! se dit-il, ce coup-ci, je les aurai toutes les deux. La
65 grand-mère d'abord, et Polly pour finir !

Il poussa le portail, traversa le jardin et cogna rudement
contre la porte.

— Qui est là, demanda une voix à l'intérieur.

Le loup était ravi. Cela se passait exactement comme dans le
70 bouquin. Ce coup-ci, il n'y aurait pas de bavures !

— C'est Polly-Chaperon rouge ! dit-il d'une toute petite voix.
Je viens voir ma chère grand-mère et je lui apporte des œufs, du
beurre frais et… euh… de la galette !

Il y eut un long silence. Puis la voix reprit, incrédule :

75 — *Qui* est là ? Je n'ai pas bien compris…

— Polly-Chaperon rouge, dit le loup très vite, en oubliant de
déguiser sa voix. Je viens manger ma chère grand-mère avec des
œufs et du beurre !

Il y eut un silence plus long encore. Puis la grand-mère de
80 Polly passa la tête à la fenêtre et vit le loup.

— Je vous demande pardon ? dit-elle.

— Je suis Polly, dit le loup d'une voix ferme.

— Oh ! dit la grand-mère de Polly. (Elle avait l'air de se creu-
ser la tête.) Bonjour, Polly. Sais-tu si quelqu'un d'autre doit venir
85 me voir cet après-midi ? Un loup, par exemple ?

— Non. Si, dit le loup complètement perdu. J'ai croisé une Polly en venant — c'est-à-dire que moi, Polly, j'ai vu un loup en chemin, mais ce n'est pas possible qu'elle soit déjà ici, vu que je suis parti très tôt exprès.

90 — Bizarre, dit la grand-mère. Es-tu bien sûre que tu sois Polly ?

— Sûr et certain ! dit le loup.

— Dans ce cas, je me demande qui peut bien être ici avec moi, dit la grand-mère. Elle m'a dit qu'elle était Polly. Mais si Polly,
95 c'est toi, alors l'autre personne ne peut être que le loup.

— Non, non, Polly, c'est moi, dit le loup. Et de toute façon, tu n'as pas à me raconter tout ça. Tu dois juste dire : « Tire la chevillette et tu entreras chez moi. »

— Pas question ! dit la grand-mère de Polly. Je ne veux pas
100 que ma petite Polly soit dévorée par un loup, et si tu entres maintenant, le loup qui est avec moi risquerait de te dévorer.

Une autre silhouette apparut à la fenêtre. C'était Polly.

— Pas de chance, mon pauvre loup, dit-elle. Tu ne savais pas que je venais pour déjeuner ce coup-ci, au lieu de venir pour le
105 goûter comme d'habitude. Je suis arrivée avant toi. Et si tu es Polly, comme tu le prétends, alors je suis le loup, et tu as intérêt à déguerpir avant que je te dévore ! Miam !

— Malheur, malheur, malheur de MALHEUR ! dit le loup. C'est encore raté comme à tous les coups. Pourtant, j'ai fait exac-
110 tement comme dans le bouquin. Pourquoi est-ce que je peux pas t'avoir, Polly, alors que cet autre loup a pu avoir la petite fille ?

— Parce qu'on n'est pas dans un conte de fées, dit Polly. Je ne suis pas le Petit Chaperon rouge. Je suis Polly, et tu ne m'auras jamais, mon pauvre loup, parce que je suis bien trop futée pour toi.
115 — Brave petite ! dit la grand-mère de Polly.

Et le loup s'en alla en grommelant.

Catherine Storr, *Polly la futée et cet imbécile de loup*, © Nathan.

A Une parodie

● **Qu'est-ce qui, dans cette histoire, est repris du conte *Le Petit Chaperon rouge* ?**

Des personnages	Des actions des personnages	Des paroles des personnages
…	…	…

● **Qu'est-ce qui est différent ?**

● **Aux lignes 105 à 107, relis le raisonnement de Polly : « Et si tu es Polly,… alors je suis…, et tu… » Ce raisonnement te paraît-il logique ?**

● **Cette histoire t'a-t-elle fait rire ? À quels moments ? Pourquoi ?**

● **Voici des titres de contes. Ce sont des versions différentes de trois contes connus. Regroupe les titres qui vont ensemble.**

Le Petit Chaperon vert. La reine au bois dormant. Le Petit Chaperon bleu marine. La Belle au doigt bruyant. La fugue du Petit Poucet. Le Petit Poucet. Le Petit Chaperon rouge. La femme de l'Ogre. Petit Pantalon rouge. La Belle au bois dormant.

| *Raconter une histoire déjà connue d'une manière qui fait rire le lecteur, c'est en faire une parodie.*

B *Un air de famille*

● **Lis ces deux débuts de contes traditionnels.**

Jeannot Bienfort

[…] Un jour qu'il était assis dans sa rue et qu'il découvrait sa jambe blessée, il y a toute une nuée de mouches qui viennent se poser sur sa plaie ; et lui, à
5 chaque mouche qui se pose là-dessus, il tape et la tue bel et bien. À la fin, il n'y a plus de mouches : il compte les cadavres, il y en a cinq cents. Ce qui fait qu'il prend un écriteau et marque dessus : « Jeannot Bienfort qui en a mis
10 cinq cents à mort », puis, cet écriteau, il l'accroche à son cou. […]

Il arrive juste au-dessus de la caverne et se met à taper des pieds sur le rocher afin d'attirer le Géant. Lequel s'empresse de sortir : « Qui est là ? »

Jeannot saisit un de ses fromages et dit : « La paix, mon petit,
15 sans quoi je te brise comme je brise ce silex ! », et il serre si fort le fromage qu'il en gicle de tous les côtés.

Ce que voyant, le Géant lit l'écriteau que Jeannot porte accroché à son cou et lui demande aussitôt s'il veut bien s'asso-cier avec lui.

Italo Calvino, *Romarine*,
Pocket Jeunesse.

Le vaillant petit tailleur

[...] L'odeur de la confiture montait le long des murs où il y avait une grande quantité de mouches, si bien qu'elles furent attirées et vinrent en troupe
5 s'abattre dessus. [...] Le petit tailleur attrapa un bout de drap dans sa corbeille à chiffons et, « attendez que je vous en donne ! », il tapa dessus impitoyable-
ment. Quand il retira le chiffon et compta, il n'en vit pas moins de
10 sept, mortes sous ses yeux, les pattes en l'air. « Serais-tu donc un gaillard de cette trempe, dit-il, forcé lui-même d'admirer sa vaillance, il faut que toute la ville sache cela. » Et en grande hâte, le petit tailleur se coupa une ceinture, la cousit et y broda en grandes lettres : « Sept d'un coup ! » [...]

15 Le petit tailleur alla hardiment au géant, l'interpella et lui dit : « Bonjour camarade, hein, te voilà en train de contempler le vaste monde ? Je suis justement en train de m'y rendre pour y tenter ma chance. As-tu envie de venir avec moi ? »

Le géant toisa le tailleur d'un air dédaigneux et dit :

20 « Pouilleux, pitoyable avorton !

— Par exemple ! répondit le petit tailleur en déboutonnant son habit et en montrant sa ceinture au géant, tiens ! Lis donc là quel gaillard je suis ! »

Le géant lut : « Sept d'un coup ! », pensa que c'était des hommes
25 que le tailleur avait assommés et se sentit un peu de respect pour le petit luron. Pourtant, il voulut d'abord le mettre à l'épreuve, prit une pierre dans sa main et la pressa tellement qu'il en sortit de l'eau.

« Fais-en autant, dit le géant, si tu en as la force.

— Si ce n'est que ça, dit le tailleur, pour nous autres c'est un
30 jeu d'enfant », il mit la main dans sa poche, y prit le fromage mou et le serra de manière à en exprimer le jus. « Hein ! fit-il, c'est un peu plus fort ? » Le géant ne sut que dire, il n'aurait jamais cru ça de ce petit homme.

Jacob et Wilhelm Grimm, *Contes*, traduction de Marthe Robert, © Gallimard.

● **Qu'est-ce que les deux extraits que tu viens de lire ont de semblable ? Qu'ont-ils de différent ? Pense en particulier aux personnages, à ce qu'ils font, aux lieux, à la manière de raconter...**

Dans beaucoup de contes traditionnels, on retrouve des personnages semblables et les mêmes situations : la recherche d'un objet magique pour guérir un malade, la délivrance d'une princesse prisonnière, la ruse d'un personnage petit mais malin pour triompher d'un monstre stupide...

Contes d'ici et d'ailleurs

C'était un loup si bête

Il avait très faim, ce loup… et il partit chercher quelque chose à manger.

Chemin faisant il rencontra une chèvre. Le loup s'arrêta et lui dit :

5 — Chèvre, chèvre, je vais te manger !

Et la chèvre répondit :

— Mais ne vois-tu donc pas, bon loup, que je suis maigre comme un clou ? Tu n'y songes pas ! Attends plutôt que je fasse un saut jusqu'à la maison, et je te ramènerai un de mes chevreaux !
10 Cela fera bien mieux ton affaire !

Le loup consentit[1] et la chèvre s'enfuit.

Il attendit longtemps, longtemps… Puis, perdant patience, il reprit son chemin.

Et voilà qu'il rencontra un mouton.

15 Le loup en fut tout content, et il lui cria :

— Où cours-tu donc, mouton ? Arrête-toi, je vais te manger !

Et le mouton répondit :

— Ne pourrais-tu pas choisir quelqu'un d'autre pour tes repas ? Ne sais-tu pas que je suis le meilleur danseur du monde ?
20 Il serait vraiment dommage que je périsse[2]…

— Tu sais réellement danser ? s'étonna le loup.

— Comment donc, seigneur loup. Je vais te le prouver à l'instant, répondit le mouton.

Et il se mit à tournoyer et à décrire des cercles de plus en plus
25 grands, si bien qu'à la fin il disparut.

1. *consentit :* accepta.
2. *périsse :* meure.

45

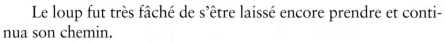

Le loup fut très fâché de s'être laissé encore prendre et continua son chemin.

Et voilà qu'il rencontra un cheval. Le loup courut à lui et lui dit :

— Cheval, je te mange sur-le-champ !

Et le cheval répondit :

— D'accord, d'accord… mais il faut que tu te renseignes d'abord pour savoir si tu as vraiment le droit de me manger…

— Comment ça ? demanda le loup.

— Sais-tu lire ? demanda le cheval.

— Mais bien sûr, dit le loup.

— Alors, dit le cheval, c'est très simple. Passe derrière moi et tu verras un écriteau sur lequel il est écrit si tu as le droit de me manger ou non…

Le loup passa donc derrière le cheval qui lui décocha un tel coup de pied sur la tête qu'il en resta étourdi pour le restant de sa vie.

Natha Caputo, extrait de *Conte kirghize, Contes des quatre vents,*
© Nathan.

❶ Que cherche le loup ?

❷ Combien de rencontres le loup fait-il ? Retrouve-les dans le texte.

❸ Comment se termine chacune des rencontres ?
L'ordre des rencontres peut-il être modifié ? Pourquoi ?

❹ Que nous apprend le titre du texte ? Selon toi, le loup arrivera-t-il ou non à manger ?

❺ Ce conte fait-il peur ? Connais-tu des contes de loup qui font peur ?

❻ Est-ce un conte amusant ? Indique le passage que tu as trouvé le plus amusant.

J'écris un nouvel épisode

❶ À quel moment dans le texte as-tu compris comment fonctionnait le récit ?

❷ Imagine que le loup fait une autre rencontre. Où pourras-tu la situer dans le texte ? Quel animal rencontre-t-il ? Comment l'animal trompe-t-il le loup ?

❸ Rédige en quelques lignes cet épisode.

J'imagine la suite d'un récit (1)

Repérer les indices qui annoncent la suite

J'observe

■ **Lis ce début de conte :**

Il y avait, une fois, au bois de Gajan, un Loup qui se rendait malade à force de trop manger. Ce Loup s'en alla un jour à Miradoux trouver un grand médecin.
« Bonjour, Monsieur le médecin.
— Bonjour, Loup.
— Monsieur le médecin, je suis bien malade. Je voudrais une consultation, en payant, comme de juste. »
Le médecin fit tirer la langue au Loup.
« Loup, dit-il, tu te rends malade à force de trop manger. À partir d'aujourd'hui, il faut te limiter à sept livres de viande par jour. »
[...] En s'en retournant au Gajan, il passa à la boutique du forgeron de Castet-Arrouy et lui commanda une balance romaine pour peser, chaque jour, les sept livres de viande...

■ **1. Qui est le personnage principal ? Que sait-on de lui ? Est-ce que cela te permet d'imaginer la suite ?**

■ **2. Selon toi, la balance aura-t-elle de l'importance dans l'histoire ?**

Maintenant, lis la suite :

Au début, le Loup respecte son régime. Il emporte toujours sa balance à la chasse. Un jour, il surprend une jument et une mule. Mais il a oublié sa balance.

« Bah, dit-il, je pèserai à vue d'œil. Quatre livres la jument, et trois livres la mule. »
Aussitôt, il les étrangla et les rongea jusqu'aux os.
Le soir même, le Loup creva.

J.-F. Bladé, *Dix Contes de loups*, © Nathan, © Pocket pour la présente édition.

■ **3. Cette fin correspond-elle à ce que laissaient attendre les indices du début ?**

Dans une histoire, les caractéristiques des personnages indiquées au début sont importantes pour la suite (par exemple, la bêtise ou la goinfrerie du loup...). D'autres indices encore peuvent annoncer la suite : une situation, un objet (par exemple, la balance).

Je m'exerce

Voici le début d'un autre conte.

■ **a) Lis-le, puis repère les indices qui permettent d'imaginer la suite du récit.**

■ **b) Classe ces indices : personnages principaux, caractéristiques des personnages, objets importants, situations.**

Quand la fille du diable eut quinze ans, tous les démons furent invités : les griffus, les fessus, les cornus, les biscornus. Ils lui firent trois cadeaux pour aller avec son genre de beauté : un collier d'araignées vivantes, des boucles d'oreilles en bave d'escargot et une robe en bave de taureau. La fille du diable revêtit ces parures, et quelque temps après... elle tomba malade. Le diable, son père, [...] convoqua tous les démons de l'enfer pour leur demander conseil.

E. Reberg, *La Belle Endiablée*, © Bayard éditions.

■ **c) Imagine la suite : d'après toi, pourquoi la fille du diable est-elle tombée malade ?**

Le diable va-t-il réussir à guérir sa fille ?

■ **d) Voici un résumé de la suite de l'histoire. Correspond-il à ce que tu imaginais ?**

Hélas, personne ne réussit à guérir la fille. Le diable alla chercher de l'aide sur Terre et promit d'offrir sa voiture à qui sauverait sa fille. Mais personne ne réussit ! Jusqu'au jour où un jeune homme qui aimait beaucoup voyager trouva le remède, grâce à une vieille sorcière... La fille du diable fut guérie et il partit en voyage... bien plus loin qu'il ne pensait !

Les cinq frères chinois

Il était une fois cinq frères chinois qui se ressemblaient comme cinq gouttes d'eau. Ils habitaient avec leur mère dans une maisonnette non loin de la plage.

L'Aîné des frères chinois pouvait avaler la mer. Le Second des
5 frères chinois avait un cou en fer. Le Troisième des frères chinois avait des jambes qui s'allongeaient… qui s'allongeaient… Le Quatrième des frères chinois ne pouvait pas être brûlé. Et le Cinquième des frères chinois pouvait retenir son souffle… indéfiniment.

Tous les matins, l'Aîné des frères chinois partait à la pêche.
10 Quel que soit le temps, il rapportait toujours au village quantité de beaux et rares poissons qu'il vendait à bon compte[1] au marché.

Un jour, comme il revenait du marché, il rencontra un petit garçon qui lui demanda de l'emmener pêcher avec lui.

— C'est impossible, dit l'Aîné des frères chinois.
15 Mais le petit garçon le supplia tant et si bien qu'il finit par consentir.

— À une condition, dit-il, c'est que tu m'obéiras en tout et sur-le-champ.

— Oui, oui, le petit garçon le promit.
20 Le lendemain matin de bonne heure, l'Aîné des frères chinois et le petit garçon s'en allèrent à la plage.

— N'oublie pas de m'obéir en tout et sur-le-champ, dit l'Aîné des frères chinois. Reviens dès que je te ferai signe de revenir.

— Oui, oui, le petit garçon le promit.

Alors l'Aîné des frères chinois avala la mer. Les poissons se trouvèrent à sec, et la mer découvrit ses trésors. Le petit garçon était ravi. Il courait de-ci de-là, sur le fond de la mer, remplissant ses poches de coquillages bizarres, d'algues fantastiques et de galets étranges.
30 Tout en retenant la mer dans sa bouche, l'Aîné des frères chinois fit sa récolte de poissons près du bord. Bientôt, il se sentit fatigué. C'est très difficile de retenir la mer ! Alors, il fit signe au petit garçon de revenir bien vite, mais le petit garçon fit comme si

1. **à bon compte :** *à faible prix.*

de rien n'était. L'Aîné des frères chinois agita les bras comme
35 pour dire : « Reviens ! » C'est le petit garçon qui s'en moquait !
Il s'éloigna davantage.

Alors l'Aîné des frères chinois sentit que la mer montait en
lui et fit des gestes désespérés pour rappeler le petit garçon. Mais
le petit garçon lui fit des grimaces et s'enfuit encore plus loin.

40 L'Aîné des frères chinois retint la mer si longtemps qu'il
croyait éclater. Mais tout à coup la mer déborda de sa bouche,
retourna à sa place… et le petit garçon disparut.

Quand l'Aîné des frères chinois revint seul au village, on l'arrêta et on le mit en prison. Il fut jugé et condamné à être déca-
45 pité[2]. Le matin de l'exécution, il dit au juge :

— Juge, je voudrais bien aller dire adieu à ma mère.

— Ce n'est que juste, dit le juge.

Alors l'Aîné des frères chinois s'en alla chez sa mère et le
Second des frères chinois retourna au village à sa place.

50 Une grande foule était rassemblée sur la place du marché,
pour assister à l'exécution.

Le bourreau saisit son sabre et frappa un grand coup. Mais
le Second des frères chinois se releva et sourit. C'était celui qui
avait un cou en fer ! On pouvait bien essayer de le décapiter !
55 Tout le monde était mécontent et on décida qu'il fallait le noyer.
Le matin de l'exécution, le Second des frères chinois dit au juge :

— Juge, je voudrais bien aller dire adieu à ma mère.

— Ce n'est que juste, dit le juge.

Alors le Second des frères chinois s'en alla chez sa mère et le
60 Troisième des frères chinois retourna au village à sa place.

On le fit monter à bord d'un navire qui leva l'ancre aussitôt
et fit voile vers la haute mer. […]

Claire Huchet, *Les Cinq Frères chinois*, © 1984, Sénevé Jeunesse,
Buchet/Chastel Pierre Zech Éditeur.

2. *être décapité :*
avoir la tête
coupée.

① Les cinq frères chinois ont deux caractéristiques : lesquelles ?

② Pourquoi l'Aîné des frères ne voulait-
il pas emmener le petit garçon avec lui à
la pêche ?

③ Selon toi, l'Aîné des frères est-il coupable de la disparition du petit garçon ?

④ Que demande-t-il au juge ?

⑤ L'Aîné des frères chinois est condamné
à avoir la tête coupée, mais l'exécution
échoue. Pourquoi ? Sous l'influence de
qui la condamnation est-elle modifiée ?

⑥ Quel est le frère qui remplace celui qui
doit être noyé ?

1 Le récit des *Cinq Frères chinois* (pp. 48-49) est incomplet.
Si tu te souviens, dans l'ordre, des différents dons des cinq frères, tu peux déjà imaginer la suite de l'histoire.
Qu'est-ce qui doit rester pareil ? Que faut-il que tu imagines ?

2 Par groupes de trois, inventez des scénarios pour la suite de l'histoire. Répartissez-vous les épisodes : le Troisième frère, le Quatrième, le Cinquième. Pensez aux variations nécessaires à chaque épisode.

3 Il faut aussi trouver une chute, c'est-à-dire une fin. Inventez-la.

Des mots pour mieux écrire

Voici une liste de mots ou d'expressions qui permettent d'indiquer l'enchaînement des événements. En les employant, tu éviteras de répéter « *et, et puis…* ».

le lendemain	*alors*	*tout à coup*
le jour suivant	*mais*	*bien plus tard*
trois mois après	*ensuite*	*c'est pourquoi*

1 Trouve dans cette liste deux expressions possibles pour commencer la phrase : « … de bonne heure, l'Aîné des frères chinois et le petit garçon s'en allèrent à la plage » (lignes 20-21).

2 Quels sont les deux mots ou expressions de cette liste le plus souvent utilisés dans *Les Cinq Frères chinois* ? Note-les afin de les utiliser pour inventer la suite de l'histoire.

Pistes de lecture

Le grand méchant loup n'est pas toujours le plus fort. D'autres animaux lui donnent une bonne leçon …

Un poisson magique réalise les souhaits de la femme du pêcheur …
Attention à ne pas trop lui en demander !

Jean-François Bladé,
Dix contes de loups,
Kid Pocket.

Grimm,
Le Pêcheur et sa femme, dans *Les Trois Plumes et douze autres contes*,
Folio junior.

Mitsumasa Anno raconte à sa façon
Le Pêcheur et sa femme,
Circonflexe.

Pouchkine,
Conte du pêcheur et du petit poisson,
dans *Contes de Pouchkine,*
Éditions du Sorbier.

J'imagine la suite d'un récit (2)

Répéter une situation plusieurs fois

J'observe

■ **Voici un extrait d'un conte de Grimm, *Les deux frères*.**

Comme ils n'avaient plus rien à manger, l'un des deux chasseurs dit : « Il nous faut tirer du gibier, sans quoi nous aurons faim », il chargea son fusil et regarda autour de lui. Et ayant vu un vieux lièvre s'en venir en courant, il le mit en joue, mais le lièvre s'écria :
Gentil chasseur, laisse-moi la vie
Et je te donnerai deux petits.

Il disparut d'un bond dans le fourré et amena deux petits ; les petits animaux jouaient si gaiement et étaient si gentils que les chasseurs n'eurent pas le cœur de les tuer. Ils les gardèrent avec eux et les petits lièvres leur emboîtèrent le pas.

Peu après un renard passa devant eux à vive allure, ils voulurent l'abattre, mais le renard s'écria :
Gentil chasseur…

D'après Grimm, *Contes*, traduction M. Robert,
© Folio Gallimard.

■ **I. Qu'est-ce qui se répète exactement de la même manière dans cet extrait ?**

■ **2. Qu'est-ce qui change ?**

⋮ *Dans les contes, il est fréquent qu'une même situation soit répétée plusieurs fois, parfois avec les mêmes mots.*

Je m'exerce

■ **Imagine la suite de l'histoire. Que peut-il se passer ?**

Imaginer la fin

J'observe

■ **Voici la fin d'un conte de Grimm, *Le vaillant petit tailleur*.**

Quand les serviteurs entendirent le tailleur parler ainsi, ils furent pris d'une grande frayeur, ils détalèrent comme s'ils avaient la chasse infernale à leurs trousses, et pas un ne voulut plus se risquer à l'attaquer. C'est ainsi que le petit tailleur devenu roi le resta toute sa vie.

Grimm, *Contes*, traduction M. Robert,
© Folio Gallimard.

■ **I. Qu'arrive-t-il aux personnages ?**

■ **2. Pour qui l'histoire finit-elle bien ?**

⋮ *Dans les contes merveilleux, en général, la fin est heureuse pour le héros, et malheureuse pour ses ennemis.*

Je m'exerce

■ **Voici le début d'un conte. Il va arriver bien des aventures au héros. Mais peux-tu, dès à présent, imaginer la fin du conte ?**

Il était une fois une pauvre femme qui mit au monde un petit garçon, et […] on lui prédit qu'à l'âge de quatorze ans, son fils épouserait la fille du roi. Il advint que bientôt après, le roi se rendit au village. […] Le roi, qui avait le cœur méchant et que la prophétie mit en colère, alla trouver les parents, se donna l'air tout à fait aimable, et leur dit : « Pauvres gens, confiez-moi votre enfant, je veux me charger de lui. » […] Le roi le mit dans une boîte et partit à cheval avec lui, jusqu'au bord d'une eau profonde. Alors il y jeta la boîte en se disant : « J'ai débarrassé ma fille de ce prétendant inattendu. »

Grimm, « Le diable aux trois cheveux d'or », *Contes*,
traduction M. Robert, © Folio Gallimard.

Je réécris et j'améliore mon texte

1 Reprends le texte que tu as écrit (voir p. 50) et échangez vos différents épisodes dans le groupe. Avez-vous respecté le don de chacun des trois derniers frères ?

2 Avez-vous rédigé une fin heureuse à votre histoire ?

3 Relis et corrige ton propre brouillon avec la grille suivante :

1. Dans mon épisode apparaît un nouveau frère chinois, qui remplace le précédent.
2. Mon épisode est construit sur le modèle suivant : le condamné va dire au revoir à sa mère ; un nouveau frère prend sa place ; l'exécution échoue ; on décide de l'exécuter autrement…
3. J'ai utilisé les bonnes expressions pour construire mon récit en indiquant l'enchaînement des événements : « le lendemain, mais, alors… ».
4. Je suis allé à la ligne pour marquer les nouveaux paragraphes.

Récréation

▶ **Entraîne-toi à dire ce poème :**

Le pélican

Le capitaine Jonathan,
Étant âgé de dix-huit ans,
Capture un jour un pélican
Dans une île d'Extrême-Orient.

Le pélican de Jonathan,
Au matin, pond un œuf tout blanc
Et il en sort un pélican
Lui ressemblant étonnamment.

Et ce deuxième pélican
Pond, à son tour, un œuf tout blanc
D'où sort, inévitablement,
Un autre qui en fait autant.

Cela peut durer pendant très longtemps
Si l'on ne fait pas d'omelette avant.

Robert Desnos, *Chantefables et Chantefleurs,*
Contes et Fables de toujours,
© Librairie Gründ, Paris.

5 Contes modernes

Les déménageurs

C'est l'histoire d'un écrivain qui « déménage » de la tête.
Heureusement, il a des amis déménageurs.

[…] Mes amis les déménageurs se sont retroussé les manches et ils ont dit en chœur : « Maintenant, au boulot ! »

Ils ont pris le gros camion, et ils sont entrés avec lui dans ma tête. Une fois là, ils se sont mis à tirer, à pousser, à déplacer, à
5 bousculer, à basculer, à rouler, à transbahuter… Ça me faisait dans les oreilles un vacarme effroyable ! Pendant ce temps, je gardais la bouche ouverte, pour leur donner de l'air, et les yeux bien écarquillés, afin qu'ils puissent voir où ils mettaient les pieds !

Enfin le camion est sorti, au ralenti, et les déménageurs aussi.
10 Alors, ils se sont mis à décharger tout ce qu'ils avaient chargé. Il y en avait, il y en avait ! Je ne savais pas que ma tête pouvait contenir tant de choses ! Le trottoir en était couvert, depuis le coin de la rue Ternaux jusqu'à la bouche de métro !

— Qu'est-ce qu'il faut faire de tout ça, maintenant ? m'ont
15 demandé les déménageurs. Si on laisse là tout le saint-frusquin[1], les éboueurs l'emporteront demain matin.

— Vous avez raison ! je leur ai dit.

J'ai commencé par faire un tri, car il y avait des trucs pourris. J'ai mis à part ce que je voulais garder, et puis j'ai demandé :
20 — Vous n'êtes pas fatigués ?

— Nous, fatigués ? Jamais !

— Vous pouvez me remettre ça dans la tête ? […]

Ils ont donc rechargé le camion avec tout ce qui était bon, puis ils sont rentrés dans ma tête et ils ont déchargé, reposé, halé[2],
25 glissé, replacé, ajusté… À la fin, ils étaient claqués, et moi, de mon côté, j'avais une bonne envie d'aller me coucher !

Lorsqu'enfin ils sont ressortis, je leur ai demandé :
— Vous avez tout rangé ?

Ils m'ont répondu : Non, nous n'avons pas pu. Il y a tout ça
30 en surplus !

— Quoi, tout ça ?

— Regarde !

1. *saint-frusquin :*
expression ancienne
pour désigner les affaires,
les habits d'une personne.
2. *halé : tiré au moyen*
d'un cordage.

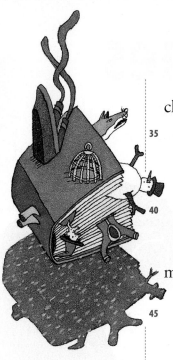

J'ai regardé dans le camion, et j'ai vu… Oh, là là ! tant de choses, dont ma tête ne voulait plus !

35

Un enterrement	La fille de l'ogresse	Une paire de bottes
Un renard	Un four à pain	Une robe
Une sorcière	Une cage	Un manteau
Deux pharmaciens	Beaucoup de gros mots	Un grand coffre
Quatre diables	Une cinquantaine de	Une deuxième sorcière
Un bateau	fessées	Une araignée
Une ogresse	Un bonhomme de neige	[…]

40

Et beaucoup, beaucoup d'autres choses ! Quand j'ai vu ça, moi, j'en aurais pleuré. Je me suis mis à crier :

— Qu'est-ce que je vais pouvoir faire de tout ce bric-à-brac[3] ?

45   […]

— J'ai une idée ! Tu écris des livres ?

— Oui, j'ai dit, j'en écris…

— Eh bien, colle tout ça dans un livre ! Comme ça, celui qui en voudra, eh bien, il se servira !

Pierre Gripari,
Les Contes de la Folie Méricourt,
© Grasset.

3. bric-à-brac : *tas de vieilles choses.*

❶ Quels sont les personnages de cette histoire ? Quel métier exercent-ils ?

❷ Peux-tu t'imaginer ce déménagement ? Qu'est-ce qui le rend presque vrai ?

❸ Qui est le narrateur (celui qui raconte) dans cette histoire ?

❹ Est-il nécessaire de ranger la tête de cet homme ?

❺ Qu'est-ce qu' « inventer des histoires » ? Aimes-tu en inventer toi-même ?

❻ Trouves-tu cette histoire plutôt fantastique ou plutôt comique ?

J'écris   le scénario d'une histoire

❶ Retrouve, dans ton texte, le passage écrit sur trois colonnes. De quoi s'agit-il ? Tu vas inventer le scénario d'une petite histoire à partir d'éléments de cette liste. Choisis-en trois ou quatre et associe-les de façon étonnante.

❷ Écris ensuite le scénario de ton histoire (c'est-à-dire la succession des étapes du récit sans les développer). Qu'est-ce qui peut justifier la rencontre de ces trois ou quatre objets ou personnes ? Que va-t-il leur arriver ?

J'organise la suite des actions

Utiliser des mots et des expressions pour organiser un texte

J'observe

■ **Voici le début du conte** *Les déménageurs,* **dont tu as lu la fin à la page précédente. Retrouve le bon ordre.**

A. Et puis voilà qu'un autre jour, je rencontre mon ami Paul. Nous nous disons bonsoir, il me parle, je lui parle, nous nous parlons, et je lui dis, ma foi, je ne sais plus quoi. Il me répond :
— Non, mais dis donc, tu déménages !

B. Un beau matin, je rencontre mon ami Pierre. Nous nous disons bonjour, il me parle, je lui parle, nous nous parlons. Il me dit :
— Non, mais ça ne va pas ! Tu déménages !
— Pas du tout, je reste ici. J'aime beaucoup ce quartier !

C. Cette fois, j'étais inquiet. Toute la nuit, j'ai mal dormi.

D. Pendant les jours qui ont suivi, j'ai rencontré des tas d'amis. À tous ceux que je voyais, je commençais par demander :
— Dis-moi : tu ne sais pas pour où je déménage ?

E. Mais lui, au lieu de répondre, il hausse les épaules et s'en va.
Je ne comprenais pas bien, mais ce n'était pas grave.
De toute façon, j'en étais sûr, je ne déménageais pas, mon ami Pierre s'était trompé.

F. Et il s'en va sans tourner la tête.

D'après P. Gripari, Les Contes de la Folie Méricourt, © Grasset.

■ **Qu'est-ce qui t'a permis de retrouver l'ordre dans lequel se déroulent les actions ?**

Pour bien faire comprendre l'ordre des actions et leur lien, on peut utiliser des mots comme « alors, enfin, et, mais… » ou des expressions telles que « pendant ce temps, une fois, à ce moment-là… ».

Je m'exerce

■ **1. Dans** *Les déménageurs* **(pp. 53-54), relève les mots et les expressions qui servent à organiser le texte.**

■ **2. Enrichis cette liste en recherchant d'autres mots ou expressions dans les textes du début de ton manuel.**

■ **3. Dans le texte ci-dessous, place au bon endroit les expressions et les mots suivants :** pendant ce temps - mais - le dimanche après-midi - souvent - un jour - et c'est ainsi qu'.

Il était une fois une petite fille aux bottes rouges qui vivait à l'orée de la forêt. Son père, qui était bûcheron, lui avait offert une hachette.
……, la petite fille l'accompagnait dans les bois et cognait, cognait contre les énormes troncs.
……, son père en profitait pour fumer tranquillement une cigarette.
« Plus tard, disait-il, tu seras une fameuse bûcheronne ! »
……, la petite fille allait chez sa grand-mère qui habitait une chaumière, au cœur de la forêt. ……, la vieille dame lui confectionna une jolie cape assortie à ses bottes. Une cape avec un chaperon rouge !
Pour son anniversaire, ses parents lui offrirent un beau vélo. Ah, elle avait fière allure, cette petite fille, pédalant à travers champs, toute rouge sur son vélo rouge ! […]

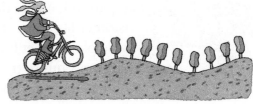

…… elle filait si vite qu'on ne voyait d'elle que son chaperon. …… on la surnomma le Petit Chaperon rouge.

T. Ross, Le Petit Chaperon rouge, coll. Folio benjamin, © Gallimard.

Les souris tête en l'air

Il était une fois un vieil homme de quatre-vingt-sept ans qui se nommait Basile. Il avait mené jusqu'alors une vie douce et paisible. C'était un homme à la fois très pauvre et très heureux. Quand Basile découvrit qu'il avait des souris dans sa maison, il
5 ne s'inquiéta pas outre mesure. Mais les souris proliféraient[1] et commençaient à l'importuner, jusqu'au jour où il décida qu'il était temps de s'en débarrasser.

« Voilà qui dépasse les bornes, se dit-il. Elles y vont vraiment un peu fort. » Il sortit en clopinant pour se rendre à la boutique
10 du bas de la rue où il se procura quelques pièges, un morceau de fromage et un peu de colle.

De retour chez lui, il mit de la colle sous les pièges qu'il fixa ensuite au plafond. Puis il les garnit soigneusement de quelques morceaux de fromage pour attirer les souris, enclencha le méca-
15 nisme et sortit.

Cette nuit-là, quand les souris sortirent de leurs trous et aperçurent les pièges au plafond, elles crurent à une grossière plaisanterie. Elles couraient en tous sens sur le plancher en se poussant du museau et en montrant le plafond avec leurs pattes avant, tout
20 en se tordant de rire. Après tout, c'était plutôt stupide, ces pièges tendus au plafond !

Quand Basile descendit le lendemain matin et qu'il vit qu'il n'y avait pas une seule souris attrapée, il se contenta de sourire. Il prit une chaise, posa de la colle sous ses pieds et la fixa à l'envers
25 au plafond, à côté des pièges. Il fit de même avec la table, la télévision et la lampe. Il prit en fait tous les objets qui se trouvaient sur le plancher et les colla à l'envers au plafond. Il colla même un petit tapis qui se trouvait là.

La nuit suivante, quand les souris sortirent de leurs trous,
30 elles riaient encore et plaisantaient au souvenir de ce qu'elles avaient vu la veille. Mais cette fois-ci, comme elles levaient les yeux au plafond, leur rire s'arrêta net.

— Juste ciel ! s'écria l'une, regardez là-haut ! Ne voilà-t-il pas le plancher !

1. proliféraient :
devenaient de
plus en plus
nombreuses, se
multipliaient.

35   — Bonté divine, s'écria une autre, nous devons nous trouver au plafond !

   — Je crois que la tête me tourne, fit une troisième.

   — Tout le sang me monte au cerveau ! dit encore une autre.

   — Voilà qui est terrible ! dit la souris la plus âgée, qui portait
40 de longues moustaches. Oui, vraiment terrible ! Nous devons immédiatement faire quelque chose !

   — Je vais m'évanouir si je reste plus longtemps sur la tête, s'écria une jeune souris.

   — Et moi aussi !

45   — Je ne peux pas le supporter !

   — À l'aide ! Au secours ! Faites quelque chose, vite !

Elles devenaient hystériques[2] à présent.

   — Je sais ce que nous allons faire, dit la souris la plus âgée. Nous allons toutes nous mettre sur la tête et, de toutes les façons,
50 nous serons dans le bon sens.

   Très obéissantes, toutes les souris se mirent aussitôt sur la tête et, au bout de quelque temps — ce qui fut assez long —, elles eurent une congestion cérébrale[3] et s'effondrèrent l'une après l'autre sur le sol.

55   Quand Basile descendit le lendemain matin, le sol était jonché de souris. Il les ramassa promptement et les fourra dans son panier.

   N'oubliez donc pas ceci : quand le monde a l'air de marcher sur la tête, assurez-vous que vous gardez encore plus solidement les pieds sur terre.

Roald Dahl, *Les Souris tête en l'air*,
© Gallimard, Folio Cadet,
Copyright © Roald Dahl Nominee Ltd., 1981.

2. *hystériques :* très excitées, au bord de la crise de nerfs.
3. *congestion cérébrale :* maladie provoquée par une accumulation de sang dans le cerveau.

1 Qui est Basile ? Comment te l'imagines-tu ? Est-ce un personnage sympathique ou au contraire antipathique ?

2 En quoi consiste la ruse de Basile ? Pourquoi se déroule-t-elle en deux temps ?

3 Les souris « se tordent de rire » (ligne 20). Imagine les paroles qu'elles échangent.

4 Quel est le sens de l'expression « garder les pieds sur terre » (lignes 58-59) ? En quoi s'applique-t-elle à l'histoire ?

5 Comment expliques-tu le titre de l'histoire ? Quel sens a-t-il ?

6 Pourrait-on rapprocher ce récit du texte *Les déménageurs* ? Quel est leur point commun ?

1 À partir du scénario que tu as réalisé (voir p. 54), essaie de présenter ton histoire oralement à tes camarades.

2 Rédige maintenant cette histoire. Fais en sorte que tes camarades sachent de qui tu parles, qu'ils comprennent bien l'enchaînement des actions et qu'ils s'imaginent bien tout ce qui s'est passé. Tu peux commencer ton texte par : « Un jour… » ou « Un beau matin… », etc.

Des mots pour mieux écrire

« Être tête en l'air » signifie « être distrait, oublier des choses ».

1 Voici d'autres expressions qui emploient le mot « tête » au sens figuré. Cherche leur signification et trouves-en d'autres.

avoir la grosse tête - perdre la tête - avoir la tête dure - faire la tête - faire tourner la tête - en mettre sa tête à couper - faire dresser les cheveux sur la tête - faire une tête d'enterrement - se mettre martel en tête - avoir la tête dans les nuages - à la tête du client - avoir ses têtes - faire sa tête de cochon.

2 Essaie ensuite de les classer à l'aide du tableau ci-dessous.

Expressions imagées	Expressions poétiques	Expressions familières
……	……	……

Pistes de lecture

Un petit garçon s'ennuie : il ne se passe jamais rien. Mais a-t-il bien regardé ?

Quinze contes pour te faire découvrir le monde sous un jour inquiétant et magique…

Viviane French et John Prater,
Il était une fois,
Kaléidoscope.

Béatrix Beck,
L'Île dans une bassine d'eau,
coll. Neuf, L'École des loisirs.

Philippe Dumas
et Boris Moissard,
Contes de la tête en plein ciel,
L'École des loisirs.

Jürg Schübiger,
Quand le monde était jeune,
La joie de lire.

Michel Tournier,
Sept contes,
coll. Folio junior, Gallimard.

Je raconte au passé

Utiliser le passé simple

J'observe

Il était une fois un vieil homme qui se nommait Basile et qui menait une vie douce et paisible. Il se rendit à la boutique du bas de la rue où il se procura quelques pièges, un morceau de fromage et un peu de colle.

D'après R. Dahl, *Les Souris tête en l'air,*
© Gallimard, Folio Cadet,
Copyright © Roald Dahl Nominee Ltd., 1981.

■ **Les verbes conjugués de cet extrait ne sont pas tous au même temps. Classe-les en deux colonnes : les verbes qui désignent des actions et les autres.**

⋮ *Pour raconter des actions qui se succèdent dans le passé, on utilise souvent le passé simple (« il se rendit, se procura… »). L'imparfait sert plutôt à décrire, à présenter les personnages, le cadre de l'action ou le décor.*

Je m'exerce

■ **Lis ce petit texte. Relève les verbes conjugués à un temps du passé, puis classe-les en deux colonnes selon qu'ils présentent : d'un côté les personnages ou le cadre de l'histoire, de l'autre les événements et les actions des personnages.**

Un jour, trois personnes vinrent consulter le cadi [le juge] Omar. Une foule nombreuse les accompagnait.

Le père des visiteurs venait de mourir en laissant en héritage dix-sept chameaux et un problème insoluble : « À l'aîné de mes fils je lègue la moitié de mes bêtes, au second un tiers, au dernier un neuvième. » Depuis deux mois, la corporation des chameliers se cassait la tête à se demander comment diviser un chameau en deux ou en trois sans le massacrer.

Le cadi écouta gravement les explications des héritiers, réfléchit un moment et se tourna vers Ali…

D'après Paul Thiès, *Ali de Bassora,*
voleur de génie, © Rageot-Éditeur.

Utiliser le passé composé

J'observe

Mes amis les déménageurs se sont retroussé les manches et ils ont dit en chœur : « Maintenant, au boulot ! »

Ils ont pris le gros camion, et ils sont entrés avec lui dans ma tête. Une fois là, ils se sont mis à tirer, à pousser…

P. Gripari, *Les Contes de la Folie Méricourt,* © Grasset.

■ **1. Fais la liste des verbes qui indiquent ce que font les déménageurs.**

■ **2. Les verbes sont-ils ici au passé simple ? À quel temps du passé sont-ils conjugués ?**

⋮ *Pour raconter au passé, on peut utiliser le passé composé. Ce temps est particulièrement employé à l'oral. Il est utilisé à l'écrit lorsqu'on veut rendre son récit plus simple, plus familier.*
⋮ *Attention : si on décide de raconter au passé composé, il ne faut pas utiliser le passé simple dans le même texte.*

Je m'exerce

■ **1. Raconte cet épisode des *Souris tête en l'air* de manière familière, au passé composé :**

Quand Basile descendit le lendemain matin et qu'il vit qu'il n'y avait pas une seule souris attrapée, il se contenta de sourire. Il prit une chaise, posa de la colle sous ses pieds et la fixa à l'envers au plafond, à côté des pièges. Il fit de même avec la table, la télévision et la lampe. Il prit en fait tous les objets qui se trouvaient sur le plancher et les colla à l'envers au plafond. Il colla même un petit tapis qui se trouvait là.

R. Dahl, *Les Souris tête en l'air,*
© Gallimard, Folio Cadet,
Copyright © Roald Dahl Nominee Ltd., 1981.

■ **2. Fais de même avec le début du texte *Les souris tête en l'air* (de la ligne 4 à la ligne 15).**

1 Reprends ton texte (voir p. 58) et lis-le à tes camarades. Est-ce qu'ils ont bien compris toute ton histoire ?

2 Essaie d'améliorer ton texte en utilisant la grille de réécriture ci-dessous.

1. J'ai bien précisé de qui parle le texte.

2. J'ai utilisé des mots ou des expressions qui organisent le texte afin de bien montrer l'enchaînement des actions.

3. J'ai organisé mon texte en paragraphes pour bien faire ressortir les différents moments du récit.

4. J'ai fait attention aux temps des verbes (passé simple ou passé composé).

Récréation

Les poètes s'amusent parfois à « bousculer » les mots.
▶ Repère ce qui est étrange dans ce poème.

La belle fête

L'étoile qui tombit
— Pardieu la belle fête !
l'étoile qui tombit
le cheval qui sautit
le fleuve qui coulit
ils m'ont donné à rire
ils m'ont donné à rire
Bell'dame !
à rire et à chanter.

La branche qui cassit
— Pardieu la belle fête !
la branche qui cassit
le cheval qui chutit
le char qui se rompa
le pont qui s'écroulit,
ils m'ont point tant fait rire,
ils m'ont point tant fait rire,
Bell'dame !
tant rire que trembler.

La dame qui passit
— Pardieu la belle fête !
la dame qui passit
la main qui se tenda
le baiser que je pris
m'ont donné à sourire
m'ont donné à sourire,
Bell'dame !
sourire et oublier. [...]

Jean Tardieu,
« Monsieur Monsieur »,
dans *Le Fleuve caché*, © Gallimard.

Où sont passées les fées ?

Les fées

Il était une fois une veuve qui avait deux filles : l'aînée lui ressemblait si fort et d'humeur et de visage, que qui la voyait voyait la mère. Elles étaient toutes deux si désagréables et si orgueilleuses, qu'on ne pouvait vivre avec elles. La cadette, qui
5 était le vrai portrait de son père pour la douceur et l'honnêteté[1], était avec cela une des plus belles filles qu'on eût su voir.

Comme on aime naturellement son semblable, cette mère était folle de sa fille aînée, et en même temps avait une aversion[2] effroyable pour la cadette. Elle la faisait manger à la cuisine et
10 travailler sans cesse.

Il fallait, entre autres choses, que cette pauvre enfant allât, deux fois le jour, puiser de l'eau à une grande demi-lieue[3] du logis, et qu'elle en rapportât plein une grande cruche. Un jour qu'elle était à cette fontaine, il vint à elle une pauvre femme qui la pria
15 de lui donner à boire.

« Oui-da, ma bonne mère », dit cette belle fille ; et rinçant aussitôt sa cruche, elle puisa de l'eau au plus bel endroit de la fontaine, et la lui présenta, soutenant toujours la cruche, afin qu'elle bût plus aisément.

20 La bonne femme ayant bu, lui dit : « Vous êtes si belle, si bonne et si honnête, que je ne puis m'empêcher de vous faire un don » (car c'était une fée qui avait pris la forme d'une pauvre femme de village, pour voir jusqu'où irait l'honnêteté de cette

1. *honnêteté* : dans un sens ancien, politesse.
2. *aversion* : dégoût, répulsion.
3. *lieue* : ancienne mesure qui valait environ quatre kilomètres.

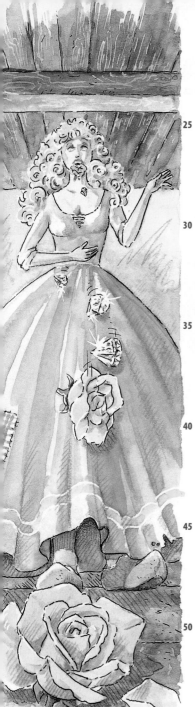

jeune fille). « Je vous donne pour don », poursuivit la fée, « qu'à 25 chaque parole que vous direz il vous sortira de la bouche ou une fleur, ou une pierre précieuse. »

Lorsque cette belle fille arriva au logis, sa mère la gronda de revenir si tard de la fontaine.

« Je vous demande pardon, ma mère », dit cette pauvre fille, 30 « d'avoir tardé si longtemps » ; et, en disant ces mots, il lui sortit de la bouche deux roses, deux perles et deux gros diamants.

« Que vois-je là ? » dit sa mère tout étonnée ; « je crois qu'il lui sort de la bouche des perles et des diamants ! D'où vient cela, ma fille ? » (Ce fut la première fois qu'elle l'appela sa fille.)

35 La pauvre enfant lui raconta naïvement tout ce qui lui était arrivé, non sans jeter une infinité de diamants.

« Vraiment », dit la mère, « il faut que j'y envoie ma fille. Tenez, Fanchon, voyez ce qui sort de la bouche de votre sœur quand elle parle : ne seriez-vous pas bien aise d'avoir le même 40 don ? Vous n'avez qu'à aller puiser de l'eau à la fontaine, et quand une pauvre femme vous demandera à boire, lui en donner bien honnêtement. »

« Il me ferait beau voir », répondit la brutale[4], « aller à la fontaine ! »

45 « Je veux que vous y alliez », reprit la mère, « et tout à l'heure. »

Elle y alla, mais toujours en grondant. Elle prit le plus beau flacon d'argent qui fût dans le logis. Elle ne fut pas plutôt arrivée à la fontaine, qu'elle vit sortir du bois une dame magnifiquement 50 vêtue, qui vint lui demander à boire ; c'était la même fée qui avait apparu à sa sœur, mais qui avait pris l'air et les habits d'une princesse, pour voir jusqu'où irait la malhonnêteté de cette fille.

« Est-ce que je suis ici venue », lui dit cette brutale orgueilleuse, « pour vous donner à boire ? Justement j'ai apporté un flacon 55 d'argent tout exprès pour donner à boire à Madame[5] ! J'en suis d'avis[6] : buvez à même[7] si voulez. »

« Vous n'êtes guère honnête », reprit la fée sans se mettre en colère. « Eh bien ! puisque vous êtes si peu obligeante, je vous donne pour don qu'à chaque parole que vous direz, il vous sor60 tira de la bouche ou un serpent, ou un crapaud. »

D'abord que[8] sa mère l'aperçut, elle lui cria : « Eh bien, ma fille ? »

« Eh bien, ma mère ! », lui répondit la brutale en jetant deux vipères et deux crapauds.

65 « Ô ciel ! » s'écria la mère, « que vois-je là ? C'est sa sœur qui en est la cause ; elle me le payera » ; et aussitôt elle courut pour la

4. **brutale :** grossière, impolie.

5. **Madame :** la fée, que la jeune fille ne reconnaît pas sous sa nouvelle apparence.

6. **J'en suis d'avis :** à mon avis.

7. **à même :** directement dans la fontaine.

8. **D'abord que :** aussitôt que.

battre. La pauvre enfant s'enfuit, et alla se sauver dans la forêt prochaine. Le fils du roi, qui revenait de la chasse, la rencontra, et, la voyant si belle, lui demanda ce qu'elle faisait là toute seule,
70 et ce qu'elle avait à pleurer.

« Hélas ! monsieur, c'est ma mère qui m'a chassée du logis. »

Le fils du roi, qui vit sortir de sa bouche cinq ou six perles et autant de diamants, la pria de lui dire d'où cela lui venait. Elle lui raconta toute son aventure. Le fils du roi en devint amoureux ; et,
75 considérant qu'un tel don valait mieux que tout ce qu'on pouvait donner en mariage à une autre, l'emmena au palais du roi son père, où il l'épousa.

Pour sa sœur, elle se fit tant haïr, que sa propre mère la chassa de chez elle ; et la malheureuse, après avoir bien couru sans trouver
80 personne qui voulût la recevoir, alla mourir au coin d'un bois.

Charles Perrault, *Les fées*.

❶ Repère la situation initiale du conte. Qu'apprends-tu sur les personnages ? sur le temps et le lieu du récit ?

❷ Quels mots indiquent le début de l'action (l. 11-15) ? Quel changement de temps remarques-tu avec le début du texte ?

❸ Relève les mots qui décrivent la fée. Pourquoi la fée demande-t-elle de l'eau à la jeune fille ?

❹ En quoi la fille cadette se montre-t-elle aimable et polie ? Quelle est sa récompense ?

❺ La fille aînée se montre-t-elle polie avec la fée ? Quelle est sa punition ?

❻ Relis la fin de l'histoire (l. 74-80). Que penses-tu de cette fin ?

❼ Quel détail de ce conte te paraît le plus marquant ?

J'écris — **un conte connu avec mes mots**

Ce conte de Perrault date du XVIIᵉ siècle. Il comporte des termes anciens, difficiles ou qui ont changé de sens.

Réécris la première partie de l'histoire (jusqu'au retour de la fille cadette) avec tes propres mots.
Pour te préparer à cette réécriture, tu peux commencer par raconter l'histoire à voix haute (seul ou avec des camarades).

Je distingue les récits d'hier et d'aujourd'hui

 Utiliser les mots d'hier et d'aujourd'hui

 **Restituer le décor, les modes de vie**

J'observe

Il était une fois une petite fille de Village, la plus jolie qu'on eût su voir ; sa mère en était folle, et sa grand-mère plus folle encore. Cette bonne femme lui fit faire un petit chaperon rouge, qui lui seyait si bien, que partout on l'appelait le petit Chaperon rouge.

Un jour, sa mère ayant cuit et fait des galettes lui dit :

— Va voir comme se porte ta Mère-grand, car on m'a dit qu'elle était malade, porte-lui une galette et ce petit pot de beurre.

Le petit Chaperon rouge partit aussitôt pour aller chez sa Mère-grand, qui demeurait dans un autre Village.

■ **Dans cet extrait du *Petit Chaperon rouge*, relève les mots anciens et cherche leur signification dans un dictionnaire.**

On peut reconnaître un récit d'autrefois parce qu'on y trouve des mots que l'on emploie rarement aujourd'hui ou que l'on n'emploie plus du tout.

Je m'exerce

■ **Recopie cet extrait de *Cendrillon* en remplaçant les mots ou les expressions que l'on n'emploie plus par des mots ou des expressions d'aujourd'hui.**

Il arriva que le fils du Roi donna un bal, et qu'il en pria toutes les personnes de qualité : nos deux Demoiselles en furent priées, car elles faisaient grande figure dans le Pays. Les voilà bien aises et bien occupées à choisir les habits et les coiffures qui leur siéraient le mieux ; nouvelle peine pour Cendrillon, car c'était elle qui repassait le linge de ses sœurs et qui godronnait* leurs manchettes.

godronnait : faisait des plis ronds avec un fer.

J'observe

■ **Dans ces deux extraits, relève tout ce qui t'indique qu'il s'agit de récits d'autrefois.**

A. Pendant ce temps, la mère faisait le ménage, soignait et trayait la chèvre, préparait les repas, apportait l'eau et les bûches pour l'âtre. Dans toute cette maisonnée, elle était la seule à s'occuper de tout.

Conte de Brême.

B. Dans un chemin montant, sablonneux, malaisé,
Et de tous les côtés au soleil exposé,
    Six forts chevaux tiraient un coche.
Femmes, moine, vieillards, tout était
            descendu.
L'attelage suait, soufflait, était rendu.

La Fontaine, « Le coche et la mouche », *Fables.*

Il n'y a pas que les mots qui aident à distinguer les récits d'hier et d'aujourd'hui : il y a aussi les décors, les objets, ce que font les personnages...

Je m'exerce

■ **Choisis un des deux extraits ci-dessus. Transforme les situations et les personnages pour en faire un récit d'aujourd'hui.**

La fée du robinet

Depuis Perrault, on ne croit plus que les fées vivent près des sources et les jeunes filles ne vont plus chercher de l'eau à la fontaine. Les fées ont-elles disparu pour autant ? Mais non, dit Pierre Gripari. Elles se sont adaptées à la vie moderne...

Ce robinet et cet évier faisaient partie d'une cuisine, et cette cuisine était située dans un appartement où habitait une famille d'ouvriers comprenant le père, la mère et deux grandes filles. La fée resta longtemps sans se manifester à eux, car les fées ne se
5 montrent pas pendant le jour : elles ne sortent qu'après minuit. Or le père travaillait dur, la mère aussi, les deux filles fréquentaient l'école, de sorte que tous étaient couchés à dix heures au plus tard, et que personne n'ouvrait le robinet de toute la nuit.

Une fois cependant, l'aînée des filles, qui était gourmande et
10 mal élevée, se leva, sur le coup de deux heures du matin, pour aller voler dans le frigidaire. Elle prit une cuisse de poulet, la rongea, mangea une mandarine, trempa son doigt dans un pot de confiture, le lécha, après quoi elle eut soif. Elle sortit un verre du buffet, alla au robinet, l'ouvrit... mais voilà qu'au lieu d'eau il
15 s'échappa du robinet une toute petite bonne femme en robe mauve, avec des ailes de libellule, qui tenait à la main une baguette surmontée d'une étoile d'or. La fée (car c'était elle) se posa sur le bord de l'évier et parla d'une voix musicale :

— Bonjour, Martine.
20 (J'ai oublié de dire que cette fille s'appelait Martine.)

— Bonjour, Madame, répondit Martine.

— Veux-tu être gentille, Martine ? demanda la bonne fée. Donne-moi un peu de confiture.

Martine était, comme je l'ai dit, gourmande et mal élevée.
25 Cependant, quand elle vit que la fée était bien habillée, avec des ailes de libellule et une baguette magique, elle se dit :

— Attention ! Cette dame est une belle dame, et j'ai tout intérêt à être bien avec !

Aussi répondit-elle avec un sourire hypocrite :

— Mais certainement, Madame ! Tout de suite, Madame !

Elle prit une cuiller propre, elle la plongea dans le pot de confiture, et la tendit à la bonne fée. [...]

— Merci, Martine. En récompense de ta gentillesse, je vais te faire un don : à chaque mot que tu diras, il te sortira de la bouche une perle.

Et la fée disparut.

— Ben ça, alors ! dit Martine.

Et, comme elle disait ces mots, trois perles lui tombèrent de la bouche.

Le lendemain matin, elle conta l'histoire à ses parents, non sans jeter une quantité de perles. Sa mère porta ces perles au bijoutier, qui les trouva fort bonnes, encore qu'un peu petites.

— Si elle disait des mots plus longs, dit le père, elles grossiraient peut-être...

Ils demandèrent aux voisins quel est le mot le plus long de la langue française. Une voisine qui avait des lettres leur répondit que c'était le mot anticonstitutionnellement. Ils obligèrent Martine à le répéter. Elle obéit, mais les perles n'en furent pas plus grosses [...].

— Tant pis, dirent les parents. De toute façon, notre fortune est faite. À partir d'aujourd'hui, la petite n'ira plus à l'école. Elle restera assise à table, et parlera toute la journée au-dessus du saladier. [...]

Martine qui, entre autres défauts, était bavarde et paresseuse, fut d'abord enchantée de ce programme. Mais au bout de deux jours, elle en eut assez de parler toute seule et de rester immobile. Au bout de trois jours cela devint un tourment, au bout de quatre un supplice, et le soir du cinquième jour, pendant le dîner, elle entra dans une grande colère et se mit à crier :

— Zut ! Zut ! Zut !

En vérité, elle ne dit pas zut, mais un mot beaucoup plus vulgaire. Et en même temps, voici que trois grosses perles, énormes, roulèrent sur la nappe.

— Qu'est-ce que c'est que ça ? demandèrent les parents. Mais ils comprirent tout de suite.

— C'est simple, dit le père, j'aurais dû y penser. Chaque fois qu'elle dit un mot ordinaire, elle crache une petite perle. Mais quand c'est un gros mot, elle en crache une grosse.

À partir de ce jour-là, les parents obligèrent Martine à ne plus dire que des gros mots au-dessus du saladier. Au commencement, cela la soulageait, mais bientôt les parents la grondèrent chaque

fois qu'elle disait autre chose qu'un gros mot. Au bout d'une semaine, cette vie ne lui parut plus tenable, et elle s'enfuit de la maison. Elle marcha tout le jour dans les rues de Paris, sans savoir
75 où aller. Vers le soir, affamée et rompue de fatigue, elle s'assit sur un banc. Un jeune homme, la voyant seule, vint s'asseoir auprès d'elle. Il avait les cheveux ondulés, les mains blanches et un air très doux. Il lui parla très gentiment, et elle lui raconta son histoire. Il l'écouta avec beaucoup d'intérêt, tout en recueillant dans sa casquette les
80 perles qu'elle jetait en lui faisant ses confidences et, quand elle eut fini, il la regarda tendrement dans les yeux :

— Parlez encore, dit-il. Vous êtes merveilleuse. Si vous saviez comme j'aime à vous entendre ! Restons ensemble, voulez-vous ? [...]

Martine, qui ne savait où aller, accepta de bon cœur. Le jeune
85 homme l'emmena chez lui, la fit manger, coucher, et le lendemain matin, au réveil, il lui dit :

— Maintenant, ma petite, parlons de choses sérieuses. Je n'ai pas l'intention de te nourrir à ne rien faire. Je m'en vais d'ici, et je t'enferme à clef. Ce soir, quand je reviendrai, je veux que la grande
90 soupière soit pleine de grosses perles – et si elle n'est pas pleine, tu auras de mes nouvelles !

Ce jour-là et les jours suivants, Martine fut prisonnière, et obligée de remplir la soupière de perles.

Pierre Gripari, *Contes de la rue Broca*,
© Éditions de la Table ronde, 1967.

❶ À quel moment dans ta lecture as-tu reconnu une ressemblance avec le conte de Perrault (pp. 61-63) ?

❷ Relève les éléments adaptés ou empruntés au conte de Perrault.

❸ Martine est-elle polie avec la fée ? La fée devrait-elle la récompenser ?

❹ Pourquoi l'auteur utilise-t-il des parenthèses (l. 17 et 20) ?

❺ Sur quels autres points le récit de Pierre Gripari est-il très différent de celui de Perrault ?

❻ Le récit est incomplet par rapport à celui de Perrault. Quelles parties de l'histoire manque-t-il ?

❼ Quel effet l'auteur veut-il produire sur le lecteur en reprenant à sa manière un conte ancien ? Préfères-tu ce récit ou le conte de Perrault ?

À ton tour, comme Pierre Gripari, choisis avec ton(ta) voisin(e) un conte traditionnel célèbre et écrivez-en une version moderne. Vous pouvez vous contenter, si le conte est long, d'en transformer le début ou un épisode.

Des mots pour mieux écrire

1 Dans la liste suivante, relève les mots qui pourraient définir le comportement de Martine vis-à-vis de la fée :

impertinente - bien élevée - insolente - réservée - malpolie - polie - courtoise - civile - grossière - impolie - incivile - honnête - effrontée - embarrassée - incorrecte - malhonnête - affable - malapprise - correcte - malotrue - brutale - mal élevée - discourtoise - obligeante - prévenante.

2 Pour chacun des mots que tu as relevés, retrouve le (ou les) contraire(s).

3 Avec ton(ta) voisin(e), choisissez à tour de rôle un mot et employez-le dans une phrase pour faire comprendre la nuance de sens.

Pistes de lecture

➤Yvan Pommaux,
John Chatterton détective,
L'École des loisirs.

➤Catherine Storr,
Polly la futée et cet imbécile de loup, Kid pocket.

➤➤Erich Kästner,
Petit Point et ses amis,
Le Livre de Poche Jeunesse.

➤➤➤Andersen,
La petite fille aux allumettes,
Folio, Gallimard.

Voici deux versions modernes de *La petite fille aux allumettes,* le conte d'Andersen. Pour gagner sa vie, une fillette vend des boîtes d'allumettes dans la rue. Le soir de Noël, ses souhaits se réalisent...

➤Tomi Ungerer,
Allumette,
L'École des loisirs.

➤Bianca Pitzorno,
L'anneau magique de Lavinia,
Folio cadet, Gallimard.

J'utilise un texte pour en écrire un autre

Emprunter des détails ou des personnages extraordinaires

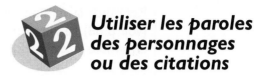

Utiliser les paroles des personnages ou des citations

J'observe

■ Relis ces deux passages très proches des contes de Perrault et de Gripari.

A. Je vous donne pour don, poursuivit la fée, qu'à chaque parole que vous direz il vous sortira de la bouche ou une fleur, ou une pierre précieuse.

B. En récompense de ta gentillesse, je vais te faire un don : à chaque mot que tu diras, il te sortira de la bouche une perle.

■ 1. À quels indices reconnais-tu le conte de Perrault et celui de Gripari ?

■ 2. Quel détail extraordinaire est semblable dans ces deux extraits ?

Pour écrire une histoire, il n'est pas toujours nécessaire de tout inventer. On peut reprendre des idées ou des personnages rencontrés dans ses lectures. Les écrivains célèbres reprennent souvent des textes anciens. Ainsi, ils font revivre ces textes, tout en les adaptant pour notre plaisir.

Je m'exerce

■ Tu connais l'histoire du petit Poucet qui sème des cailloux blancs pour ne pas se perdre dans la forêt. Réfléchis à ce que pourraient devenir les petits cailloux blancs dans une version moderne de cette histoire.

J'observe

■ Dans ces textes, on retrouve les mêmes paroles extraites de *La petite fille aux allumettes,* le conte d'Andersen.
Quelles sont ces paroles ?

A. *Monsieur le directeur Pogge, rentrant du travail, découvre sa fille déguisée en petite marchande d'allumettes.*

Petit Point tendait les deux bras vers le mur tapissé d'argent, fléchissait le genou et disait d'une voix tremblante : « Des allumettes, messieurs-dames, achetez-moi des allumettes. »

> E. Kästner, *Petit Point et ses amis,*
> Le Livre de Poche Jeunesse, © Hachette Livre.

B. Et quand la fillette, avec une petite voix entrecoupée de grosses quintes de toux qui lui déchiraient la poitrine, disait timidement : « Belles allumettes, monsieur ! Voulez-vous m'acheter des allumettes ? », les passants, agacés, répondaient :
— Tu peux les garder tes allumettes, espèce de casse-pieds !

> B. Pitzorno, *L'anneau magique de Lavinia,*
> trad. C. Pieri, © Éd. Gallimard.

Pour écrire une histoire, on peut aussi remettre en scène un personnage d'une histoire déjà écrite et emprunter ses paroles ou des citations célèbres.

Je m'exerce

■ Voici une citation du *Petit Chaperon rouge* :
« Ma Mère-grand, que vous avez de grands bras !... et de grandes dents ! »
Essaie de la replacer dans le contexte d'une histoire qui se passerait aujourd'hui.
Ne rédige que le passage où tu mettras la citation.

Reprends la version moderne de conte traditionnel que tu as écrite (voir p. 68). Fais lire ton texte à un(e) camarade et essayez de répondre ensemble aux questions de cette grille :

1. Reconnaît-on le conte dont tu es parti(e) ?

2. Peut-on reconnaître dans ton texte le détail que tu as retenu du conte traditionnel ?

3. Est-ce que ton récit se situe bien à l'époque moderne ?

4. Est-ce que tu as repris des personnages, leurs paroles ou des citations précises ?

Récréation

Nuit rhénane

Mon verre est plein d'un vin trembleur comme une flamme
Écoutez la chanson lente d'un batelier
Qui raconte avoir vu sous la lune sept femmes
Tordre leurs cheveux verts et longs jusqu'à leurs pieds

Debout chantez plus haut en dansant une ronde
Que je n'entende plus le chant du batelier
Et mettez près de moi toutes les filles blondes
Au regard immobile aux nattes repliées

Le Rhin le Rhin est ivre où les vignes se mirent[1]
Tout l'or des nuits tombe en tremblant s'y refléter
La voix chante toujours à en râle-mourir
Ces fées aux cheveux verts qui incantent[2] l'été

Mon verre s'est brisé comme un éclat de rire

Guillaume Apollinaire, *Alcools,* © Éd. Gallimard.

1. *se mirent : se reflètent.*
2. *incantent : prononcent des formules magiques.*

2. Des histoires personnelles

De la page 71 à la page 138

Pour lire des histoires personnelles

En jouant, en lisant, tu entres dans un monde nouveau, plus ou moins proche de ton environnement quotidien et du monde réel. Bien souvent, ces beaux voyages enrichissent ton expérience personnelle et te font voir différemment les autres, toi-même et la vie.

Je suis amoureux d'un tigre

Benjamin *est orphelin et vit chez Roméo et Virginie, qui tiennent un café à Paris. Un jour, il rencontre une petite fille.*

Sonoko chuchote :

« Alors voilà… L'autre nuit, j'étais un tigre. Pour m'amuser, j'ai escaladé le toit de la gare de l'Est. Je regardais les trains filer vers la Pologne, vers la Russie… J'ai commencé à gronder si fort
5 que des contrôleurs, et des policiers en bleu, et des pompiers en rouge sont arrivés avec des mitraillettes et des tuyaux d'arrosage ! Alors d'un bond immense, j'ai sauté sur le toit de la gare du Nord. » […]

Pendant qu'elle raconte, on remonte le canal, du côté du quai
10 de Valmy. Tout d'un coup, Sonoko s'arrête :

« Voilà le magasin de mes parents. »

Une boutique d'antiquaire. Je lis l'enseigne : La lanterne d'Asakusa. […]

Dedans, c'est sombre, encombré, mystérieux. Sonoko m'explique à voix basse :

« Mes parents adorent l'Europe, alors ils ont acheté ce magasin à Paris. Moi, j'avais déjà appris le français au Japon. » [...]

Au fond du magasin, je découvre un mur où sont accrochés vingt ou trente estampes. Sonoko annonce fièrement :

« Voilà ! »

Chaque estampe représente un tigre noir, dessiné à l'encre de Chine. [...]

Sonoko m'explique :

« C'est Hokusaï, le plus grand peintre japonais, qui les a dessinés. Au musée de Tokyo, il y en a 219 en tout ! Et c'est en les regardant que je deviens tigre, et que j'imagine mes histoires... »

Les parents de Sonoko sortent d'un bureau, derrière le magasin. Elle me présente. [...]

Madame Watanabe [...] sort d'un tiroir une étrange statuette : une sorte de démon accroupi, avec un visage large et grimaçant... Mais il n'a pas d'yeux...

Sonoko me le tend :

« Puisque tu es mon premier ami, je te le donne. C'est un darouma ! »

Son père m'explique :

« Un darouma est un démon protecteur. Tu dois peindre son premier œil, faire un vœu et le garder chez toi. Plus tard, si tu veux que ton vœu se réalise, tu peindras le deuxième œil pour le remercier... »

Paul Thiès, *Je suis amoureux d'un tigre*, © Syros.

A Chercher des repères simples

- **Quels sont les personnages de cette histoire ?**
- **Dans quels lieux se trouvent-ils ?**
- **Dans le texte, que font les enfants (l. 1 à 17) ? Que font les parents (l. 19 à 40) ?**

Pour découvrir l'univers d'un texte, tu dois repérer les personnages, leurs actions et leurs déplacements, les lieux où ils se trouvent et les moments où ils agissent.

B Changer de peau

- **Dans le texte (l.1 à 7), à quoi joue Sonoko ? Le fait-elle réellement ou dans son imagination ? Aime-t-elle le faire ?**

- **Repère les différents personnages, définis leurs relations, puis essaie de les classer en t'aidant des rubriques suivantes :**

1. ceux auxquels tu t'identifies ;

2. ceux que tu aimes bien ;

3. ceux qui ne te sont pas sympathiques ;

4. ceux qui te sont indifférents.

- **Peux-tu expliquer ton choix ?**

Lorsque tu joues à « chat », tu es un chat tout en restant un enfant. Lorsque tu lis un récit, tu peux choisir quel personnage tu « deviens », de quels personnages tu te sens proche et de quels autres tu te sens éloigné ou indifférent.

C Être libre

- **En lisant ou en écrivant, on peut vivre en pensée (simuler) toutes sortes de situations. Reprends le texte *Je suis amoureux d'un tigre*. Parmi toutes les situations suivantes, lesquelles y retrouves-tu ?**

– Un enfant raconte un souvenir ou un rêve.

– Un enfant raconte ses peurs ou ses cauchemars.

– Deux enfants se lient d'amitié.

– Un enfant a émigré en France avec ses parents.

– Les enfants et les parents ne sont pas d'accord.

– Un enfant a des parents commerçants.

– Un enfant connaît bien la culture d'un pays étranger.

– Un enfant part en vacances dans un endroit qu'il ne connaît pas.

● Connais-tu d'autres histoires qui présentent des situations comparables ?
Les histoires, les personnages sont-ils pourtant exactement les mêmes ?

● **Jeu de l'écrivain. Un écrivain veut écrire un roman ; il hésite entre les trois scénarios suivants. Quelles situations retrouve-t-on dans les trois histoires et qu'est-ce qui est différent selon les cas ?**

1. Colette et Jérôme vivent en Alsace. Un jour, ils trouvent dans une cabane un vieil homme qui se cache. Ils deviennent amis, les enfants viennent le voir souvent. Au bout de quelques années, le vieil homme livre son secret, une histoire incroyable !

2. Dans la forêt canadienne vit une meute de loups. Un jour, le père et la mère loups découvrent un ourson caché dans une caverne. Ils viennent régulièrement le nourrir et prendre soin de lui jusqu'au jour où ils trouvent la caverne vide ; sur les murs sont dessinées les lettres M E R C I.

3. À l'époque des Pharaons, en Égypte, un jeune scribe se prend d'amitié pour le lévrier d'un prince. Il n'a pas le droit de le voir. Aussi des serviteurs vont, chaque jour en cachette, permettre à l'animal et à l'enfant de se retrouver.

● **Quel scénario choisirais-tu si tu devais écrire toi-même le roman ?**

Lorsqu'on écrit ou lit des histoires, on vit par l'imagination des événements, des situations, de la même façon que, lorsqu'on joue, on fait semblant d'être un personnage ou de vivre une aventure. Par l'imagination, on se déplace très facilement d'un personnage à l'autre, d'un lieu à l'autre, d'une époque à l'autre.

Les uns et les autres

Petit-Féroce est au régime

Vous vous souvenez de moi ? Je m'appelle Petit-Féroce. J'ai les cheveux noirs, une jolie massue fabriquée par mon papa Grand-Féroce et un gentil ronronge apprivoisé, tout brun, avec des oreilles pointues, de longues longues dents et une queue interminable.

5 Nous habitons une caverne magnifique, au bord du lac de la Lune, pas loin de la grande forêt.

Dans le lac, on ramasse les lapinois et on les mange, dans la forêt, on pêche des carpoches et on les mange.

Comment ? C'est le contraire ? Tant pis : l'essentiel c'est de
10 croquer tout ce qui ne vous croque pas d'abord, avant que ce que vous voulez croquer et qui veut aussi vous croquer vous croque vous.

Vous comprenez ?

Aujourd'hui, dans une clairière de la forêt, mon petit frère
15 Sifflotin et moi nous dégustons un énorme morceau de trompe de
mammouth.

Le gros défaut des mammouths, c'est qu'il n'y a qu'une
trompe de mammouth par mammouth, dommage !

Et le gros défaut de ma meilleure amie, Cerise-qui-mord,
20 la fille du sorcier de notre tribu, qui a des cheveux rouges et de
jolis yeux verts, c'est qu'elle a PARFOIS mauvais caractère et
TOUJOURS des idées bizarres.

Paul Thiès, *Petit-Féroce est un génie*, © Rageot-Éditeur.

❶ Qui parle dans ce texte ? Qu'est-ce qui te permet de le savoir ?

❷ Ce personnage ressemble-t-il à une personne réelle ? Te paraît-il sympathique ?

❸ Quels sont les autres personnages de cette histoire ? Dresses-en la liste. Relève pour chacun d'entre eux un détail qui sert à l'évoquer.

❹ Selon toi, à quoi ressemblent les lapinois et les carpoches (lignes 7-8) ?

❺ À quelle époque se passe cette histoire ? Retrouve les passages du texte qui te permettent de répondre.

❻ Avec de tels personnages, à quelle histoire t'attends-tu ?

J'écris un portrait (1)

❶ Regarde bien cette BD.
Combien y a-t-il de personnages ? Avec tes camarades, cherche des détails qui caractérisent chacun d'eux.

❷ Choisis l'oiseau ou le mille-pattes. Puis écris trois lignes pour lui donner un nom et faire son portrait.

Je crée un personnage

Donner une identité

J'observe

■ **1. Dans le texte** *Petit-Féroce est au régime,* **tu as relevé les noms de tous les personnages. Ces noms te sont-ils familiers ? Que t'apprennent-ils sur les personnages de l'histoire ?**

■ **2. Dans ces deux extraits, de quelle nature sont les personnages ?**

A. Il était une fois tout là-bas, tout en bas, il était une fois un iceberg, immense et magnifique. Il dominait le monde, sûr de sa force et de sa beauté.
— Regardez-moi ! disait-il aux phoques et aux orques, aux guillemots et aux manchots. Regardez comme je suis beau, comme je suis haut !

Y. Mauffret, « L'iceberg », *L'Ogre des mers,*
© Rageot-Éditeur.

B. Il était une fois un rouge-gorge qui s'appelait Robin. C'était un rouge-gorge heureux. Il vivait dans un grand jardin entouré de hauts murs, à proximité de la mer, avec sa femme Robine, et des tas de petits robineaux et robinettes qui s'envolaient à la fin de la saison.

Y. Mauffret, « Le rouge-gorge et l'albatros »,
L'Ogre des mers, © Rageot-Éditeur.

> *Quand on crée un personnage, on lui donne un nom.*
> *Dans une histoire, un personnage peut être un être humain, un animal, un objet ou un élément de la nature.*

Je m'exerce

■ **Complète ce texte de façon à créer un personnage de ton choix.**

C'était un(e) … qui s'appelait … . Il (elle) vivait dans une petite ville appelée Gala. Tous les jours, il (elle) … .

Décrire le personnage

J'observe

■ **Dans le texte** *Petit-Féroce est au régime,* **relève les détails des portraits du ronronge et de Cerise-qui-mord. Pourrais-tu les dessiner ?**

> *Un personnage qu'on invente peut ressembler plus ou moins à une personne, un animal ou un objet réel. Pour permettre au lecteur de bien se le représenter (le voir dans sa tête), on donne certains détails de son portrait.*

Je m'exerce

■ **a) Lis ce texte, puis relève le nom des éléments qui existent dans la réalité.**

C'était un autobus. Enfin, pas vraiment, parce qu'il n'avait que deux roues. C'était plutôt un vélo. Mais pas tout à fait, à cause de son hélice. En réalité, c'était un hélicoptère.
Avec une cheminée qui crachait de la fumée, comme une locomotive à vapeur.

B. Friot, extrait de « Autobus »,
Nouvelles Histoires pressées, coll. « Zanzibar »,
© Éd. Milan, 1992.

■ **b) Cet étrange « personnage » peut-il exister dans la réalité ?**
Peut-il exister dans une histoire ?

Samani, l'Indien solitaire

1. *Algonquin :*
d'une tribu
d'Amérique du
Nord, au nord-
ouest du fleuve
Saint-Laurent.

Samani est un jeune Indien Algonquin[1] de la région des grands lacs d'Amérique du Nord, les yeux noirs comme la nuit, la peau dorée et cuivrée, de taille haute et les muscles saillants… Il est déjà presque un homme. Son corps d'adolescent promet à la tribu
5 un robuste guerrier. Pourtant ses yeux semblent toujours fixer le vide ! Il est habile à la chasse, où il sait être plus silencieux qu'un serpent et percevoir le moindre signe du gibier. Ses mains sont expertes à lancer le harpon, et sa flèche file droite et sûre vers le lièvre ou le daim ; cependant son regard est plein de tristesse.

10 Samani ne participe plus aux jeux et aux danses des siens. Il s'efforce de vivre seul et sans ami, car il a décidé de quitter la tribu. C'est pour cela qu'il endurcit son corps et s'exerce à traquer le gibier. Et pourtant, il y a quelques années encore, ce n'était qu'un enfant comme les autres qui aimait rire et jouer. S'il n'avait jamais
15 connu sa mère, morte en le mettant au monde, son père et ses tantes avaient fait en sorte d'atténuer son chagrin par des soins attentifs.

Il vivait alors heureux et avait de nombreux compagnons de jeu avec lesquels il se mesurait à la course, la nage, la lutte ou riva-
20 lisait d'adresse à la crosse et de perspicacité au mocassin.

Puis, le drame est arrivé qui a modifié toute sa vie, qui a bousculé son bonheur et changé ses pensées les plus intimes.

Un soir que les Anciens étaient réunis autour du grand feu pour des décisions importantes, l'enfant espiègle a voulu les imiter.

2. **tisons :**
*morceaux de bois
en partie brûlés.*
3. **wigwam :** *tente.*

25 Il a rassemblé ses camarades dans une tente puis il est allé voler quelques tisons[2] au foyer central. Il a porté ensuite une brassée de bois sec et a fait pétiller le feu autour des autres enfants émerveillés. Les flammes sont montées, lumineuses comme un bouquet d'étoiles et chaudes au point de rougir les joues des petits
30 guerriers. Le jeu fut alors de singer les adultes.

Samani fit semblant de bourrer d'écorce de saule rouge le long morceau de bois qui faisait office de pipe, le présenta aux six directions de l'univers et aspira trois longues bouffées avant de l'offrir par sa droite au cercle des enfants dont les yeux brillaient
35 de contentement. Ce cérémonial accompli – qui précédait rituellement toute décision importante – la discussion s'engagea, entrecoupée de grimaces et de rires sonores.

Mais soudain, alors que l'un d'eux contrefaisait la voix chevrotante d'un vieux guerrier, une flamme a léché les grandes ten-
40 tures de cuir du wigwam[3]. En quelques minutes, celui-ci ne fut qu'un gigantesque brasier. Samani et ses amis sortirent pour appeler de l'aide mais plusieurs petits restèrent prisonniers des flammes. Le vent chaud de l'été soufflait ce soir-là sur le campement. Le feu se communiqua et les tentes brûlèrent les unes après les
45 autres. Les hommes tentèrent de lutter mais leur combat fut vain.

Le père de Samani, cherchant à sauver ce qu'il pouvait dans les wigwams en flammes, reçut une lourde perche de bois sur le sommet du crâne et resta inanimé au milieu du brasier. Nul ne put l'en arracher.

Michel Piquemal, *Samani, l'Indien solitaire,* © Sedrap.

Lis le début du texte jusqu'à « mocassin » (ligne 20).

❶ Qui est Samani ?
Essaie de le dessiner avec les informations que tu trouves au début du texte (lignes 1 à 9).

❷ Qu'est-ce qui distingue Samani des autres enfants de la tribu ?

❸ Sait-on pourquoi il a décidé de quitter sa tribu ?

Lis maintenant la suite du texte.

❹ La seconde partie du texte explique pourquoi Samani est maintenant un enfant différent des autres. Retrouve le paragraphe qui l'annonce.

❺ Qu'apprend-on de nouveau ici ?

❻ Que faisait Samani le jour du drame ?

❼ Selon toi, Samani a-t-il raison de vouloir quitter sa tribu ?

J'écris un portrait (2)

1 Parmi ces images, choisis un personnage et essaie de le décrire de façon suffisamment précise pour que tes camarades le retrouvent.

2 À toi d'écrire.

Tu as choisis un personnage qui sera le héros d'une petite histoire. Invente puis rédige le début de cette histoire en présentant ton personnage. N'oublie pas de lui donner un nom et de le décrire physiquement.

Des mots pour mieux écrire

Dans *Samani, l'Indien solitaire,* on trouve différentes expressions du visage : « les yeux pleins de tristesse », « une grimace », « un rire sonore ». Voici d'autres mots et groupes de mots pour décrire un visage : *gai, mélancolique, espiègle, grave, un sourire enjoué, les yeux dans le vague, les yeux embués de larmes, les yeux rieurs…*

1 Continue la liste.

2 Mettez-vous en groupes puis cherchez dans des revues, des catalogues, sur des photos, dans des albums ou des BD, des représentations de visages auxquelles vous ferez correspondre l'une de ces expressions.

Pistes de lecture

En écoutant les conseils de ce chat espiègle, une petite fille va faire un tas de bêtises !

Shirley Isherwood,
Monsieur Mitaine,
Flammarion.

Thomas découvre les secrets de jeunesse de son grand-père lors d'un voyage. Complicité, tendresse, émotion…

Yvon Mauffret,
Pépé la Boulange,
L'École des Loisirs.

Chloé se raconte dans son journal intime : un véritable ami !

Sandrine Pernusch,
Mon je-me-parle,
Casterman.

Je fais entrer en scène un personnage

Situer un personnage

J'observe

■ **1. Relis le début du texte page 80.**
Relève les informations qui te permettent de situer Samani : où et avec qui habite-t-il ?

■ **2. Lis ce début de récit.**
Relève tout ce que tu apprends sur le personnage. Qu'est-ce qui est amusant ?

Le 17 janvier à 18 heures 30 le jeune Jean-Pierre Binda, dit Jip, âgé de huit ans, habitant à Milan dans la maison de ses parents, 175 rue Settembrini, bâtiment 14, alluma la télévision, fit glisser ses pieds hors de ses souliers, et se pelotonna dans un fauteuil de similicuir vert, prêt à savourer le film au programme, dans la série des Aventures de Plume Blanche.

G. Rodari, *Jip dans le téléviseur*, D.R.

> *Lorsqu'on présente un personnage, on donne des informations sur sa vie : on peut par exemple dire où et quand il vit, avec qui il habite, ce qu'il fait…*

Je m'exerce

■ **a) Dans le texte ci-dessus, remplace les indications de lieu et de temps par d'autres expressions, mais sans changer complètement le sens.**

Tu peux choisir parmi les indications suivantes (attention aux intrus) :

un soir d'automne, un jour d'hiver, en plein hiver, le matin de bonne heure, en fin d'après-midi, le soir après dîner, dans une grande ville, à la campagne, dans un village, dans un siège confortable, sur un canapé.

■ **b) Quelle différence y a-t-il entre le texte que tu as écrit et le premier ?**

Faire vivre un personnage

J'observe

■ **1. Lis et recopie les verbes et les expressions qui désignent ce que font les personnages.**

Sur le balcon de la grange, le grand-père de Benoît est occupé à sculpter une souche de pin. De son couteau, il fait sauter les écailles de bois tendre. Assis sur ses talons, Benoît se donne des chiquenaudes pour chasser les copeaux qui tombent dans ses boucles.

M.-C. Helgerson, *Dans les cheminées de Paris*,
© Castor Poche Flammarion.

■ **2. Relève dans cet extrait les actions du personnage qui illustrent son caractère.**

En descendant les escaliers qui mènent à la cuisine, Millie fredonne une petite chanson. Elle saute d'une marche à l'autre, toute joyeuse. Millie est joyeuse parce qu'elle vient d'arriver chez Granny.

A.-M. Chapouton, *Millie et la petite clé*,
© Castor Poche Flammarion.

> *Lorsqu'on fait entrer en scène un personnage, on peut dire avec précision ce qu'il fait. On montre ainsi un peu son caractère.*

Je m'exerce

■ **Complète ce texte comme tu le veux en choisissant des mots dans la liste qui suit. Explique tes choix à tes camarades.**

Il était une fois un … du nom de …, connu pour sa grande … et sa … . Mais il avait la passion du … . Il … souvent et … de plus en plus. Ayant … tous ses biens, il décida de devenir … chez un … … .

Liste des mots : jeune homme, vieil homme, Carlo, Marin, gentillesse, dureté, avarice, générosité, jeu, foot, jouait, gagnait, perdait, placé, perdu, gardien, métayer, riche, pauvre, fermier, banquier.

Reprends le début de ton histoire (voir p. 82) et améliore-le.

1 Tu peux l'enrichir des expressions que tu as trouvées dans la fiche « Des mots pour mieux écrire » (p. 82).

2 Assure-toi également que tu as bien respecté les éléments de cette grille de réécriture.

1. J'ai donné un nom à mon personnage.
2. J'ai bien mis une majuscule à son nom.
3. J'ai choisi les détails de son portrait qui me semblent importants pour le décrire et le connaître.
4. J'ai dit où et quand il vit.
5. J'ai choisi de dire ou de ne pas dire ce qu'il fait, de décrire ou non son caractère.

Récréation

Il y a très longtemps, aux VIIe-VIe siècles avant J.-C., un poète grec, Ésope, a écrit des fables dans lesquelles toutes sortes de personnages (des êtres humains, des plantes, des objets) nous parlent de nous-mêmes. Voici une de ces fables :

La lampe

Une lampe gorgée d'huile se vantait de briller d'un éclat supérieur au soleil. Un sifflement, un souffle du vent : elle s'éteint. On la rallume et on lui dit : « Éclaire, lampe, et tais-toi ; l'éclat des astres ne connaît pas d'éclipse. »
Que l'éclat d'une vie glorieuse ne t'enfume pas d'orgueil : rien de ce qui s'acquiert ne nous appartient en propre.

Ésope, *Fables*.

Maintenant, que penses-tu de ce portrait ?

Le clown

Une tête hirsute, aux cheveux roux, surgit entre ses jambes… C'était Bubu. La bouche large comme un tiroir, deux carrés blancs autour des yeux, une tomate en guise de nez, Bubu tapait sur une boîte de conserve avec une cuillère. Pour le faire taire, Zanzi lui donna une claque, un jet d'eau sortit de son oreille droite. Une autre claque et c'est de son oreille gauche que jaillit une fontaine.

Henri Troyat, *La Grive*, © Plon.

Le journal
de Sarah Templeton

27 avril 1845

Bonjour, mon cher journal,

Je me présente. Je m'appelle Sarah Templeton. Hier, c'était mon anniversaire : j'ai eu dix ans, et c'est ma grand-mère Alicia
5 qui m'a fait cadeau de toi ! Je suis très heureuse de t'avoir car je vais te faire mes confidences pendant notre grand et long voyage. Quel voyage ?

Eh bien, cher journal, nous quittons notre ferme pour partir dans l'Ouest, papa, maman, et mon petit frère Thomas qui a six
10 ans. Tous les voisins disent que la famille Templeton a attrapé « la fièvre de l'Ouest ».

Cela me fera de la peine de quitter notre ferme, ici, dans le Missouri. Quand je regarde notre maison avec les rosiers du jardin et les champs tout autour, et le moulin à vent, c'est comme
15 une grosse pierre qui pèse sur mon cœur lorsque je pense que je ne les verrai plus jamais. Mais nous devons partir. Papa dit qu'il ne peut plus vendre notre blé et notre maïs à bon prix. Et que là-bas, en Californie, c'est un peu la Terre promise à Moïse dans la Bible, et que nous y ferons fortune. Mon oncle Édouard, le frère
20 de papa, est déjà installé à San Francisco et il nous attend. Il a acheté des terres, là-bas, dans une belle vallée toute verte, où tout pousse si bien qu'on peut faire plusieurs récoltes dans la même année.

28 avril

25 Cher journal,

Je suis triste parce que, finalement, grand-mère Alicia ne vient pas avec nous. Elle est très âgée, et le voyage serait trop dur pour elle. Grand-mère va retourner dans l'Est, dans l'État du Vermont où elle est née. Elle me dit souvent : « Sarah, je veux revoir 30 l'océan. Je veux l'entendre et le revoir avant de mourir. Ce sera un grand bonheur. » Mais elle dit peut-être ça pour que je ne sois pas trop malheureuse.

J'ai peur de ce voyage mais je ne veux le montrer ni à maman ni à papa. Je vois bien qu'ils essaient de se donner du courage. 35 Souvent le soir, assis devant la cheminée, ils se tiennent par la main et se regardent dans les yeux avec de petits sourires tristes. Heureusement que je t'ai, toi, mon cher journal.

J'ai une pochette spéciale pour le voyage, cousue et brodée de fleurs par maman. Je t'y serrerai avec mes trois plumes pour 40 écrire, deux petits pots d'encre et un sachet de pétales de rose séchés de notre jardin. Comme cela, de temps en temps, je pourrai sortir le sachet et sentir le parfum de chez nous.

Cher journal, je te garderai toujours auprès de moi.

Leigh Sauerwein, *Le Journal de Sarah Templeton,* coll. Foliot cadet,
© Gallimard Jeunesse.

1 Qui tient la plume dans ce journal ?

2 À qui s'adresse Sarah ? Retrouve les expressions qui te permettent de répondre.

3 Qui a offert son journal à Sarah ? Est-ce un cadeau bien choisi ?

4 À quoi se prépare Sarah ?

5 Que ressent Sarah :
– l'attrait de l'aventure ? la peur ?
– le regret de quitter sa maison ?
– l'envie de faire fortune ?
– la tristesse de quitter sa grand-mère ?
Justifie tes réponses en citant le texte.

6 Selon toi, son journal est-il un réconfort pour Sarah ? Quel rôle joue-t-il ?

J'écris — **un fragment de journal**

À la fin du texte, Sarah écrit :
J'ai une pochette spéciale pour le voyage, cousue et brodée de fleurs par maman. Je t'y serrerai avec mes trois plumes pour écrire, deux petits pots d'encre et un sachet de pétales de rose séchés de notre jardin.

Et toi, si tu partais vers l'Ouest avec les pionniers, quel serait ton bagage ? Qu'emporterais-tu ?

Je raconte mon expérience (1)

 ## Raconter au présent

J'observe

■ **Observe les verbes dans ces deux passages du *Journal de Sarah Templeton* :**

A. Nous quittons notre ferme pour partir dans l'Ouest.

B. Je suis triste parce que, finalement, grand-mère Alicia ne vient pas avec nous.

■ **À quel temps les verbes sont-ils conjugués ? Pour quelle raison, selon toi ?**

: *Dans un journal personnel ou un carnet de*
: *bord, on note les choses au fur et à mesure*
: *qu'elles arrivent. C'est donc tout naturellement*
: *qu'on écrit au présent.*

Je m'exerce

■ **Transforme ce récit en journal écrit au présent. (Mais il faut aussi faire toutes les autres modifications qui le feront mieux ressembler à un journal personnel !)**

Voici le début du journal : continue.
30 octobre 1757, 18 heures
Je suis assis dans le petit salon. Le soleil est maintenant couché…

Je vous parlerai tout d'abord d'une certaine soirée de l'automne 1757. Ce devait être à la fin du mois d'octobre, et j'étais assis dans le petit salon.
Le soleil était couché. Il faisait déjà si sombre qu'on ne distinguait plus le bas de la rue qui aboutissait à la mer. Tout était silencieux, mais j'entendis des coups de marteau au loin, vers le bas de la rue. Intrigué, j'allai voir de quoi il s'agissait, car en dehors de la pêche il n'existait aucun artisanat dans le village.

D'après J. Meade Falkner, *Moonfleet*,
traduction N. Chasseriau, © Gallimard.

 ## Raconter au passé

J'observe

■ **Relis le début du journal de Sarah :**

Je me présente. Je m'appelle Sarah Templeton. Hier, c'était mon anniversaire : j'ai eu dix ans, et c'est ma grand-mère Alicia qui m'a fait cadeau de toi ! Je suis très heureuse de t'avoir.

■ **1. Recopie les verbes.**

■ **2. Indique à quel temps chaque verbe est conjugué.**

: *Lorsque l'on écrit au présent, on a parfois à*
: *rapporter des faits passés, antérieurs au*
: *moment où l'on écrit : on emploie alors le*
: *passé composé et l'imparfait.*

Je m'exerce

■ **Mets les verbes de cet extrait de journal intime aux temps qui conviennent.**

Je *(être)* comblé ! Hier au soir, Collato *(m'offrir)* une très belle boîte de peinture et il *(me dire)* : « Tiens, tu vas pouvoir apprendre à te servir de l'aquarelle. »
Ma sœur, en me caressant les cheveux, *(ajouter)* : « Tu penseras peut-être un peu à moi quand tu peindras ? »
Sa voix *(être)* si douce, si pleine d'affection que je *(faillir)* pleurer d'émotion ; mais le bonheur d'avoir une si belle boîte de peintre *(être)* le plus fort et je *(sauter)* de joie.

D'après Vamba, *Le Journal de Jean La Bourrasque*,
Le Livre de poche jeunesse, © Hachette.

Carnet de bord

Huit garçons et filles de onze à seize ans qui ne se connaissaient pas se sont embarqués pour un an sur les deux voiliers de l'Association de la Baleine Blanche : Bilbo et l'Ag'ya. Ensemble, ils vont traverser l'Atlantique…
C'est une histoire vraie. Voici le début du journal de l'un des enfants.

8 septembre 1985

Ce carnet sera pour moi un compagnon de voyage, comme pour tous ceux qui jusqu'à maintenant en ont tenu un.

Maman est arrivée vers l'heure du repas. J'étais content qu'elle
5 vienne. Je ressentais quelque chose qui était nécessaire à ce moment-là. C'était comme si j'étais devenu plus gentil avec elle ; mais vu les circonstances, c'est normal : dans deux jours, je pars pour un an !

9 septembre

10 Nous avons fait une grande virée, moi et maman. C'était génial. Nous nous sommes baignés dans la Cèze, la rivière qui coule au bas de la maison, au milieu des rochers polis par l'eau douce.

Après ses dernières recommandations, que j'ai accueillies avec
15 joie, maman est repartie. J'étais triste ; mais le soir même, j'avais déjà un peu oublié.

10 septembre

Je rêve ; dans mon rêve, je vois les voisines de la maison. Puis, dans une voiture, quelqu'un m'appelle : c'est Jean-François !
20 Au même instant, Jean-François me sort de mon rêve en ouvrant la porte de la chambre dans laquelle j'ai dormi pendant le stage. Et il me dit : « Antonin, réveille-toi, c'est l'heure du grand départ ! » Il fait encore nuit. Plus tard, je bois mon chocolat, éclairé par des chandelles, car les plombs ont sauté. On se lave, et les deux
25 équipages montent en voiture. *Bilbo* est à Séville, en Espagne.

Une fois arrivés à Marseille, Jean-François, Franck, Laurence, Philippe, Pascal et moi nous prenons un train pour Barcelone pendant que Xavier, Tanaï, Tatiana et Matthias en prennent un autre pour rejoindre l'*Ag'ya* à Toulon.

30 Dans le train, c'est la panique pour monter les bagages et n'oublier personne sur le quai.

J'arrive pas à dormir.

12 septembre

Je pense à mon petit frère qui va bientôt naître. Treize ans 35 d'écart, c'est pas mal ! Je m'occuperai de lui. Je lui apprendrai ce que je sais, mis à part les conneries…

Depuis six jours, tous les enfants français sont rentrés à l'école, mais pas nous ! Mes copains y sont aussi. Je leur écrirai, sûr !

13 septembre, *Séville*

40 Trente-six heures dans des trains et des gares pour arriver jusqu'ici ! Je descends du taxi qui nous a amenés de la gare au port, et je vois *Bilbo* devant moi ! C'est aujourd'hui mon anniversaire, et c'est un super cadeau ! Avec la barque, nous allons jusqu'au voilier et nous accostons. Alors on visite. On pose des questions telles que : 45 « Qu'est-ce que c'est ? Ça sert à quoi ? Comment ça s'appelle ? »

Nous installons nos fringues dans les casiers, nous nettoyons le pont qui est couvert de poussière, et nous faisons une grande lessive dans le bassin du cockpit[1].

Le soir, en allant faire les courses, nous passons par le grand 50 parc de Séville, qui est splendide. Les palais et les monuments ont une architecture semblable à celle de l'Islam, et c'est normal, car beaucoup ont été construits par les Arabes il y a cinq ou six siècles. Les arbres, importés d'Amérique du Sud au moment des grandes conquêtes de l'Espagne, sont très beaux. Je cueille des feuilles pour 55 maman. Après un bon dîner, tout le monde est allé se coucher, sauf moi qui écris depuis une heure…

« Les enfants de la Baleine Blanche », *Carnets de bord*,
coll. Castor Poche, © Flammarion.

1. *cockpit : partie abritée située à l'arrière du bateau.*

1 Comment s'appelle le garçon qui tient ce carnet ? Quel âge a-t-il ?

2 Que va faire notre héros pendant un an ? Où, dans le texte, trouves-tu la réponse ? Pourquoi part-il ?

3 Aimerais-tu vivre la même expérience que lui ? Donne tes raisons.

4 Qu'est-ce qu'un carnet (ou journal) de bord ? Trouve la définition qu'Antonin en donne et compare avec le *Journal de Sarah*.

1 À partir d'une sortie ou d'un voyage, tu décides de réaliser un journal. Quel matériel te faut-il ? À quels moments te faudra-t-il écrire ?

2 À toi d'écrire.
N'oublie pas de rédiger ton texte à la première personne et au présent.

Des mots pour mieux écrire

1 Sarah ou Antonin expriment leurs sentiments sur les événements qu'ils vivent. Ils le font grâce à une série de verbes, d'adjectifs, d'expressions :

« je suis heureuse – ça me fait de la peine – c'est comme une grosse pierre qui pèse sur mon cœur – je suis triste – c'est un grand bonheur, je suis trop malheureuse – je suis très content – c'est génial »
Classe ces expressions selon les sentiments qu'elles indiquent.

2 En t'aidant d'un dictionnaire, trouve d'autres expressions permettant de décrire un sentiment de ton choix : tristesse, joie, intérêt, colère, peur…

3 Relis les textes (pages 85-86 et 88-89) et note sur une fiche les mots, les expressions, les idées qui peuvent te servir pour donner à ton propre journal plus de force et de vérité.

Pistes de lecture

Une très belle correspondance qui dit, entre ses lignes, l'amitié, l'amour et la vie.

Geva Caban,
Je t'écris, j'écris,
Folio cadet Gallimard.

Le récit d'un périlleux voyage à travers l'Amérique : le désert, les Indiens et le terrible bandit Bob Rocky…

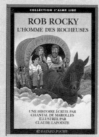

Chantal de Marolles,
Bob Rocky,
l'Homme des Rocheuses,
Bayard Poche.

L'histoire passionnante de Laura Ingalls qui vit avec toute sa famille dans l'Ouest américain.

Laura Ingalls Wilder,
La Petite Maison dans la prairie,
Castor Poche Flammarion.

Je raconte mon expérience (2)

 ## Faire des confidences

J'observe

■ **Relis ce passage du carnet d'Antonin :**

Maman est arrivée vers l'heure du repas. J'étais content qu'elle vienne.

Antonin raconte un fait, puis il le commente en disant ce qu'il ressent (partie soulignée).

■ **À ton tour, recopie ce paragraphe et souligne les commentaires d'Antonin :**

Après ses dernières recommandations, que j'ai accueillies avec joie, maman est repartie. J'étais triste ; mais le soir même, j'avais déjà un peu oublié.

Lorsqu'on tient un journal ou un carnet de bord, on ne se contente pas de raconter ce qui arrive : on « fait des confidences » sur ce qu'on ressent.

Je m'exerce

■ **Voici un extrait, en désordre, du journal de Laurence. Remets-le dans le bon ordre et note les passages où elle fait des confidences.**

15 septembre

a. J'en avais ras le bol du train et des grandes gares pleines de monde.

b. J'ai vu *Bilbo* ; c'est autre chose qu'une photo ! C'est surtout l'intérieur du bateau que je m'imaginais mal. Et voilà, j'ai du concret : je trouve *Bilbo* très chouette.

c. Enfin arrivés à Séville, depuis deux jours.

d. Les travaux sont en cours. Pour l'instant, aucun de nous ne connaît bien le bricolage ni la peinture, mais ça viendra.

e. Moi, je suis contente de partir, je suis même assez pressée !

D'après « Les enfants de la Baleine Blanche », *Carnets de bord*, coll. Castor Poche, © Flammarion.

 ## Exprimer des sentiments

J'observe

■ **Compare les phrases a et b deux par deux.**

a) Mon oncle a acheté des terres, là-bas, dans une vallée verte.

b) Mon très cher oncle a acheté des terres, là-bas, dans une belle vallée toute verte, où tout pousse.

a) Depuis six jours, tous les enfants français sont rentrés à l'école.

b) Depuis six jours, tous les enfants français sont rentrés à l'école, mais pas nous !

■ **1. Dans quelles phrases l'auteur est-il le plus présent ?**

■ **2. Retrouve tout ce qui marque la présence de l'auteur.**

On peut exprimer ce que l'on ressent en le disant directement (« j'aime, je n'aime pas, je suis content, je suis triste »), mais aussi de bien d'autres manières : exclamations, adjectifs admiratifs (splendide…), actions qui manifestent un sentiment (ils se regardent dans les yeux avec des petits sourires tristes)…

Je m'exerce

■ **a) Combien y a-t-il de tournures exclamatives dans cet extrait du journal de Tanaï ?**

■ **b) Transforme-les en phrases déclaratives. Fais une lecture comparée à voix haute. Qu'est-ce qui a changé de sens ?**

De gros nuages accourent à l'horizon, le soleil se cache et la pluie menace : tu ne peux plus rien faire dehors, tu ne peux plus faire le point faute de soleil, et rien ne va plus ! Dans ces moments-là, je pense à la terre, aux Canaries, aux Antilles, qu'importe ! La seule chose que je désire, c'est de la voir et de la fouler aux pieds !

D'après « Les enfants de la Baleine Blanche », *Carnets de bord*, coll. Castor Poche, © Flammarion.

1 Reprends ton journal de voyage (voir p. 90). Essaie de réécrire le même événement en étant le plus présent possible dans ton texte (fais des confidences, exprime tes sentiments de plusieurs façons).

Rappelle-toi que celui qui te lira n'a pas vécu les événements avec toi : sois suffisamment précis pour qu'il te comprenne.

2 Puis relis ton texte avec un camarade, en t'aidant de cette grille.

1. J'ai indiqué les dates.
2. J'ai indiqué les lieux.
3. J'ai écrit à la première personne.
4. Le temps qui domine est le présent. J'ai aussi utilisé le passé composé et l'imparfait si nécessaire.
5. J'ai fait part de mes sentiments, de mes impressions.

Récréation

J'écris

Tout est changé. Aujourd'hui, le jeudi 4 août, c'est le début de mon journal. Avant j'écrivais à X (je mets X exprès), mais X et moi, c'est fini ; je ne lui écrirai plus jamais et jamais plus je n'écrirai à quelqu'un tous les jours. Je n'écrirai plus à personne mais j'écrirai quand même.

C'est grâce à mon père. Mon père voit tout. Hier soir, il m'a dit au milieu du dîner de sardines grillées :

— Toi, tu es triste, triste de ne plus écrire.

Et moi :

— Oui.

Alors, après les sardines et les fraises, il est monté fouiller dans le grenier (à la mer on a un grenier) et il est descendu avec un vieux cahier neuf à lui, quand il était petit. Il me l'a donné, il m'a dit :

— On n'est pas obligé d'écrire des lettres pour écrire. On peut écrire son journal. Pour un journal, un cahier c'est mieux. Dans un journal, on écrit tout ce qu'on veut, surtout le plus important. Le plus important pour moi aujourd'hui, c'est mon cahier-journal et la chatte-ses petits dans la cuisine.

Le mien, le tout noir, est plus doux que les autres et plus petit. Maman dit que c'est une chatte et que les gris sont des chats. (Le garçon d'à côté, maman l'a mis dans la chambre en face de la mienne qui a aussi une fenêtre pointue. Son papier aux murs n'est pas à fleurs mais à cerises.)

Dans le plus important, toujours, il y a la mer. Même quand il pleut. Aujourd'hui il a fait beau.

Un journal, c'est personnel.

Geva Caban, *Je t'écris, j'écris*, coll. Folio cadet,
© Gallimard jeunesse.

Vieux John

Avant que Vieux John n'arrive, il y eut une terrible dispute. Chez les Schirmer, c'est toujours comme ça. Chaque événement nouveau ou extraordinaire est l'occasion de discussions approfondies, le plus souvent à grand renfort[1] de bruit. Sans une bonne
5 dispute, la vie de famille ne fonctionne pas.

Les Schirmer dînaient dans la cuisine. C'était la plus grande pièce de la vieille maison où ils venaient tout juste d'emménager.

Laura et Jacob suivaient le débat entre leurs parents avec passion. Maman était d'avis que Vieux John vienne habiter
10 chez eux.

Papa, comme il disait toujours, « faisait des réserves ».

— Vieux John a déjà soixante-quinze ans, disait-il. Il peut devenir une charge. Et puis il est un peu toqué. Tu sais bien Irène !

— Ah bon ? se contenta de demander Maman, ce qui fit un
15 peu plus enrager Papa.

Quand les parents étaient sur les nerfs, surtout Papa, il était préférable de ne pas s'en mêler. Laura hasarda quand même :

— Après tout, Vieux John est le père de Maman.

Jacob ajouta à toute vitesse :
20 — Notre grand-père !

— Tu me prends pour un imbécile, hurla Papa, en martelant son assiette de sa fourchette.

Maman lui fit remarquer qu'il allait casser l'assiette. Papa n'y prêta pas attention. Il frappa de plus belle et s'exclama, les sour-
25 cils froncés par la colère :

— Ne vous mêlez surtout pas de ça !

---

1. *à grand renfort de… :*
avec beaucoup de…

— Vous en avez au contraire tout à fait le droit, estima Maman. Elle se leva et retira l'assiette sous la fourchette virevoltante[2] de Papa. Les enfants vont vivre comme nous avec Vieux John.

— C'est bon, grogna Papa, en posant d'un air embarrassé sa fourchette sur la table et en fouillant dans sa pipe avec une allumette.

Maintenant il n'y avait plus rien à craindre. C'était toujours la même chose. Après s'être énervé, Papa savait être très gentil et très doux. Mais la moindre crotte de mouche l'exaspérait.

Maman s'assit de nouveau et demanda à la cantonade[3] :

— Et si nous lui écrivions que sa chambre est prête et qu'il peut venir ? Nous lui avions promis autrefois, quand nous avions projeté d'acheter cette maison, qu'il pourrait s'y installer avec nous.

— Allez ! Commençons, s'écria Laura.

— Doucement, doucement, dit Papa. Nous ne sommes pas vraiment installés. Il y a encore une foule de choses à réparer, à peindre, à construire. Je me demande si cela ne va pas déranger Vieux John.

— Allons donc. Il peut se rendre utile, dit Maman. Ça lui plaira sûrement.

— À toi de savoir, dit Papa en tirant vigoureusement sur sa pipe. Alors, que lui écrivons-nous ?

— Cher Vieux John, dit Laura.

— Ça va de soi, dit Papa.

— Mais pas du tout ! Maman pourrait aussi écrire : « Cher Papa ! » et nous pourrions aussi écrire : « Cher Papi », dit Jacob.

Maman se mit à rire.

— Il croirait que nous nous payons sa tête.

Papa s'impatienta une fois de plus.

— Alors, que lui écrivons-nous ?

Il se leva et prit un bloc de papier et un crayon dans l'armoire de la cuisine. Papa savait drôlement bien écrire. C'était nécessaire dans son travail. Il travaillait dans un bureau où l'on dessinait des affiches. Il écrivit : « Cher Vieux John ». Et au-dessus à droite : « Dempflingen, le 2. 3. 1976 ».

Laura dicta :

— Maintenant tu peux venir.

— Tu vas un peu vite en besogne. Papa secoua la tête. Vieux John n'a certainement pas pensé que nous mettrions notre maison si vite en état.

— Écris donc : notre bicoque[4] est prête, tu peux venir, s'exclama Jacob.

Tout cela ne convenait pas à Maman.

70   — Vieux John a ses lubies[5], dit-elle, et il faut, même dans une lettre, que nous le préparions petit à petit.

On voyait à son air que quelque souvenir lui revenait à l'esprit.

— Vous vous rappelez peut-être le jour où Vieux John a voulu prendre un ascenseur qui n'existait pas ?

75   Tout le monde s'en souvenait et on se mit à rire. […]

Du coup on sut ce qu'il fallait lui écrire :

Qu'on pensait souvent à lui et qu'on parlait beaucoup de lui.

Qu'il devait se sentir bien seul.

Que tout le monde le voyait très bien habiter ici.

80   Qu'on avait besoin de toute urgence de son aide à la maison.

Qu'il aurait une chambre donnant sur le jardin, avec même des toilettes indépendantes et une douche.

Que tout le monde se réjouissait beaucoup de le voir.

— Thomas, écris tout cela, dit Maman, dans l'ordre où nous

85 te l'avons dit.

— Je ne suis pas sténographe[6], soupira Papa. Mais il se mit tout de suite à écrire.

Peter Härtling, *Vieux John,* © 1981, Beltz & Gelberg, Weinheim.
© 1996, Pocket Jeunesse.

5. lubies : idées étranges, envies folles.
6. sténographe : personne qui utilise la sténographie, une écriture simplifiée permettant de noter les paroles aussi vite qu'elles sont prononcées.

1 Relève le nom et le prénom des différentes personnes (présentes ou absentes) qui composent cette famille.

2 Qu'apprends-tu sur cette famille ?

3 Quels sont les sentiments de chaque membre de la famille à l'égard de Vieux John ? Que penses-tu de l'intervention de Laura (ligne 18) ?

4 Selon toi, qu'est-ce qui peut être à l'origine de cette invitation ?

5 Pourquoi les personnages rencontrent-ils des difficultés pour commencer leur lettre (lignes 48 à 61) ? Ont-ils trouvé la formule adaptée à leur destinataire ?

6 Relisez, à haute voix et à plusieurs, le passage de la ligne 12 à la ligne 75.

J'écris   *une lettre personnelle (1)*

1 Relis le texte à partir de la ligne 60 (« Il écrivit : "Cher Vieux John…" »).

2 Essaie d'écrire la lettre que doit rédiger le père, à partir de toutes les indications données dans le texte.

Je sais organiser une lettre

Communiquer clairement avec son correspondant

J'observe

■ **1. Relis l'extrait de** *Vieux John* **(lignes 36-71).**
Quelles questions se sont posées les personnages
au moment d'écrire leur lettre ?
Pourquoi doit-on se poser ces questions ?

■ **2. Voici la lettre de Christine, une jeune lectrice**
qui participe à un débat proposé par un journal sur
le thème : « Que pensez-vous des colos ? »

■ **Nomme les éléments qui doivent toujours**
figurer dans une lettre.
Repère leur emplacement sur la feuille.

L'expéditeur d'une lettre doit donner au des-
tinataire toutes les informations nécessaires
pour bien comprendre la situation de com-
munication : son nom, son adresse, la date,
ainsi que l'objet de l'échange.
Une lettre est habituellement présentée de
la manière suivante :

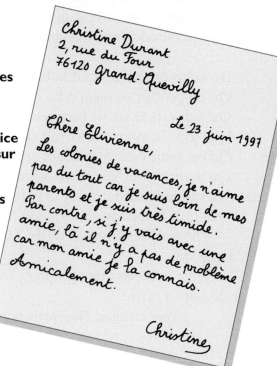

Christine Durant
2, rue du Four
76120 Grand-Quevilly

Le 23 juin 1997

Chère Élivienne,
Les colonies de vacances, je n'aime
pas du tout car je suis loin de mes
parents et je suis très timide.
Par contre, si j'y vais avec une
amie, là il n'y a pas de problème
car mon amie je la connais.
Amicalement.

Christine

© d'après *Okapi* n° 609, 28 juin 1997,
Bayard Jeunesse.

Nom de l'expéditeur
(Adresse si le correspondant
ne la connaît pas)

Date

Formule pour s'adresser
au destinataire

Texte de la lettre

Formule de politesse

Signature

Je m'exerce

■ **Voici, en désordre, des éléments pour rédi-**
ger une lettre. Remets-les en ordre et reco-
pie la lettre sur du papier blanc en respectant
la présentation habituelle.

Salut Élivienne !
12 rue Léon Blum
73000 Chambéry
Mais ce qui est dommage, c'est que le temps passe vite.
Grégory Martin
Grégory
Je t'adresse mon meilleur souvenir.
Le 21 juin 1997,
Je vais en colonie depuis l'âge de 8 ans. Je trouve que
c'est un moyen pratique pour nos parents et en même
temps on s'amuse bien. On se fait plein de copains
pendant les activités et les repas. Pour moi, la
colonie, c'est le paradis !

© d'après *Okapi* n° 609, 28 juin 1997,
Bayard Jeunesse.

Lettre à sa mère

16 août 1912
Oxford, Mississippi.

Belle dame,

J'espère que tu as fait bon voyage, et que tu prendras de bonnes photos avec mon appareil. Hier et toute la nuit, il a plu très fort, et il pleut encore.

5 Tout le monde est gentil avec nous, et Grand-père est vraiment formidable, je t'assure. J'imagine qu'il savait que Tantine voudrait lire nos lettres, alors il nous a dit, à Jack[1] et à moi, de passer à la banque, où il garde plein d'enveloppes et de papier. Ce matin, au petit déjeuner, quand Jack est entré, Grand-papa lui a
10 dit : « Voilà mon p'tit bonhomme en beurre de cacahuètes », et à moi il a dit : « As-tu bien dormi la nuit dernière, Bill ? »

Dis à papa que nous nous occupons bien du bétail et dis-lui que si Mr. Drew Roane ne peut pas me trouver une lampe, Grand-père m'achètera une Beal. C'est une lampe à pétrole, mais
15 c'est une bonne lampe. Il me l'a prêtée pour que je l'essaie.

Hier, nous avons pris l'auto pour aller jusqu'à Davidson's Bottom et j'ai découvert que ce que Ches[2] appelle « une sacrée maudite sangsue » s'était collée à mon pied. Elle avait fourré

*1 et 3. **Jack et Johnsy** sont les deux frères de Billie.*
*2. **Ches** : le chauffeur.*

sa tête sous ma peau et, pour la sortir de là, Ches a dû la couper
20 en deux avec un couteau de boucher.

J'ai vu deux petits garçons que j'ai pris pour Johnsy[3] et
l'autre jour, j'allais en ville, j'ai vu un monsieur et j'allais crier
« Bonjour, Papa » — et alors j'ai vu que ce n'était pas lui. Toi, je
n'ai vu personne qui te ressemble parce que tu es trop belle.
25   J'attends une lettre.

Afectueusement.
Ton fisse Billie

William Faulkner, *Lettres à sa mère*, 1918-1925, Arcades,
trad. D. Coupaye et M. Gresset, © Gallimard.

1 Qui est l'auteur de cette lettre ? À qui écrit-il ?

2 Pourquoi écrit-il cette lettre ?

3 Comment la lettre commence-t-elle ? Que penses-tu de la manière de s'adresser ainsi à sa mère dans une lettre ?

4 Grand-père est « formidable », écrit Billie. Qu'est-ce qui justifie ce qualificatif ?

5 Relève dans cette lettre les marques d'affection. À ton avis, est-il plus facile de témoigner son affection à l'oral ou à l'écrit ?

6 Selon toi, quel âge a l'auteur lorsqu'il écrit cette lettre ?

7 Relève les quelques fautes d'orthographe. Est-ce réellement important pour le destinataire ?

En relisant ta lettre

En relisant ta lettre, je m'aperçois que l'orthographe et toi, ça fait deux.

C'est toi que j'aime
Ne prend qu'un M
Par-dessus tout
5 Ne me dis point
Il en manque un
Que tu t'en fous
Je t'en supplie
Point sur le i
10 Fais-moi confiance
Je suis l'esclave

Sans accent grave
Des apparences
15 C'est ridicule
C majuscule
C'était si bien
Tout ça m'affecte
Ça c'est correct
20 Au plus haut point
Si tu renonces
Comme ça s'prononce
À m'écouter
Avec la vie
25 Comme ça s'écrit
J'en finirai
Pour me garder
Ne prend qu'un D
Tant de rancune
30 T'as pas de cœur
Y'a pas d'erreur
Là y en a une
J'en mourirai
N'est pas français
35 N'comprends-tu pas ?
Ça s'ra ta faute
Ça s'ra ta faute
Là y'en a pas […]

Paroles et musique de Serge Gainsbourg, © 1961 Éditions Philippe Parès, droits transférés à Warner Chappell Music France & Melody Nelson Publishing.

1 Qui envoie la lettre, selon toi ? À quelle occasion ?

2 Que nous apprend le titre ?

3 Comment est organisé ce texte ? Combien de voix y entend-on ? Lesquelles ?

4 Essaie de reconstituer la lettre envoyée par cette femme. Quels sentiments exprime-t-elle ?

5 Lis l'ensemble du texte avec un(e) camarade en vous répartissant les rôles (lettre et commentaires).

6 Le destinataire de cette lettre a-t-il pris au sérieux l'ensemble de la lettre qu'il a reçue ? Justifie ta réponse.

7 Que penses-tu de cette façon de relire une lettre émouvante en ne s'intéressant qu'aux fautes d'orthographe ?

1 Choisis une personne à qui tu pourrais écrire : des grands-parents, un(e) cousin(e) ou un(e) ami(e) que tu ne vois pas tous les jours... Parmi tout ce qui t'est arrivé ces jours derniers, pense à un événement heureux ou malheureux dont tu aurais envie de lui parler parce que tu sais que cela va l'intéresser ou lui faire plaisir.

2 Rédige ta lettre. N'oublie pas que ton correspondant n'a pas vécu l'événement que tu lui racontes. Donne-lui donc les détails nécessaires.

Des mots pour mieux écrire

1 Voici une liste d'expressions qui permettent de s'inquiéter de son correspondant dans une lettre :
Et toi... ? Comment va... ? J'espère que... Je pense...
Complète ces débuts de phrase. Cherche d'autres expressions de ce type.

2 Voici des expressions souvent employées dans des lettres personnelles pour faire comprendre l'état dans lequel on se trouvait lors d'un événement :

c'était formidable - j'étais triste - j'étais ravi(e) - j'avais envie de pleurer - j'étais désolé(e) - j'ai été surpris(e) - ça m'a énervé(e) - j'avais peur - j'avais honte - c'était sensationnel - j'étais enchanté(e) - j'avais très envie.

Associe chacune d'elles à un événement heureux ou malheureux.

Pistes de lecture

Une bande d'enfants part explorer un vestige de la Seconde Guerre mondiale : un blockhaus près d'une plage...

Géva Caban,
La Lettre allemande,
coll. Petit point, Seuil.

**Une petite fille
des temps préhistoriques** invente une écriture pour communiquer avec sa maman...

R. Kipling,
La Première Lettre,
Éditions du Sorbier.

Quand un facteur apporte des lettres bien curieuses...

Janet et Allan Ahlberg,
*Le Gentil Facteur
ou Lettres à des gens célèbres,*
Albin Michel.

Catherine Brighton,
Ma chère grand-mère,
Albin Michel.

Je rédige une lettre personnelle

Se raconter

J'observe

■ **Voici deux extraits de lettres. Quel est leur but commun ?**

A. On est arrivé hier soir. Il faisait noir. Ce matin le jardin est vert et il y a des framboises rouges. Ma chambre est petite avec une fenêtre pointue. Pour voir la mer, je monte sur une chaise.

G. Caban, *Je t'écris, j'écris,*
coll. Folio cadet, © Gallimard.

B. Ma chère grand-mère,
Nous venons d'essuyer une terrible tempête et le *Méralda* a été dangereusement secoué par d'énormes vagues. Papa a eu fort à faire avec les animaux dans la cale ; leurs caisses se sont brisées et ils se sont échappés.

C. Brighton, *Ma chère grand-mère,*
© Albin Michel.

Lorsqu'on est éloigné des personnes qu'on aime, on peut leur écrire pour leur donner des nouvelles, leur raconter des petits ou grands événements de sa vie. On écrit souvent à la première personne du singulier et on donne des détails qui intéresseront le destinataire.

Je m'exerce

■ **Fais la liste des petits ou grands événements qui te sont arrivés cette semaine.**

Parmi ces événements, lesquels aurais-tu envie de développer dans la lettre que tu as écrite pour une personne qui t'est chère (voir p. 100) ?

Exprimer ses sentiments

J'observe

■ **1. Lis ce début d'une lettre envoyée par Victor Hugo à sa femme Adèle. Par quelles expressions l'écrivain manifeste-t-il son affection à sa femme ?**

Bruxelles, 18 août 1837

Je suis encore à Bruxelles, mon Adèle. En attendant la diligence, je te commence une lettre que je finirai à Louvain ou à Malines. Tu vois comme c'est un bonheur pour moi de me rapprocher de toi par la pensée en t'écrivant.

Je t'ai promis de te reparler de Mons. C'est en effet une ville fort curieuse. […]

■ **2. Observe de nouveau la *Lettre à sa mère* de Billie (pp. 97-98). Quelles autres formules sont employées par Billie pour témoigner son affection ?**

Dans une lettre à un proche, on trouve souvent des manières personnelles de s'adresser à lui et de lui manifester son affection.

Je m'exerce

■ **En classe verte, Cyril a envoyé cette lettre à ses parents.**

> Chers parents,
> On est bien arrivés hier à Missy. On s'est installés. Je suis dans la même chambre que Tristan. Aujourd'hui, on a visité une ferme.
> Bons baisers
> Cyril

■ **Essaie de rendre cette lettre plus personnelle en y introduisant des précisions sur les événements et en ajoutant quelques marques et formules d'affection.**

Relis la lettre que tu as écrite (voir p. 100). À l'aide de cette grille de relecture, essaie d'améliorer encore ta lettre.

1. Je n'ai pas oublié de préciser la date, mon prénom et, si nécessaire, le lieu d'où j'ai écrit.

2. J'ai respecté la mise en page d'une lettre.

3. J'ai raconté un ou plusieurs événements de ma vie qui pouvaient intéresser mon correspondant ou qui me semblaient importants.

4. Je les ai racontés de façon claire pour mon correspondant.

5. J'ai trouvé une manière personnelle pour faire part de mes sentiments.

6. J'ai demandé des nouvelles de la personne à qui j'ai adressé la lettre.

Récréation

MATTHIEU, MATHIAS & MATHURIN
Huissiers Associés
23549, rue des Gratte-Ciel 76409 MANNEVILETTE

Monsieur LOUP
Villa Grand-Mère
LA CORNE-DU-BOIS

Monsieur Loup,

Nous sommes chargés par Mademoiselle Chaperon Rouge de ses intérêts concernant les affaires de sa mère-grand. Notre cliente nous a indiqué que vous occupiez actuellement la maison de son aïeule et portiez indûment ses vêtements sans bénéficier de son autorisation.

Nous vous serions obligés de nous indiquer le nom et l'adresse de votre avocat afin que nous puissions prendre contact avec lui et éviter ainsi l'intervention du bûcheron officiel, des chevaux du Roi et de tous ses hommes d'armes.

Parallèlement à cette affaire, nous devons vous informer que ces Messieurs Les Trois Petits Cochons sont fermement décidés à vous poursuivre en dommages et intérêts. Malgré votre offre de ramassage de navets et de récolte de pommes, tous vos efforts pour souffler et pouffer ne seront d'aucun effet.

Veuillez agréer, Monsieur Loup, l'expression de nos sentiments distingués.

M. Matthieu

J. et A. Ahlberg,
*Le Gentil Facteur
ou Lettres à des gens célèbres,*
© Albin Michel.

Pour lire des histoires personnelles

L'écrivain est un passeur entre les personnages qu'il crée et ses lecteurs ; dans son écriture, il utilise toutes sortes de moyens pour nous faire comprendre, deviner, aimer, détester.

Il organise les événements, l'espace, les moments autour de ce qu'il veut nous dire des personnages.

Pars à la découverte de ses pouvoirs pour mieux en subir les charmes ou pour y résister !

Le dernier mousse

Alejandro s'est embarqué clandestinement sur un voilier-école de la marine chilienne, qui, de la ville de Talcahuano, se dirige vers le Cap Horn ; il veut être marin comme l'était son père, mort dans un naufrage.

— Debout tout le monde ! Le cri du quartier-maître jaillit de l'écoutille. Un coup de clairon retentissant sonna la diane et tous les marins sautèrent comme un seul homme de leur hamac.

Alejandro descendit lui aussi de son perchoir et sentit des cen-
5 taines d'yeux posés sur lui.

— Qui c'est celui-là ? fit un matelot sur un ton méprisant.

— Ils prennent des moutards maintenant, bientôt des gon-
zesses ! s'exclama un autre.

— Caporal Santos, faites chauffer le biberon, lança un rou-
10 quin à l'air hargneux.

Alejandro, debout dans ses vêtements fripés, se sentit soudain très angoissé. Cet immense et sombre entrepont peuplé d'hommes étranges, hostiles, moqueurs, le pétrifiait. La soute aux rats était un paradis, comparée à la détresse qu'il éprouvait devant cette
15 assemblée d'individus bizarres.

Les matelots gravirent l'escalier et sortirent sur le pont. Au passage, chacun jetait à Alejandro un regard de curiosité, d'indif-
férence, parfois de sympathie.

L'écoutille, telle une bouche de lumière, avala le dernier
20 matelot et l'entrepont resta vide comme une gigantesque tombe. Alejandro se mit à grelotter, désemparé, ne sachant que faire ; il regarda ses vêtements, le carré de ciel gris et chiffonna les bouts de sa pauvre veste dans ses mains crispées. C'était vraiment plus dur qu'il ne l'avait imaginé.

Soudain, apparut à l'écoutille un visage rond et blanc aux yeux bienveillants. Un mousse de seize ou dix-sept ans descendit l'escalier de fer et s'adressa à Alejandro :

— Monte te laver, je t'ai vu cette nuit quand ils t'ont sorti de ta cachette. N'aie pas peur, il n'y a qu'une poignée de vieilles peaux de vache, les autres sont des braves types, ils aiment blaguer, mais ils ne sont pas méchants. Tu verras, si tu restes à bord ça va te plaire ; je suis venu te voir parce que j'aime bien les gars qui en ont. Y en a pas beaucoup qui oseraient s'embarquer clandestinement sur un bateau de guerre.

« Si tu restes à bord !... » Alejandro se souvint des paroles du commandant : «L'ordre de route est formel : Punta Arenas sans escale...» Il se sentit rassuré.

— Merci, dit-il, et il suivit le mousse qui lui tendit sa serviette et son savon.

— Quand tu auras fini, demande où se trouve le poste du commissaire et présente-toi au sergent premier écrivain, il te dira ce que tu dois faire.

Sur le pont, l'équipage était rassemblé pour la revue et Alejandro se rendit compte que personne ne lui prêtait attention, comme s'il n'existait plus. Cela le soulagea, il préférait se sentir seul.

Il se lava, rendit à son protecteur ses affaires de toilette et se dirigea vers le poste du commissaire qui se trouvait au centre du bateau.

Au passage, il vit une mer verte, fleurie de vagues régulières qui éclataient en gerbes d'écume, poussées par un vent frais qui soufflait de côté sur les voiles. Le bateau, donnant de la bande par bâbord, fendait rapidement les eaux du Pacifique. Malgré un air limpide et un soleil éclatant, les côtes n'étaient visibles nulle part.

Le sifflet aigu d'un quartier-maître se fit entendre et, au pied des mâts, des voix énergiques ordonnèrent :

55 — Carguez les coutelas et la misaine !

Les mousses se pressèrent autour des poulies et des cordages, on entendit le grincement des filins, les voiles verticales hissées entre les mâts tournèrent légèrement vers le centre du navire et celui-ci s'inclina davantage et prit de la vitesse. De temps à autre 60 la toile claquait et une rafale tourbillonnante secouait le grée-ment.

— Qu'est-ce qu'il y a ? dit le sergent écrivain, gros et court sur pattes, en voyant le garçon. Ah ! C'est toi le pistolero qui s'est embarqué en douce. À cause de toi il y a dix hommes qui sont de 65 planton et un lieutenant aux arrêts dans sa cabine.

— Je suis désolé, je…

— Ça va, ça va, l'interrompit le sergent, tout le bateau est déjà au courant de ton histoire. Heureusement que tu es fils de marin. J'ai connu ton père. Tu as de la veine, les chefs ont répondu au 70 radio du commandant et tu es autorisé à rester à bord comme dernier mousse.

Le cœur du garçon bondit de joie. Les yeux humides et avec un sourire radieux il s'exclama :

— Merci, sergent !

75 C'était la première fois qu'il nommait un marin par son grade, comme l'aurait fait naturellement un mousse.

Pendant la matinée il se plia à toutes les formalités : enrôle-ment, visite médicale, coupe de cheveux à ras, puis on le conduisit à la réserve de vêtements où on lui remit son uniforme de coutil 80 pour le service et de drap bleu pour les sorties, ainsi que du linge blanc, des espadrilles et des chaussures.

Quand, habillé en mousse, avec son petit calot blanc de travail, il monta sur le pont pour se présenter à ses supérieurs, il était très ému. Il se sentait un vrai marin. Son grand rêve s'était réalisé. Le sang de son père revivait sur l'océan. Il respira l'air salé à pleins poumons, regarda la fine proue de son bateau et décida que ce qu'il aimait le plus au monde, après sa mère, était le *Baquedano*.

Le vieux navire semblait avoir une âme. Sa belle figure de proue relevait la tête, scrutant les horizons lointains, et fendait avec fougue le grand jardin d'écume et de vagues. Pour son dernier voyage un nouveau fils lui était né en pleine mer : Alejandro Silva, le dernier mousse du *Baquedano*, surgi de ses entrailles comme du fond noir de l'océan.

Francisco Coloane, *Le dernier mousse*,
trad. de F. Gaudry, Éd. Phébus, Paris.

A Choisir ses personnages

● **Dans le texte, repère tous les personnages puis fais-en la liste, du mieux connu au plus mal connu.**
Pour chacun, dis si l'on sait ce qu'il fait, de quoi il parle, ce qu'il pense.

● **Écris au brouillon le scénario d'une histoire qui comporte au moins quatre personnages et dis ce que l'on saura de chacun (actions, paroles, pensées).**

Dans un récit, on peut choisir de rendre proches des personnages par leurs paroles, leurs pensées, leurs actions, de laisser d'autres personnages anonymes ou mal connus.

B Traduire les pensées et les sentiments des personnages

● **Relis les passages suivants.**

1. Lignes 11 à 15 : « Alejandro... individus bizarres. »
   Lignes 44-45 : « Alejandro se rendit compte que personne ne lui prêtait attention... Cela le soulagea, il préférait se sentir seul. »
   Lignes 83-84 : « Il était très ému. »
2. Ligne 72 : « Le cœur du garçon bondit de joie. »
3. Lignes 84-85 : « Son grand rêve s'était réalisé. Le sang de son père revivait sur l'océan. »

● **Dans chaque cas, réponds par vrai ou faux.**

– Alejandro dit **lui-même** ce qu'il ressent.

– Le narrateur **raconte** ce qui se passe « à l'intérieur » d'Alejandro.

– Le narrateur emploie **une image pour décrire** ce qui se passe dans la tête d'Alejandro.

– Le narrateur **entre directement dans les pensées** d'Alejandro.

● **Donne ton avis sur l'effet créé par chaque procédé. Lequel utiliserais-tu le plus volontiers ?**

● **Lis maintenant.**
Il se dit : « Je préfère être seul. »
Quel est le procédé employé ici ?

> *Dans les histoires, on peut comme par magie entrer à l'intérieur d'un personnage. Soit il dit lui-même ce qu'il pense ou ressent, soit c'est un autre personnage ou le narrateur qui le fait.*

C Comment faire parler les personnages

● **Dans le texte, repère ce que disent :**

– les marins (au début du texte),
– le jeune mousse de seize ou dix-sept ans,
– le sergent écrivain,
– Alejandro.

● **Compare leurs façons de parler et ce dont ils parlent.**
Qu'est-ce que l'auteur a voulu mettre en valeur chez chacun ?
Alejandro parle-t-il beaucoup ? En apprends-tu plus sur ce qu'il dit ou sur ce qu'il ressent et sur ce qu'il pense ?
Est-ce le cas pour les autres personnages ? À ton avis, pourquoi ?

> *Quand on fait parler des personnages dans une histoire, on a la liberté de choisir certaines paroles parmi toutes celles qu'ils pourraient dire, de décider s'ils parlent peu ou beaucoup, sur quel ton et à qui.*
> *Tous ces choix aident à donner à l'histoire un ou plusieurs sens bien précis.*

D Choisir de montrer ou de cacher

● **Dans le texte, lesquels de ces moments sont évoqués ou au contraire ne le sont pas ?**

– Alejandro se lève.
– Il s'habille.
– Il monte sur le pont avec les autres.
– Il parle avec le sergent écrivain.
– Il se lave.
– Il regarde la mer.
– Il regarde le bateau.

● **Quels moments sont développés ? Lesquels sont juste évoqués ? Pourquoi ?**

Dans une histoire, on a la liberté d'étirer en longueur ou de résumer brièvement des événements et des moments.
Ces jeux sur les détails et la longueur ont pour but de mieux faire connaître des personnages ou des situations.

E Choisir l'espace et le temps

● **Relis les deux passages descriptifs : lignes 48 à 52 : « Au passage... nulle part. » et lignes 88 à la fin : « Le vieux navire... ».**

Relève les expressions qui décrivent la mer : est-ce une description réaliste ou poétique ? Quels aspects de la mer sont particulièrement mis en valeur ?

● **Retrouve maintenant l'évocation du bateau. Qu'est-ce qui indique que le bateau est personnifié ? De quel personnage peut-on le rapprocher ? Pourquoi ?**

● **L'auteur a choisi de raconter un ou plusieurs de ces moments : lequel ou lesquels ? pourquoi ?**

– toute la durée de la traversée ;
– les repas ;
– les manœuvres de conduite ;
– le moment où Alejandro devient un marin ;
– l'embarquement ;
– l'arrivée.

Dans une histoire, les lieux et les moments ne sont pas choisis au hasard ; ils permettent de souligner l'expérience, le caractère d'un personnage, l'originalité d'un événement.
Celui qui écrit a à sa disposition une large palette de lieux et de temps.

10 Une avalanche de bêtises

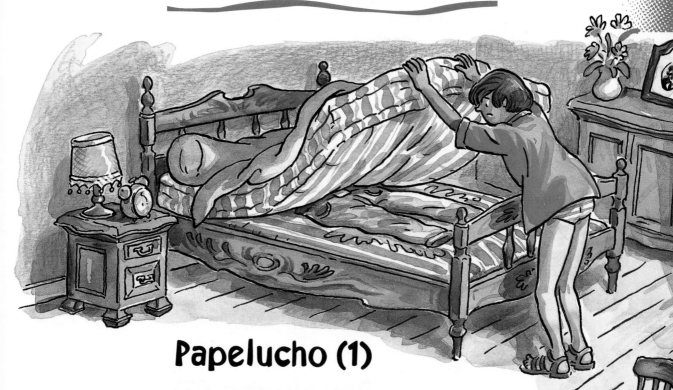

Papelucho (1)

Nous sommes enfin arrivés sur la côte. Ça s'appelle Viña del Mar et la gare est plutôt crasseuse. La maison a un jardin avec de très jolies fleurs, mais tout le reste est moche. Ce qu'il y a de terrible au bord de la mer, c'est qu'on a toujours faim et qu'on passe
5 son temps à la cuisine. Et puis il n'y a pas moyen de s'amuser. Il est trop tôt pour aller à la plage, et l'on voudrait que je sois content.

Résultat : j'ai sali mon pantalon avec de l'huile qui se trouvait dans un pot, je l'ai lavé, mais ça a été pire encore. Maman
10 m'a grondé parce que je me promenais en maillot de bain, mais je lui ai dit que c'était pour m'habituer. Je crois que le mieux serait de tremper complètement le pantalon dans l'huile, comme ça il n'y aurait plus de tache.

C'est ce que j'ai fait. J'ai dû le mettre à sécher sous le matelas
15 pour qu'on ne le voie pas mais il a laissé une grande tache et le matelas n'est pas à nous. Il fait déjà nuit et il n'est pas sec du tout. Demain il faudra que je sois malade ou quelque chose comme ça… Je ne peux pas aller à la plage sans pantalon.

J'ai eu une idée géniale. J'ai demandé à Xavier qu'il me prête
20 un pantalon ; je le lui ai loué pour trois pesos[1]. Comme il était
trop long pour moi, j'ai dû le raccourcir un peu, alors Xavier s'est
mis en boule, il a menacé de me dénoncer, et j'ai dû lui faire
cadeau de mon fusil. De toute façon, maintenant je peux aller sur
la plage et je n'ai que faire d'un fusil au bord de la mer.

25 Dans ma chambre il y a une odeur de garage.

1 Où cette histoire se passe-t-elle ?
À quel moment de l'année ?

2 Qui raconte l'histoire ? Cherche qui
désigne le « je » de la ligne 6, puis le
«nous» de la ligne 1.

3 Comment, selon toi, le narrateur a-t-il
raccourci son pantalon ?

4 Ce texte est-il un roman policier ? un
journal intime ? un conte ? un roman
d'amour ?

5 Trouves-tu cette histoire plutôt
comique ou triste ? Justifie ta réponse.

6 D'après toi, pourquoi le texte est-il
intitulé *Papelucho* ?

Papelucho (2)

1. *Domitila :*
c'est l'employée
de maison.

Les Soto sont bien arrivés à l'heure du déjeuner. Ils m'ont
apporté le ciment et les petites souris. Il y en a une qui nous a filé
entre les doigts sur le palier et elle est entrée dans l'appartement
du monsieur tout bleu. On a entendu des cris et des hurlements à
5 l'intérieur et aussi des coups si forts que nous n'avons pas osé
sonner pour la réclamer.

Quand nous avons fait courir l'autre souris, Domitila[1] a
poussé un cri terrible et elle a grimpé sur l'évier. Le talon d'une de
ses chaussures s'est cassé et elle a dégringolé en entraînant des
10 verres qu'elle était en train de laver ; en tombant elle s'est accro-
chée au robinet qui a cédé et bientôt l'eau a inondé la cuisine ; elle
s'est entaillé le pied sur les verres cassés et elle s'est mise à saigner
aussi fort que l'eau du robinet. L'eau et le sang coulaient, la souris courait, et les Soto sautaient.

15 Finalement, Yacinthe Soto a fait un pansement à Domitila et
le sang s'est arrêté de couler. Pendant ce temps Urbain et Éphraïm

avaient réussi à mettre la main sur la souris. Pour qu'elle ne s'échappe plus, on l'a mise à l'abri dans un pot de confitures. L'embêtant c'est que la cuisine ressemblait à une piscine et deux 20 Soto ont glissé et sont tombés dans l'eau de tout leur long.

Domitila, qui maintenant ne saignait plus, s'est avisée qu'il fallait réparer l'évier et elle a envoyé Yacinthe chez le plombier qui est très, très ami avec elle. Il a été là en moins de temps qu'il ne faut pour le dire. Mais avant de s'occuper du robinet, il a 25 accordé tous ses soins à la blessure de Domitila.

Il était juste en train de réparer le robinet quand papa et maman sont rentrés.

Marcela Paz, *Papelucho*,
© 1974, Editorial Universitaria, Chili ;
© 1997, Éditions Pocket Jeunesse.

1 Retrouve le nom de tous les personnages cités dans cette histoire.

2 Où la scène se passe-t-elle ?

3 Pourquoi le plombier s'intéresse-t-il plus à la blessure de Domitila qu'au robinet ?

4 Retrouve le paragraphe dans lequel les actions s'enchaînent très rapidement.

5 Il y a un jeu de mots dans cette histoire. Lequel ?

6 Cherche un titre pour cet extrait de *Papelucho*.

J'écris *un texte amusant pour raconter une farce*

1 As-tu déjà utilisé un petit animal pour faire peur à quelqu'un et faire rire tes amis ? Si oui, raconte oralement ce qui s'est passé. Si tu n'as jamais fait ce genre de farce, inventes-en une et raconte-la.

2 Observe les images suivantes et raconte, par écrit, ce qui se passe.

Je rends mon récit amusant (1)

 ## Créer des situations comiques

J'observe

■ **1.** Relis le second extrait de *Papelucho*, pp. 110-111. À partir de quel moment commences-tu à avoir envie de rire ? Pourquoi ?

■ **2.** Dans les films comiques du début du cinéma, il y avait un gag qui faisait toujours rire : c'était celui de la tarte à la crème envoyée dans la figure d'un personnage passant là par hasard.

Y a-t-il, dans le texte *Papelucho*, des situations qui te font penser à ce genre de gag ? Lesquelles ?

Dans un texte, il y a différentes façons de faire rire : on peut raconter des situations où les personnages sont victimes de petits malheurs, font des choses inattendues ou bien interdites.

Je m'exerce

■ **1.** Donne des exemples de situations comiques qui t'ont fait rire dans des films.

■ **2.** Voici le début d'une histoire. Trouve l'événement comique qui pourrait se produire ensuite.

Rosalie aide à mettre la table pour son goûter d'anniversaire.

C'était si gai de disposer sur les tables toutes les bonnes choses : les sandwiches au jambon, les gâteaux, les bonbons acidulés, la crème au chocolat, les biscuits à la cuiller, les biscuits aux amandes, et les jolies carafes de cristal.

« Je vais leur faire une petite farce », se dit Rosalie.

M. Vinaver, *Les Histoires de Rosalie*,
coll. Castor poche, © Flammarion.

 ## Enchaîner des catastrophes

J'observe

■ Relis le premier extrait de *Papelucho*, pp. 109-110. Indique les actions et les événements qui se succèdent, en recopiant et complétant le tableau ci-dessous.

ce que fait Papelucho	les conséquences
1. Papelucho renverse de l'huile.	→ Son pantalon est taché.
2. Il lave son pantalon.	....
3. Il trempe son pantalon dans l'huile.	....
4. Il le met sous le matelas.	....

Enchaîner les situations catastrophiques ou les bêtises produit souvent un effet très drôle dans un texte. Par exemple, ici, à chaque fois que Papelucho veut réparer sa bêtise précédente, il fait une bêtise encore plus grave !

Je m'exerce

■ À partir de l'extrait ci-dessous, montre dans un tableau l'enchaînement des « catastrophes ».

Pour faire la vinaigrette, c'est simple. Mais, malheureusement, je n'ai pas rebouché la bouteille d'huile. Il a suffi d'un petit coup de coude pour que l'huile coule, coule sans qu'on puisse l'arrêter. J'ai trempé la serpillière dans l'eau et le désastre a commencé. Plus je passais la serpillière, plus l'huile s'étalait. C'était brillant et lisse. Mais comme je voulais tant me sortir de cette bouillabaisse, j'ai changé mes plans. À quatre pattes sur les carreaux, j'ai vidé une bonne mesure de « Paic Citron » pour réparer. Ça sentait bon et soudain, après le passage de la serpillière, ça s'est mis à mousser, à mousser.

D'après C. Gutman, *Toufdepoil*,
© Éditions Pocket Jeunesse.

Les nouvelles farces de Zozo la tornade

Le 27 juillet, quel réveil épouvantable ! À quatre heures du matin, Lina fut brusquement tirée de son sommeil par une souris qui lui sauta au visage. Elle fit un bond, saisit une bûche, mais la souris était déjà cachée derrière le tas de bois, près de la chemi-
5 née. Après cet événement, on décida d'avoir un chat dans la cuisine pendant la nuit.

Zozo entendit parler de la souris et, malgré la fièvre qu'il avait ce jour-là, il se dit : « Il faut que ze devance le chat. »

À dix heures du soir, toute la maisonnée dormait : le père,
10 la mère, la petite Ida dans sa chambre, Lina dans la cuisine, Alfred dans les communs[1], près de l'atelier. Chacun était à sa place. Les cochons étaient dans la porcherie, les poules dans le poulailler, les chevaux et les moutons dormaient dehors, dans les champs. Seul veillait le chat dans la cuisine.

15 « Pauvre Minou ! Tu es prisonnier ici ! Va dehors. » Et Zozo lui ouvrit la porte, car il avait pitié de lui. Mais il fallait le remplacer et attraper la souris. Zozo prit un piège à souris, y mit un petit morceau de lard, et cacha le piège tout près du tas de bois.

« L'idée n'est pas bonne. Si la souris aperçoit le piège, elle ne
20 se laissera pas prendre. »

1. **communs** : *locaux où vivaient et travaillaient les domestiques.*

2. **tapette** : piège
à souris ou à rats,
dans lequel un cro-
chet, actionné par
un ressort, tue
l'animal.

Il se mit à réfléchir. La souris aime se promener tranquillement dans la cuisine ; il faut donc placer la tapette[2] à l'endroit
inattendu. Pourquoi pas sur la figure de Lina, puisque la souris a
l'habitude ? Non, elle va encore crier et affoler toute la maison.
25 Et sous la table ? Justement là, parmi les miettes… Non ! Ne pla-
çons pas le piège à la place du père car si, à défaut de miettes, elle
se mettait à grignoter l'orteil de son papa ? C'est impossible !
Zozo se décida enfin et laissa la tapette à l'endroit où son papa
mettait les pieds. Puis, très fier de son idée, il alla se recoucher
30 tout doucement.

Il fut réveillé de bonne heure par des cris venant de la cuisine.

« Ils sont contents ! Une souris est attrapée », pensa Zozo.

À cette minute, sa mère se précipita dans sa chambre, le tira
du lit et lui chuchota : « File à l'atelier avant que ton père ne sorte
35 son orteil de la tapette, sinon ta dernière heure est arrivée. »

Zozo était en chemise et n'avait pas encore eu le temps de
s'habiller.

« Ze veux emporter mon fusil en bois qu'Alfred m'a donné
et ma "cache-tête" », cria Zozo. Il saisit ses deux trésors et s'en-
40 fuit à toute allure vers l'atelier.

C'est là qu'on avait l'habitude de l'enfermer quand il avait
fait une bêtise. Sa maman qui le suivait ferma le verrou de l'extérieur afin qu'il ne puisse pas s'échapper, et Zozo fit de même de
l'intérieur, pour que son père ne puisse pas entrer. On était pré-
45 voyant des deux côtés !

Chaque fois qu'il était puni, enfermé dans l'atelier, Zozo
taillait des bonshommes en bois, et il en avait déjà 97 ! Ils étaient
bien alignés sur une étagère, et Zozo pensait arriver bientôt au
centième. « Ce sera la fête, ce jour-là, et j'inviterai Alfred », se dit-
50 il tout en taillant le bois du 98e bonhomme. [...]

Vers midi, alors que tout le monde s'affaire à préparer du boudin,
Zozo renverse la jatte de sang de boudin sur son père. Il est de nou-
veau enfermé dans l'atelier !

Sur les ordres de la patronne, Lina prépara une belle pâte à
55 crêpe, bien jaune et épaisse, et la laissa reposer dans la jatte que
Zozo avait renversée sur son père.

Celui-ci, nettoyé, calmé et réconforté, partit dans les champs
pour commencer à couper le seigle, en attendant que les crêpes
soient prêtes.

60 Zozo fut libéré par sa mère. Il était resté si longtemps dans
l'atelier qu'il devait bouger un peu, maintenant.

« Allons zouer au furet », proposa-t-il à sa petite sœur.

Ils se mirent à courir l'un derrière l'autre, en essayant de s'attraper. Les deux enfants se poursuivaient de la cuisine dans l'entrée, de l'entrée dans les chambres, des chambres dans la cuisine, et ainsi de suite. Courir, toujours courir, à s'en faire tourner la tête. Au dix-huitième tour, Zozo entra en courant dans la cuisine et se cogna contre Lina. Elle tenait la terrine entre ses mains et se dirigeait vers la cuisinière pour commencer à faire les crêpes. En se cognant contre elle, Zozo, histoire de la distraire, la chatouilla un peu, chose à ne pas faire à Lina qui était si chatouilleuse. « Oh ! là ! là ! », fit Lina en se tortillant comme un ver, et elle lança la terrine en l'air. Juste à ce moment, le papa de Zozo arrivait, mort de faim, et la terrine rebondit sur son visage.

« Zut alors », dit-il encore une fois (ne pouvant en dire plus), la figure recouverte de pâte à crêpe.

La maman de Zozo accourut, reprit, pour la troisième fois, son fils par la main et le traîna vers l'atelier. Derrière lui, Zozo entendit les cris de son père, d'abord assourdis par la pâte à crêpe, mais un peu plus tard, de tout le village, on put l'entendre crier.

De nouveau enfermé, Zozo taillait son 100e bonhomme de bois et il n'était pas du tout de bonne humeur. Lui qui pensait faire la fête avec Alfred à cette occasion ! Tout au contraire, il était fou de rage. Être enfermé trois fois dans la même journée, c'en était trop et ce n'était pas juste du tout.

« Ze ne peux pas m'empêcher de faire des blagues. Quel mal y a-t-il à mettre un piège à souris ? Pourquoi faut-il que ze me trouve touzours là où il ne faut pas ? près de la terrine de sang à boudin ou à bousculer Lina avec sa jatte de pâte à crêpe ? »

Astrid Lindgren, *Les Nouvelles Farces de Zozo la tornade*,
Le livre de poche jeunesse, © Hachette.

1 Retrouve les noms de tous les personnages de cette histoire. Qui sont-ils les uns par rapport aux autres ?

2 Où cette histoire se passe-t-elle ? Nomme les différents bâtiments.

3 Que fait Zozo quand il est enfermé dans l'atelier ?

4 Combien de fois Zozo est-il enfermé dans cet endroit ?

5 Zozo perçoit-il les conséquences de ses actes ? Relève les endroits où l'on nous indique les pensées de Zozo.

6 Zozo est-il un personnage que tu aimes bien ? Donne tes arguments.

1 Comme Zozo la tornade, il t'est sûrement arrivé de faire des bêtises ou de voir un(e) camarade en faire… Choisis une situation dont tu te souviens. Quels en étaient les personnages ? Où cela se passait-il ? Quand ?

2 Raconte l'histoire par écrit, en faisant revivre la scène pour tes lecteurs. Afin de rendre les choses plus drôles, tu peux, si tu le souhaites, modifier la réalité, comme le ferait un auteur de roman…

Des mots pour mieux écrire

1 Complète le passage suivant avec des mots qui marquent l'enchaînement des faits.

Seul veillait le chat dans la cuisine.

« Pauvre Minou ! Tu es prisonnier ici ! Va dehors. » …… Zozo lui ouvrit la porte, …… il avait pitié de lui. …… il fallait le remplacer et attraper la souris. Zozo prit un piège à souris.

Compare avec le travail fait par tes camarades. Tu peux ensuite vérifier en recherchant le passage, p. 113.

2 Voici d'autres mots pour marquer l'enchaînement des faits dans un récit. Recherche ceux qui ont le même sens et essaie de les classer dans un tableau.

et - mais - alors - à ce moment-là - au même moment - quand - et puis - ensuite - car - enfin - à présent - maintenant - bientôt.

Pistes de lecture

Rosalie n'est pas une enfant sage. Elle est curieuse de tout et infatigable. Mais ses bêtises ne sont pas toujours appréciées des adultes !

Charles passe son temps à jouer de vilains tours à ses proches. Juliette, une petite fille aveugle, l'aidera-t-elle à devenir plus raisonnable ?

MICHEL VINAVER
Les histoires de Rosalie
Castor Poche Flammarion

FOLIO JUNIOR — ÉDITION SPÉCIALE
Comtesse de Ségur
UN BON PETIT DIABLE

❝ Ah ! te voilà enfin, petit scélérat ! Approche, plus près ❞

◆ Astrid Lindgren,
Zozo la tornade,
Le livre de poche jeunesse,
Hachette.

◆◆ Catherine Sefton,
Le Fantôme et moi,
L'École des loisirs.

◆◆◆ Goscinny et Sempé,
Le Petit Nicolas,
coll. Folio junior, Gallimard.

◆◆ Michel Vinaver,
Les Histoires de Rosalie,
coll. Castor poche, Flammarion.

◆◆◆ Comtesse de Ségur,
Un bon petit diable,
coll. Folio junior, Gallimard.

Je rends mon récit amusant (2)

Répéter les situations comiques

J'observe

■ Dans *Les nouvelles farces de Zozo la tornade* (pp. 113-115), relève toutes les bêtises faites par Zozo en une journée. Si Zozo n'avait fait qu'une seule bêtise, cela produirait-il le même effet comique ?

: *On peut rendre un texte plus drôle en accu-*
: *mulant les gags ou en répétant le même type*
: *de situation comique.*

Je m'exerce

■ **1. Qu'est-ce qui est amusant dans cette histoire ?**

Les plombs de l'immeuble ont sauté. On est restés dans le noir. Xavier et moi, on a profité de l'occasion pour jouer aux hommes invisibles. Bien sûr, l'ascenseur ne marchait pas mais c'était encore plus marrant dans l'escalier. On se cognait avec des petites vieilles tout essoufflées, avec des bonnes qui n'arrêtaient pas de râler, avec des jeunes types du genre sportif qui montaient les marches quatre à quatre en sifflotant et qui manquaient de se tuer en nous rentrant dedans, avec des cuisinières qui allaient faire réchauffer le déjeuner chez les voisins qui avaient le gaz... Il y en a une qui a fait tomber la soupe en se cognant contre nous ; une autre est arrivée et elle a glissé dedans. En tombant, elle a cassé tout ce qu'elle portait sur son plateau.

D'après M. Paz, *Papelucho*,
© Pocket jeunesse.

■ **2. Continue le texte pour accentuer le comique de répétition.**

Dire sans dire

J'observe

■ **Voici deux façons de raconter la même chose :**

A. Papelucho a faim et il s'ennuie. Il passe son temps dans la cuisine. Il touche à tout et il renverse un pot d'huile qui tache son pantalon.

B. Ce qu'il y a de terrible au bord de la mer, c'est qu'on a toujours faim et qu'on passe son temps à la cuisine. Et puis il n'y a pas moyen de s'amuser. Il est trop tôt pour aller à la plage, et l'on voudrait que je sois content.

Résultat : j'ai sali mon pantalon avec de l'huile qui se trouvait dans un pot...

■ **D'après toi, lequel de ces deux textes explique le mieux ce qui s'est passé ?**

Dans le texte B, y a-t-il vraiment une relation logique entre le premier et le second paragraphe ? Quel effet cela produit-il ?

Comprends-tu pourtant ce qui s'est passé ? Grâce à quel mot ?

: *Pour rendre amusante une histoire, on peut*
: *ne pas tout dire : par exemple en gommant*
: *certains détails, en oubliant volontairement*
: *de préciser des circonstances, etc. C'est l'un*
: *des aspects de l'humour.*

Je m'exerce

■ **Dans le texte *Papelucho* (pp. 109-111), on devine plusieurs fois ce qui se passe sans que le narrateur nous le dise complètement.**

Retrouve les lignes où l'on devine que :

a) Papelucho a peur de se faire gronder parce que cela ne se fait pas de sortir en ville sans pantalon.

b) Xavier fait un chantage à son petit frère Papelucho : le fusil en échange de son silence.

Reprends l'histoire que tu as écrite (voir p. 116) et améliore-la.

1 Cherche, dans les textes de cette unité ou dans toute autre histoire de bêtises que tu as pu lire, des mots, des expressions, des idées pour rendre ton texte plus vivant, plus drôle. Note-les sur une fiche. Utilise cette fiche pour améliorer ton texte. Tu peux aussi utiliser l'un des procédés que tu viens de découvrir à la page 117.

2 Fais lire ton texte à un(e) camarade pour vérifier qu'il est drôle. Assure-toi que tu as bien respecté les éléments de cette grille de réécriture.

1. J'ai introduit une situation comique ou inattendue.

2. J'ai accumulé les gags en cascade.

3. J'ai enchaîné les actions de façon que, pour réparer une bêtise, mon personnage aggrave les choses.

4. J'ai varié les expressions qui permettent d'enchaîner les faits dans mon récit.

Récréation

Des gaffes et des dégâts

Franquin,
© Éd. Dupuis.

11

Folie
de la guerre

Cheval de guerre (1)

En 1914, Joey abandonne sa vie paisible de cheval de ferme : il est vendu à l'armée anglaise. Une nuit, Joey est blessé sur un champ de bataille. Il s'immobilise, paralysé par la peur, au milieu du brouillard et des coups de feu… Lorsque la bataille cesse et que le brouillard se dissipe, il s'aperçoit qu'il est « dans un large couloir de boue » entre les deux camps ennemis : ce que les soldats appellent le no man's land[1].

Sur ma droite et sur ma gauche, j'entendais s'élever rires et agitation qui se propageaient en vagues le long des tranchées, et où se mêlaient des ordres qu'on braillait : « Baissez la tête ! Que personne ne tire ! » De ma position privilégiée sur ce monticule[2],
5 j'entrevoyais seulement de temps à autre quelque casque d'acier, seule preuve pour moi que les voix que j'entendais appartenaient vraiment à des êtres bien réels. Une délicieuse odeur de cuisine s'en venait flotter vers moi et je redressai le nez pour la savourer. Elle était plus délicieuse que tous les picotins[3] que j'avais pu
10 déguster. En plus, il y avait là une pointe de sel. Attiré, tantôt d'un côté, tantôt de l'autre par la promesse d'un aliment chaud, je me heurtais à l'infranchissable barrière des barbelés mollement déroulés, chaque fois que je m'approchais des tranchées de droite ou de gauche. Les soldats m'acclamaient quand je me rappro-

1. **no man's land :**
en anglais, « terre d'aucun homme » ; dans le vocabulaire militaire, zone neutre.
2. **monticule :**
petite butte.
3. **picotins :**
rations d'avoine.

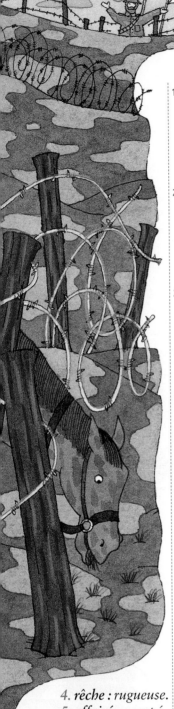

15 chais ; ils montraient carrément la tête au-dessus des tranchées, à présent, et me faisaient signe de venir vers eux ; quand j'étais obligé de faire demi-tour devant les barbelés et retraversais le *no man's land* vers l'autre camp, de nouveau j'étais salué par un concert d'applaudissements et de sifflets. Mais, là encore, je **20** n'arrivais pas à me frayer un passage parmi les barbelés. Je dus faire la navette une bonne partie de la matinée dans le *no man's land*. Je découvris enfin, enfin ! dans ce désert dévasté, un petit carré d'herbe rêche[4] et humide, qui poussait sur le bord d'un ancien cratère d'obus.

25 J'étais affairé[5] à en arracher les derniers brins, quand j'aperçus du coin de l'œil un homme en uniforme gris qui se hissait hors de la tranchée. Il brandissait un drapeau blanc. Je dressai la tête quand il se mit à couper méthodiquement le barbelé à la cisaille et qu'il avança, après l'avoir écarté. Pendant ce temps, il y avait force **30** palabres[6] et bruyante consternation dans l'autre camp et bientôt, une petite silhouette casquée, en capote kaki qui lui battait les jambes, émergea pour s'engager dans le *no man's land*. Lui aussi tenait un chiffon blanc à la main et commença à se frayer un passage entre les barbelés pour venir vers moi.

35 L'Allemand fut le premier à sortir des barbelés, laissant derrière lui un étroit passage. Il s'approchait lentement de moi à travers le *no man's land*, m'invitant sans arrêt à venir vers lui. Il me fit immédiatement penser à mon bon vieux Friedrich[7], car c'était comme lui un homme aux cheveux gris, vêtu d'un uniforme **40** négligé et pas boutonné – et il me parlait avec douceur. Il avait une corde à la main ; l'autre main était tendue vers moi. Il était encore trop loin pour que je puisse y voir nettement mais, d'après mon expérience, une main qu'on tend est souvent mise en creux autour de quelque chose. C'était là promesse suffisante pour que je **45** m'avance prudemment vers lui en boitant. Des deux côtés, à présent, les tranchées étaient bordées d'hommes qui m'acclamaient, debout sur les parapets[8], en agitant leur casque au-dessus de la tête.

— Hé, p'tit gars !

50 Le cri venait de derrière et était suffisamment pressant pour me faire arrêter. Je me retournai pour apercevoir le petit bonhomme en kaki qui se faufilait en zigzaguant à travers le *no man's land*, la main portant le chiffon blanc levée au-dessus de sa tête.

— Où tu vas comme ça, p'tit gars ? Minute, arrête ! Tu ne vas **55** pas dans le bon sens, regarde.

4. **rêche :** *rugueuse.*
5. **affairé :** *occupé.*
6. **force palabres :** *beaucoup de discussions.*
7. **Friedrich :** *un vieux soldat qui s'était occupé de Joey.*
8. **parapets :** *murs de terre pour protéger les soldats.*

Les deux hommes qui venaient vers moi n'auraient pu être plus différents. Celui en gris était le plus grand et, tandis qu'il s'approchait, je pus voir qu'il avait la figure fripée et ridée par les ans. [...] Durant quelques instants muets et tendus, les deux
60 hommes restèrent à plusieurs mètres l'un de l'autre, s'observant prudemment, sans dire un mot. Le jeune homme en kaki rompit le premier le silence.

— Bon, qu'est-ce qu'on fait ? dit-il en s'avançant vers nous et regardant l'Allemand qui le dépassait de la tête et des épaules.
65 On est deux et on n'a qu'un cheval à partager. Sûr que le roi Salomon avait la solution, pas vrai ? Mais, dans le cas présent, elle n'est pas très pratique. Pire, j'sais pas un mot d'allemand et je vois bien que tu comprends rien de rien à ce que j'te raconte, hein ?

❶ Qui raconte cette scène ? Quelles expressions te l'indiquent ?

❷ À quoi Joey passe-t-il la plus grande partie de la matinée (l. 1 à 24) ?

❸ De quelle couleur est l'uniforme de l'armée allemande ? Et celui de l'armée britannique ?

❹ À partir de quel moment l'histoire s'accélère-t-elle ? Raconte ce qui arrive.

❺ Décris la situation à la fin du texte. Essayez d'imaginer à plusieurs ce qui pourrait arriver ensuite.

❻ Est-ce qu'une telle situation, avec un cheval, serait possible aujourd'hui ?

J'écris ▸ et je fais entrer en scène des personnages

Tu es occupé(e) à faire quelque chose lorsque tu vois arriver deux personnages vers toi : ce sont deux chiens à l'air menaçant, ou bien deux camarades qui n'ont pas l'air content...

❶ Imagine ce que ces personnages te veulent.

❷ Rédige l'entrée en scène de ces personnages en t'inspirant des lignes 25 à 34 du texte.

J'étais affairé à ......, quand j'aperçus du coin de l'œil .... Il .... Je dressai la tête quand il .... Pendant ce temps, ... et bientôt, ... Lui aussi ....

Je fais entrer en scène des personnages

Désigner sans dire le nom

J'observe

■ Dans *Cheval de guerre*, le narrateur ne connaît pas le nom des deux soldats.
Relève les mots et les expressions qui désignent chaque soldat et classe-les.

Expressions décrivant les personnages	Nationalités	Pronoms
un homme en uniforme gris	......	......
......	......	......

> *Pour désigner un personnage, on peut le nommer ou utiliser des pronoms (il, elle), ou encore des expressions qui le décrivent («le jeune homme, la silhouette massive...»).*

Je m'exerce

■ Dans ce reportage sur une étape du Tour de France cycliste, on a retiré tous les mots qui permettent de désigner les coureurs.
Recopie le texte en désignant les coureurs de manière variée : leur nom, des pronoms, des expressions précisant l'origine des coureurs, leur qualité…

Le début de la course a été marqué par de nombreuses attaques. X, accompagné de Y, s'est envolé au kilomètre 40. X et Y se sont relayés, creusant un net écart avec le peloton. Cette échappée de 130 kilomètres donnait à X et Y l'occasion d'avoir jusqu'à 4 min 50 d'avance sur le peloton. Ainsi, pendant une partie de l'après-midi, X a été en position d'avoir le maillot jaune, puisqu'il occupe la troisième place au classement général, à 3 min 1 s du leader. Mais X a choisi de couper son effort à Narbonne et de laisser le peloton le rejoindre.

D'après *Le Monde*, 26-27 juillet 1998.

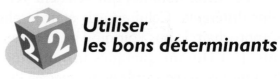

Utiliser les bons déterminants

J'observe

■ Dans ce passage de *Cheval de guerre*, observe les expressions en couleur qui désignent les deux personnages.

J'étais affairé à en arracher les derniers brins, quand j'aperçus du coin de l'œil un homme en uniforme gris qui se hissait hors de la tranchée. […] Pendant ce temps, il y avait force palabres et bruyante consternation dans l'autre camp et bientôt, une petite silhouette casquée, en capote kaki qui lui battait les jambes, émergea pour s'engager dans le *no man's land*. […] L'Allemand fut le premier à sortir des barbelés…

■ 1. Quel déterminant est utilisé lorsqu'un personnage apparaît pour la première fois ?

■ 2. Et ensuite ?

> *Dans un récit, la première fois qu'apparaissent un ou plusieurs personnages, on utilise en général les déterminants un, une, des («un homme, une silhouette»).*
> *Ensuite, on emploie les déterminants le, la, l', les («l'Allemand, le petit bonhomme en kaki, les deux hommes»).*

Je m'exerce

■ Remets ce texte dans le bon ordre.

a) Il était grand, élégant aussi avec sa culotte de cheval et son ceinturon. Il portait une épée d'argent au côté.

b) Comme nous approchions du milieu du champ de foire où pendait mollement, le long de son mât blanc, un drapeau britannique, un officier fendit la foule et s'avança vers nous.

c) L'officier serra la main du père d'Albert.

M. Morpurgo, *Cheval de guerre*, trad. A. Dupuis
© Éd. Gallimard pour la traduction française.

Cheval de guerre (2)

— Mais moi, je connais trois mots de mauvais anglais, répondit l'homme plus âgé.

Il présentait toujours le creux de sa main sous mon nez. Une main pleine de morceaux de pain noir – friandise qui m'était assez 5 familière, mais que je trouvais généralement trop amère à mon goût. Toutefois, aujourd'hui j'avais trop faim pour faire le difficile et j'eus vite fait de vider le creux de sa main tandis qu'il parlait.

— Je parle un tout petit peu anglais – comme un écolier, mais je crois qu'entre nous ça suffit.

10 Et au moment même où il disait cela, je sentis une corde glisser lentement et se resserrer autour de mon cou.

— Quant à l'autre problème, puisque je suis arrivé ici le premier, alors le cheval est à moi. Régulier, non ? Comme le cricket chez vous, non ?

15 — Cricket ! cricket ! Qui est-ce qui a jamais entendu parler de ce jeu barbare, au pays de Galles ? C'est un jeu pour ces foutus Anglais. Mon jeu, à moi, c'est le rugby. Et c'est pas un jeu, c'est une religion, plutôt, là d'où je viens. Avant que la guerre m'ait fait arrêter, je jouais demi de mêlée pour Maesteg et nous autres, à 20 Maesteg, on dit qu'un ballon qui n'est à personne, il est à nous !

— Pardon, dit l'Allemand, les sourcils froncés par la perplexité. Je ne comprends pas ce que tu veux dire par là.

— Pas d'importance, Frisé[1], pas d'importance ; plus maintenant. On aurait pu arranger tout ça tranquillement – la guerre, je 25 veux dire ; moi je serais rentré dans ma vallée et toi dans la tienne. Quand même, c'est pas ta faute, je crois. Pas plus que la mienne, d'ailleurs.

À présent, les acclamations des deux camps avaient cessé, et dans un silence absolu, les deux armées regardaient les deux 30 hommes discuter à côté de moi. Le Gallois me flattait le nez et me tâtait les oreilles.

— Alors, tu connais les chevaux, dit le grand Allemand. C'est grave, sa blessure à la jambe ? Tu crois qu'elle est cassée ? Il a l'air de ne pas pouvoir s'en servir.

35 Le Gallois se pencha et me souleva doucement la jambe, avec compétence, en essuyant la boue qui entourait la plaie.

— Il est assez salement amoché, mais je ne crois pas que la jambe soit cassée, Frisé. C'est une mauvaise blessure, tout de même, il y a une entaille profonde. Les barbelés, ça m'a tout l'air.

1. *Frisé : surnom familier donné aux Allemands pendant la guerre.*

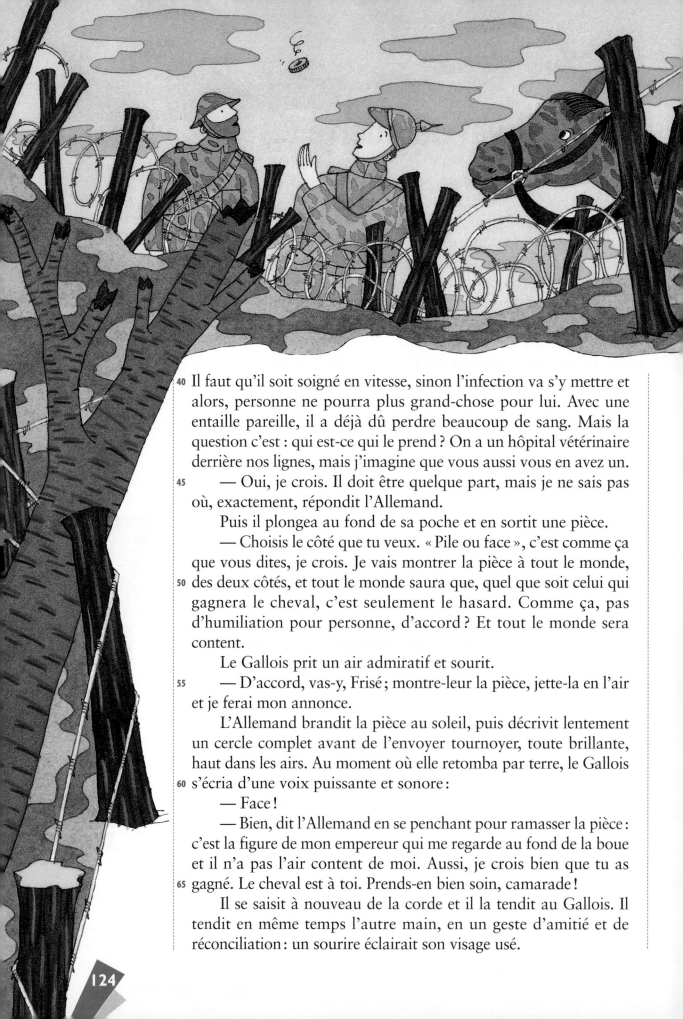

Il faut qu'il soit soigné en vitesse, sinon l'infection va s'y mettre et alors, personne ne pourra plus grand-chose pour lui. Avec une entaille pareille, il a déjà dû perdre beaucoup de sang. Mais la question c'est : qui est-ce qui le prend ? On a un hôpital vétérinaire derrière nos lignes, mais j'imagine que vous aussi vous en avez un.

— Oui, je crois. Il doit être quelque part, mais je ne sais pas où, exactement, répondit l'Allemand.

Puis il plongea au fond de sa poche et en sortit une pièce.

— Choisis le côté que tu veux. « Pile ou face », c'est comme ça que vous dites, je crois. Je vais montrer la pièce à tout le monde, des deux côtés, et tout le monde saura que, quel que soit celui qui gagnera le cheval, c'est seulement le hasard. Comme ça, pas d'humiliation pour personne, d'accord ? Et tout le monde sera content.

Le Gallois prit un air admiratif et sourit.

— D'accord, vas-y, Frisé ; montre-leur la pièce, jette-la en l'air et je ferai mon annonce.

L'Allemand brandit la pièce au soleil, puis décrivit lentement un cercle complet avant de l'envoyer tournoyer, toute brillante, haut dans les airs. Au moment où elle retomba par terre, le Gallois s'écria d'une voix puissante et sonore :

— Face !

— Bien, dit l'Allemand en se penchant pour ramasser la pièce : c'est la figure de mon empereur qui me regarde au fond de la boue et il n'a pas l'air content de moi. Aussi, je crois bien que tu as gagné. Le cheval est à toi. Prends-en bien soin, camarade !

Il se saisit à nouveau de la corde et il la tendit au Gallois. Il tendit en même temps l'autre main, en un geste d'amitié et de réconciliation : un sourire éclairait son visage usé.

— Dans une heure, ou deux, peut-être, nous ferons tout notre
possible pour nous entretuer. Dieu seul sait pourquoi et encore, je
crois qu'il l'a peut-être oublié lui-même. Adieu, Gallois ! On leur a
montré, hein ? On leur a montré que n'importe quel problème
peut se résoudre entre les gens, pour peu qu'ils se fassent mutuel-
lement confiance. Il n'est besoin de rien d'autre, non ?

Le petit Gallois hocha la tête d'un air incrédule[2] en prenant
la corde.

— Frisé, mon p'tit gars, je crois que si on nous laissait passer
une heure ou deux ensemble, toi et moi, nous arriverions à
débrouiller toute cette fichue pagaille. Il n'y aurait plus de veuves
qui pleurent ni d'enfants qui crient dans ma vallée – et dans la
tienne non plus. Au pire, on pourrait trancher tout ça en faisant
valser une pièce, tu ne crois pas ?

— Dans ce cas, dit l'Allemand avec un petit rire, dans ce cas,
ce serait notre tour de gagner et peut-être ça ne plairait pas à
votre Lloyd George[3].

Puis il posa ses mains un moment sur les épaules du Gallois.

— Garde-toi bien, camarade, et bonne chance ! *Auf wiederse-
hen*[4].

Il se détourna et s'en retourna à pas lents à travers le *no
man's land* jusqu'aux barbelés.

— Même chose pour toi, mon p'tit gars, lui cria le Gallois.

Puis, lui aussi fit demi-tour et m'emmena vers la rangée de
soldats en kaki qui se mirent alors à rire et à applaudir de plaisir,
tandis que, toujours boitant, je traversais la brèche[5] des barbelés
et venais à eux.

Michael Morpurgo, *Cheval de guerre*, trad. d'André Dupuis,
© Éd. Gallimard pour la traduction française.

2. *un air
incrédule :*
*un air de ne pas
y croire.*
3. ***Lloyd George :***
*Premier ministre
du Royaume-Uni
à l'époque.*
4. **Auf wiederse-
hen :** *« au revoir »
en allemand.*
5. **brèche :**
ouverture.

❶ Lignes 1 à 20.
a) Quelle est la proposition du soldat
allemand ?
b) Et la réponse du Gallois ?
c) Que peut-on craindre à ce moment ?

❷ Lignes 21 à 46.
a) Qu'est-ce qui fait espérer que les deux
soldats vont s'entendre ?
b) Une solution est évoquée par le soldat
gallois et aussitôt abandonnée. Laquelle ?

❸ Lignes 47 à 65.
a) Quelle est la solution retenue ?
b) En quoi cette solution convient-elle
aux deux camps ?

❹ Lignes 66 à 95.
Quel personnage tire la leçon de ce qui
s'est passé ? Quelle est cette leçon ?

❺ Quels mots utilisent les personnages
pour parler de la guerre ?

1 L'histoire est racontée par Joey, le cheval. Elle pourrait aussi être racontée par le soldat gallois ou par le soldat allemand. Dans l'un ou l'autre cas, cherchez à plusieurs quels seraient les détails qui disparaîtraient du récit et ceux qui seraient au premier plan.

2 À toi de rédiger le début de l'histoire en prenant le point de vue de l'Allemand ou du Gallois. Le soldat raconte à sa famille ce qui s'est passé. N'oublie pas de faire toutes les modifications nécessaires dans ton texte.

Des mots pour mieux écrire

Relis ces extraits de *Cheval de guerre* (p. 119, lignes 1 à 8) :

> *J'entendais s'élever rires et agitation...*
> *J'entrevoyais quelque casque d'acier...*
> *Une délicieuse odeur de cuisine s'en venait flotter vers moi...*

1 Quels sont les trois sens permettant à Joey de décrire la situation ?

2 Classe les mots suivants selon la sensation évoquée et précise la signification de chacun :

> *apercevoir - exhaler un parfum - distinguer - observer -*
> *écouter - épier - humer - empester - murmurer -*
> *dégager un fumet exquis - percevoir...*

Ouïe	Vue	Odorat
......	......	......

3 Trouve d'autres mots pour compléter ce tableau.

Pistes de lecture

Serait-ce la nuit du débarquement ? Marie et Vincent sont réveillés, en pleine nuit, par un vacarme assourdissant.

♦♦ Gilles Perrault,
Ruse de guerre,
Je bouquine, Bayard Poche.

La guerre oblige le jeune Ashley à fuir avec l'oncle Sung à travers les montagnes du Tibet. Très vite, il se retrouve seul...

♦♦♦ Michael Morpurgo,
Le roi de la forêt des brumes,
Folio junior, Gallimard.

Pendant la Seconde Guerre mondiale, les parents de David sont emmenés en pleine nuit, entre deux policiers. David fuit...

♦♦♦ Claude Gutman,
La maison vide,
Folio junior, Gallimard.

Je prends le point de vue de celui qui raconte

 ## Raconter à la première personne

J'observe

A. Il présentait toujours le creux de sa main sous mon nez. Une main pleine de morceaux de pain noir – friandise qui m'était assez familière, mais que je trouvais généralement trop amère à mon goût. Toutefois, aujourd'hui j'avais trop faim pour faire le difficile et j'eus vite fait de vider le creux de sa main tandis qu'il parlait.

B. — Il est assez salement amoché, mais je ne crois pas que la jambe soit cassée, Frisé. C'est une mauvaise blessure, tout de même, il y a une entaille profonde. Les barbelés, ça m'a tout l'air. Il faut qu'il soit soigné en vitesse, sinon l'infection va s'y mettre.

■ **1. Relève les pronoms à la première personne et les verbes qui les accompagnent.**

■ **2. Lequel de ces deux extraits est raconté par le narrateur ? Dans lequel laisse-t-il la parole à un autre personnage ? Comment le sais-tu ?**

> *Dans un récit à la première personne, le narrateur est un des personnages : il raconte ce qu'il fait, ce qu'il voit, ce qu'il pense. Il laisse aussi la parole à d'autres personnages : on repère les dialogues grâce aux guillemets, aux tirets et aux verbes introducteurs.*

Je m'exerce

■ **Observe les récits des unités 7 et 10 de ton livre.**

■ **a) Parmi ces récits, quels sont ceux à la première personne ?**

■ **b) Quels sont les récits à la troisième personne (c'est-à-dire où le narrateur n'est pas un des personnages) ?**

 ## Raconter de l'intérieur ou de l'extérieur

J'observe

■ **Voici des expressions tirées de *Cheval de guerre* :**

– elle était plus délicieuse que tous les picotins que j'avais pu déguster,
– s'observant prudemment,
– je la trouvais trop amère à mon goût,
– les sourcils froncés par la perplexité,
– un air admiratif,
– en un geste d'amitié,
– d'un air incrédule.

■ **1. Classe-les en deux catégories :**
a) les sentiments et les impressions du narrateur ;
b) la description que fait le narrateur des sentiments des autres personnages.

■ **2. Y a-t-il une différence entre ces deux façons d'évoquer des sentiments ? Laquelle ?**

> *Dans un récit à la première personne, les sentiments et les impressions du narrateur sont décrits de l'intérieur : c'est ce qu'il ressent. En revanche, lorsque le narrateur décrit les sentiments des autres personnages, il le fait de l'extérieur : il décrit ce qu'il voit.*

Je m'exerce

■ **1. Aude raconte : « Soudain, j'ai vu Laurent pâlir et trembler. »**
Suppose que Laurent raconte la même scène. Que peut-il dire ?

■ **2. Mehdi raconte : « Alors, Sophie a commencé à hurler, elle avait un air furieux. »**
Comment Sophie raconterait-elle la même chose ?

Relis le récit que tu as écrit (voir p. 126) et améliore-le en tenant compte des points suivants.

1. J'ai varié la manière de désigner les personnages.

2. J'ai utilisé la première personne quand c'est le narrateur qui raconte.

3. J'ai donné la parole à d'autres personnages.

4. J'ai distingué les dialogues et le récit en utilisant des tirets et/ou des guillemets.

5. J'ai décrit ce que ressent le narrateur « de l'intérieur », et ce que ressentent les autres personnages « de l'extérieur ».

Récréation

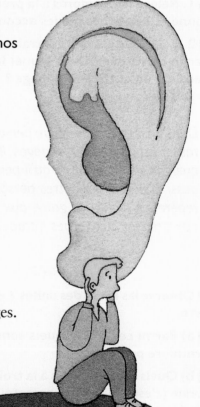

La voix

Au plus fort de la dernière guerre mondiale, Robert Desnos a écrit ce poème d'espoir.

Une voix, une voix qui vient de si loin
Qu'elle ne fait plus tinter les oreilles,
Une voix, comme un tambour, voilée
Parvient pourtant, distinctement, jusqu'à nous.

Bien qu'elle semble sortir d'un tombeau
Elle ne parle que d'été et de printemps.
Elle emplit le corps de joie,
Elle allume aux lèvres le sourire.

Je l'écoute. Ce n'est qu'une voix humaine
Qui traverse les fracas de la vie et des batailles,
L'écroulement du tonnerre et le murmure des bavardages.

Et vous ? Ne l'entendez-vous pas ?
Elle dit « La peine sera de courte durée »
Elle dit « La belle saison est proche. »

Ne l'entendez-vous pas ?

Robert Desnos, *Corps et biens*,
© Éd. Gallimard.

12 Souvenirs

2 x 9 = hamster

Fabian, après s'être disputé avec son ami Alex, a grimpé au sommet d'un rocher et ne veut plus en bouger.

— Fabian ?

Je tressaille[1]. La voix de ma mère paraît tomber du ciel. Elle se tient sur la falaise qui domine le rocher, à deux mètres au-dessus de moi. Pour arriver, elle a dû contourner tout le village, jusqu'au
5 terrain de foot. C'est le seul endroit d'où l'on peut gagner la forêt sans être vu. Elle ne voulait pas qu'on l'aperçoive de la route, c'est clair. Maintenant, elle s'appuie contre un pin pour reprendre son souffle. Je lui lance :

— Qu'est-ce qu'il y a encore ?

10 C'est la troisième fois qu'elle rapplique, depuis le début de l'après-midi. Les deux premières, elle a essayé de me raisonner d'en bas comme le pasteur tout à l'heure.

— Descends. Le soir tombe.

— J'ai pas envie.

15 — La mère d'Alex n'est plus fâchée contre toi.

— La mère d'Alex, elle peut aller…

— Si tu n'es pas en bas dans une heure, j'appelle les pompiers ! Il n'est pas question que tu descendes tout seul dans le noir.

— Je ne descendrai pas, ni dans le noir ni autrement. Je reste ici.

20 — Je peux enfin savoir pourquoi ?

— L'air est meilleur, ici.

J'inspire à fond et je souffle. Exprès.

Maman m'observe. Elle doit chercher un moyen d'arriver jusqu'à moi, mais elle n'en trouvera pas. De là où elle est, il est impos-
25 sible d'atteindre le rocher – à moins de sauter, mais personne ne s'y est jamais risqué. On ne peut atteindre mon perchoir qu'en escaladant le piton[2] depuis la route. Et encore, à condition d'avoir de petits pieds et de savoir exactement où les mettre. Ce qui n'est pas le cas de ma mère.

30 La petite Rita, la nièce du directeur d'école, ne le savait pas non plus ; pourtant, à l'automne dernier, cela ne l'a pas empêchée de monter jusqu'en haut sans que personne la voie. Tout à coup, assise au sommet, elle s'est mise à chanter :

— Il était une bergère, et ron et ron… […]

1. *je tressaille :*
je sursaute,
je frémis sous l'effet
d'une émotion.
2. *piton :*
pic rocheux.

35 C'était il y a six mois. Depuis, le rocher a retrouvé sa tranquillité. Sans incident, jusqu'à aujourd'hui.

— Si tu me disais au moins ce qui s'est passé ! soupire ma mère.

— Il ne s'est rien passé.

— Il a bien dû se passer quelque chose, insiste-t-elle, têtue.
40 Sinon, tu n'aurais pas poussé Alex dans la boue.

— Il est tombé de vélo.

— Comme ça, tout seul ?

Je ne réponds pas. Qu'est-ce que je pourrais dire, de toute façon ? Bien sûr que je l'ai poussé ! C'est arrivé d'un coup. Cette
45 fureur. Cette envie. Plus forte que tout.

Ce matin encore, tout allait bien. À l'école, Alex et moi étions assis l'un à côté de l'autre, comme d'habitude. Alex avait amené son hamster. En cachette du maître, bien entendu. Tout à coup, cet idiot d'animal nous a échappé. Il a détalé sur ses petites pattes et
50 s'est faufilé sous les bancs. Le maître était en train de poser une opération au tableau.

— Combien font deux fois neuf ? a-t-il demandé à voix haute. Éva ?

— Un hamster ! a crié Éva.
55 Le maître s'est retourné, sidéré.

— Deux fois neuf font un hamster ?

Le hamster se tenait juste derrière lui ; il reniflait des bouts de craie tombés du tableau. Le maître s'est penché vers le petit animal.

— À qui es-tu donc ? a-t-il demandé.
60 — À Alex ! a piaillé le hamster.

En fait, c'était Alex qui avait répondu, mais d'une petite voix si flûtée[3] que toute la classe a éclaté de rire. Le maître a pris le hamster, qui lui a mordu le doigt.

— Ouille ! Élève hamster, je vous mets à la porte pour mau-
65 vaise conduite ! s'est-il écrié. Fabian, conduis-le chez le concierge.

J'ai obéi. Quand je suis revenu en classe, Alex ne me parlait plus. Il n'a même pas voulu jouer au foot avec moi à la récréation. Dès la fin des cours, il a filé chez le concierge pour y reprendre son hamster.
70 Je l'ai attendu.

— Attends, je vais détacher ton vélo, ai-je proposé.

— Occupe-toi de tes oignons !

Alex a mis le hamster dans un petit panier à couvercle fixé à son guidon. Puis il a détaché son vélo et l'a sorti de l'abri.
75 — Qu'est-ce que tu as à me regarder comme ça, m'a-t-il crié. Décampe !

Nous partons toujours ensemble, parce que nous sommes les

3. flûtée :
aiguë comme
le son d'une flûte.

130

seuls à habiter de l'autre côté du ruisseau. Là, Alex restait derrière moi. Il parlait à son hamster. Je n'entendais pas ce qu'il lui disait
80 mais chaque fois que je ralentissais, il ralentissait aussi. Finalement, je me suis arrêté.

— Je n'y suis pour rien, si le maître m'a demandé de le porter chez le concierge !

Alex a forcé sur les pédales et m'a dépassé à toute allure.

85 — Tu entends, Alex ? Si c'était à toi qu'il l'avait dit, tu y serais allé aussi !

— C'est *mon* hamster ! a-t-il répliqué.

Je me suis élancé derrière lui.

— Bon sang, Alex, je ne voulais pas te le prendre !

90 — Tu es jaloux, je le sais !

— C'est pas vrai !

— Si, tu l'es !

— Je peux avoir autant de hamsters que je veux !

— Peut-être, mais celui-là, c'est mon père qui me l'a donné !

95 — Mon père me rapportera aussi quelque chose, quand il reviendra !

— Ton père ne reviendra pas ! a crié Alex.

Je n'ai plus rien dit. J'ai pédalé le plus vite possible pour le rattraper. Et derrière le pont, là où il y a plein de boue à cause des
100 inondations, je l'ai poussé de toutes mes forces.

Iva Prochazkova, *2 x 9 = hamster*,
© Éd. Pocket Jeunesse, 1998.

❶ Qui raconte l'histoire ? Qui sont les autres personnages ?

❷ Pourquoi Fabian ne répond-il pas à sa mère ? Sur quel ton lui répond-il enfin ?

❸ À ton avis, Fabian a-t-il une raison grave de s'être réfugié là ? Quand le comprend-on ?

❹ À quels moments Fabian commence-t-il à se souvenir du passé ? Qu'est-ce qui déclenche ces retours en arrière ?

❺ Reconstitue l'histoire dans l'ordre chronologique.

❻ Selon toi, Fabian est-il prêt à redescendre, à la fin du texte ?

J'écris · *un récit avec un retour en arrière*

Tu vas raconter un moment de distraction en classe.
Décris ce qui se passe dans la classe (c'est par exemple la lecture de *2 x 9 = hamster*). Puis ton esprit s'évade, tu te souviens d'un événement qui t'est arrivé…

J'introduis des retours en arrière

Revenir sur ce qui s'est passé

J'observe

■ **1. Lis ce texte.**

L'avion d'Air France venait de franchir les Pyrénées. Après les cimes de neige, les gradins couleur d'argile s'affaissaient jusqu'à la plaine étalée comme une immense carte d'un jaune ardent. Perchés haut sur les pitons de caillou, les petits villages aux toits de tuiles rouges s'échelonnaient sur les pentes, pour devenir minuscules au fond de la vallée. Une maison, deux ou trois granges… Tous ces hameaux me rappelaient la ferme de Montignac, la ferme de mon oncle Antoine.

Là-bas, deux jours plus tôt, un soir, à cheval sur Rita, la jument blanche, j'avais fait rentrer au galop le troupeau affolé des moutons et des chèvres. Et sans savoir que c'était la dernière fois…

C'est après le dîner que, ce soir-là, l'oncle Antoine, plus ému qu'il ne voulait le laisser paraître, m'avait dit de sa voix de bouledogue : « J'ai une lettre, petit. Oui, une lettre… »

D'après R. Guillot, Le maître des éléphants,
© Éd. Magnard.

■ **a) Ce récit suit-il l'ordre chronologique ?**

■ **b) Selon toi, pourquoi l'auteur raconte-t-il ces événements dans un autre ordre que celui de leur déroulement ?**

■ **c) Quel est le temps employé dans le premier paragraphe ? Quel est le temps qui annonce le retour en arrière au début du deuxième paragraphe ?**

■ **2. Relis *2 x 9 = hamster*.**

■ **a) Quel est le temps employé au début du récit (l. 2 à 12) ?**

Je tressaille, la voix de ma mère paraît tomber du ciel. […] C'est la troisième fois qu'elle rapplique…

■ **b) Quels sont les temps employés dans la deuxième partie (à partir de la ligne 46) ?**

Ce matin tout allait bien. […] Cet idiot d'animal nous a échappé. Il a détalé…

■ **3. Récapitule dans un tableau tes observations sur l'emploi des temps lorsqu'on revient en arrière dans le récit.**

Temps utilisés dans le récit principal	Temps utilisés pour le retour en arrière
Présent	……
……	……

> *Pour raconter une histoire, on n'est pas obligé de suivre l'ordre chronologique. On peut introduire des retours en arrière pour éveiller l'intérêt du lecteur et le mettre au cœur de l'action. Ce procédé permet aussi de donner d'abord l'information la plus importante.*

Je m'exerce

■ **Voici une liste d'actions :**

1. Romain a envie d'aller à la piscine avec Marie.
2. Marie se lève de très bonne heure.
3. Elle part à la piscine.
4. Romain se réveille un peu plus tard.
5. Il n'est pas content.

■ **a) Raconte en introduisant un retour en arrière : « Ce matin-là, Romain se réveille de bonne heure… »**

■ **b) Puis écris ton récit au passé : « Ce matin-là, Romain se réveilla de bonne heure… »**

Les enfants de Charlecote

Cette histoire se passe en Angleterre, au début du XXe siècle.

Tom et Hugues étaient assis face à face, dans le train qui les emmenait au collège. C'était la première fois que Hugues quittait la maison et ses sœurs. Il ne se souvenait pas non plus de s'être séparé un seul jour de Walter et des autres domestiques. Il avait refermé
5 derrière lui la porte de la chambre d'enfants pour la première fois également. Il avait définitivement dit adieu au cheval à bascule, au chat blanc, au perroquet vert, au portrait de W. G. Grace[1]…

Des paysages inconnus défilaient devant la fenêtre du wagon; Hugues avait mal aux yeux. Ses paupières étaient déjà gonflées
10 d'avoir pleuré en cachette. Il y avait d'autres personnes dans le compartiment de troisième classe, si bien que les deux garçons ne pouvaient se parler librement. De temps en temps, Tom souriait à Hugues pour l'encourager. Le premier trimestre de collège ne serait pas aussi pénible pour Hugues qu'il l'avait été pour Tom.
15 Tom serait là pour protéger son frère des pires brimades[2]. Hugues pouvait compter sur lui.

Tom observait Hugues sans que ce dernier puisse s'en rendre compte. Jusqu'à ce jour, Hugues avait porté des vêtements de petit garçon: des chandails avec un kilt, ou des pantalons courts, ou des
20 costumes de marin pour les occasions spéciales. Aujourd'hui, et pour la première fois, il était habillé comme un écolier, avec des pantalons de golf qui avaient appartenu à Tom, un col et une cravate d'Eton[3]. Au-dessus de lui, dans le filet, étaient posés son manteau et son chapeau melon. Tout cet équipement avait un peu
25 éclairé cette lugubre journée de janvier. Hugues sentait qu'il ressemblait enfin aux autres garçons de son âge, intrépides et indépendants. Mais les cheveux de Hugues! Tom fronça les sourcils, se demandant comment son père avait laissé sa mère envoyer Hugues au collège avec ses longues boucles. Hugues lui-même
30 n'en avait pas conscience, et il aurait été stupéfait et furieux d'apprendre qu'on aurait pu le prendre pour une fille. Mais pourtant c'est bien ce qu'on dirait de lui au collège.

1. **W. G. Grace :** *un champion de cricket qu'admire Hugues.*
2. **brimades :** *vexations, bizutage.*
3. **Eton :** *célèbre collège d'Angleterre.*

Tom hocha la tête, songeur, puis commença à envisager la première phase, assez remarquable, d'une escapade. Ils avaient été confiés au contrôleur, avec la stricte recommandation de suivre exactement ses indications au moment de changer de train.

Tom avait suffisamment d'expérience pour savoir dans quelle gare et à quelle heure ils devaient descendre.

Il se pencha vers Hugues et lui dit :

— Nous changeons ici. Prépare-toi et dès que le train s'arrêtera, suis-moi de très près avec ton sac.

Le contrôleur ne trouva donc plus personne et les autres voyageurs ne purent lui dire où les enfants étaient partis. Quelqu'un fit néanmoins la remarque suivante :

— De toute façon, ils avaient l'air de très bien savoir ce qu'ils faisaient.

Tom, en effet, le savait. Ils s'étaient enfermés dans les toilettes de la gare. Là, à l'abri des regards et des oreilles indiscrètes, Tom dit :

— Nous n'irons pas au collège…

— Tom ! s'écria Hugues dans un élan de joie et de reconnaissance.

— … avant qu'on te coupe les cheveux.

— Tom, répéta Hugues sur un ton bien différent cette fois.

Mais Tom avait levé la main et de l'air le plus autoritaire qu'il pouvait prendre dans cet espace restreint :

— Pas un bruit jusqu'à mon signal. Sinon on pourrait nous entendre et nous serions pris.

Des gens entraient et sortaient des toilettes. Quelqu'un appela à la cantonade[4] :

— Personne n'a vu deux garçons qui se sont perdus ? Deux garçons ?

Il n'y eut pas de réponse. […]

Les deux garçons attendent un long moment. Ils entendent partir le train qu'ils devaient prendre.

C'est en prenant les plus grandes précautions qu'ils quittèrent enfin leur refuge. Tom jeta un œil sur le quai :

— La voie est libre. Suis-moi, et surtout donne l'apparence de faire quelque chose qu'il avait toujours été prévu de faire.

Et Tom, d'un pas décidé, se dirigea, non pas vers la sortie, mais vers le bout du quai où un portillon s'ouvrait sur la cour des marchandises.

— Je savais qu'il y avait un portillon, murmura-t-il avec une certaine satisfaction.

4. *à la cantonade :*
sans s'adresser
précisément
à quelqu'un.

Ils traversèrent la cour et se retrouvèrent sur la route, sans que personne leur ait demandé quoi que ce soit. Hugues restait silen-
75 cieux, admiratif devant l'intelligence et l'audace de Tom, et aussi sous le contrecoup du long silence imposé dans les toilettes. Son visage s'éclairait d'un espoir tranquille.

Ils marchaient maintenant dans les rues de la ville. Chez le premier épicier venu, ils achetèrent des pommes et des bananes.
80 Tout en mangeant, ils poursuivirent leur chemin, jusqu'à ce qu'ils trouvent une boutique de coiffeur. Hugues n'avait guère réalisé ce qu'avait voulu dire Tom à propos de ses cheveux jusqu'à ce que le coiffeur, ciseaux en main, s'exclame d'un air désolé :

— Quels cheveux magnifiques ! Les dames seraient jalouses
85 de ces boucles et de ces ondulations, si souples avec ça ! Et si je peux me permettre, d'une couleur châtain tout à fait inhabituelle. Un châtain très léger. Quel dommage de les couper ! Mais je connais les jeunes gens ! C'est vrai, les cheveux longs tombent dans les yeux quand on joue au football ou au cricket…
90 Il soupira et se mit au travail.

Brian Fairfax-Lucy et Philippa Pearce, Les enfants de Charlecote,
Lecture Junior, © Éd. Gallimard Jeunesse.

1 Qui sont Hugues et Tom l'un pour l'autre ? Lequel est le plus âgé ?

2 Où se rendent-ils ? Quels détails montrent bien le pays et l'époque où se situe ce roman ?

3 Les deux enfants s'entendent-ils bien ?

4 Relève tout ce qui montre qu'une nouvelle vie va commencer pour Hugues.

5 Quel est le sentiment qui domine chez Hugues à l'idée de cette vie qui l'attend ?

6 Qu'est-ce qui permet au plan de Tom de réussir ?

7 Selon toi, les deux garçons arriveront-ils au collège sans encombre ?

8 Ce texte comporte plusieurs retours en arrière. Trouve-les.

1 À ton tour, comment envisages-tu ton entrée au collège ? Discutes-en avec tes camarades : donnez les raisons de votre confiance ou de vos craintes.

2 Mets-toi maintenant à la place de Hugues. Réécris le texte (des lignes 1 à 13) en employant la première personne du singulier « je ». Insère de nouveaux paragraphes aux endroits de ton choix : développe tes pensées, tes sentiments, tes souvenirs, tes projets…

Des mots pour mieux écrire

1 Voici des verbes relatifs au souvenir :

se rappeler - se remémorer - se souvenir - revoir - évoquer - penser à - revivre - éveiller des souvenirs…

Utilise ces verbes dans des phrases. Par exemple : Hugues revivait dans sa tête les bons moments passés avec ses sœurs.

Attention au verbe *se rappeler* : on se rappelle quelque chose (mais on se souvient *de* quelque chose).

2 Les souvenirs peuvent être gais ou tristes.
Insère les mots suivants dans tes phrases et explique la nuance de sens que comporte chacun d'eux :

tristesse - gaieté - nostalgie - regret - chagrin - mélancolie - joie - ennui - émotion - plaisir - douceur.

Pistes de lecture

Un été, Tom rencontre une renarde noire. C'est le début d'un jeu palpitant.

La merveilleuse histoire d'un père, ancien berger, et de son fils, enfant du monde moderne.

Betsy Byars,
Ma renarde de minuit,
Castor Poche, Flammarion.

Azouz Begag,
La force du berger,
La joie de lire.

Jean-François Chabas,
Les secrets de Faithgreen,
Casterman.

Colette Vivier,
La maison des petits bonheurs,
La Farandole.

Alice Vieira,
Voyage autour de mon nom,
La joie de lire.

Je commente l'action

Raconter de manière subjective (1)

J'observe

■ **Relis ce passage de *2 x 9 = hamster*.**

Je tressaille. La voix de ma mère paraît tomber du ciel. Elle se tient sur la falaise qui domine le rocher, à deux mètres au-dessus de moi. Pour arriver, elle a dû contourner tout le village jusqu'au terrain de foot. C'est le seul endroit d'où l'on peut gagner la forêt sans être vu. Elle ne voulait pas qu'on l'aperçoive de la route, c'est clair. Maintenant, elle s'appuie contre un pin pour reprendre son souffle.

■ **1. Classe les phrases en deux catégories : celles qui indiquent les actions de la mère telles que Fabian peut les voir et celles qui expriment les commentaires de Fabian, ses pensées, ses réactions, ses déductions.**

■ **2. Relève les mots qui t'ont permis de faire le classement.**

> *Un auteur choisit rarement de présenter la suite des actions de manière neutre.*
> *Pour intéresser le lecteur, l'auteur donne les pensées et les commentaires de ses personnages.*

Je m'exerce

■ **Sur le modèle du texte ci-dessus, insère, dans cette courte histoire, les commentaires et les pensées du narrateur.**

Au moment de partir pour l'école, j'entends un cri. Mon frère Gaël, au milieu de la cuisine, tient son jean à la main et le regarde d'un air désespéré. Maintenant, il se précipite vers sa chambre.

Raconter de manière subjective (2)

J'observe

■ **1. Lis ces deux phrases.**

C'est ce qu'on dirait de lui au collège.
C'est bien ce qu'on dirait de lui au collège.
(p. 133, l. 32)

■ **Compare les deux phrases. D'après toi, qu'ajoute l'adverbe « bien » au sens de la phrase ?**

■ **2. Lis ces deux extraits.**

A. Je n'arrêtais pas de me gratter. Il y avait sans doute des moustiques autour de cet étang !

B. Il s'est mis à pleuvoir et nous avons arrêté notre partie de foot. Par chance on passait un western à la télé.

■ **Quelles sont les expressions qui expriment les sentiments du narrateur ? Ont-elles le même sens ?**

■ **3. Trouve d'autres adverbes qui ont le même rôle que les expressions précédentes.**

> *Pour commenter ce qu'on écrit, on peut utiliser des adverbes : « malheureusement, hélas, par chance… » marquent une appréciation ; « sans doute, peut-être… » expriment une nuance dans le jugement.*

Je m'exerce

■ **Complète ce texte avec des adverbes qui permettent de prendre position, d'apprécier et de juger.**

Pour leur premier jour de vacances, les enfants avaient décidé d'aller se baigner dans l'étang. Romain n'était pas très rassuré. …… l'étang n'était pas profond. Mais …… leurs parents leur avaient interdit d'y aller sans eux. …… les parents, eux, n'étaient pas encore en vacances. Et Romain …… n'aimait pas désobéir. …… les autres allaient-ils renoncer à ce projet risqué ?

Reprends le texte que tu as écrit (voir p. 136) et vérifie les points suivants pour l'améliorer et l'enrichir.

1. J'ai raconté l'histoire à la première personne du singulier et j'ai fait toutes les modifications de pronoms nécessaires.

2. J'ai indiqué ce qui a déclenché un souvenir, une pensée…

3. J'ai introduit un retour en arrière.

4. J'ai utilisé le plus-que-parfait pour raconter mes souvenirs.

5. J'ai introduit les pensées et les commentaires des personnages dans mon récit.

Récréation

L'enfant noir

En Afrique, dans les années 1930.

J'ai fréquenté très tôt l'école. Je commençai par aller à l'école coranique, puis, un peu plus tard, j'entrai à l'école française. J'ignorais alors tout à fait que j'allais y demeurer des années et des années, et sûrement ma mère l'ignorait autant que moi, car, l'eût-elle deviné, elle m'eût gardé près d'elle; mais peut-être déjà mon père le savait-il… […]
À l'école, nous gagnions nos places, filles et garçons mêlés, réconciliés, et, sitôt assis, nous étions tout oreille, tout immobilité, si bien que le maître donnait ses leçons dans un silence impressionnant. Et il eût fait beau voir que nous eussions bougé ! Notre maître était comme du vif-argent[1]; il ne demeurait pas en place; il était ici, il était là, il était partout à la fois : et sa volubilité[2] eût étourdi des élèves moins attentifs que nous. Mais nous étions extraordinairement attentifs, et nous l'étions sans nous forcer : pour tous, quelque jeunes que nous fussions,

l'étude était chose sérieuse, passionnante; nous n'apprenions rien qui ne fût étrange, inattendu et comme venu d'une autre planète; et nous ne nous lassions jamais d'écouter.

Camara Laye, *L'enfant noir*, © Plon.

1. *comme du vif-argent* : *très vif.*
2. *volubilité* : *abondance et rapidité de parole.*

138

3. Des récits différents

De la page 139 à la page 208

Pour lire des récits différents

Des histoires, tu en lis, tu en vois à la télévision ou au cinéma…
Et c'est un peu pareil ! Lorsque tu lis, tu vois dans ta tête les
personnages, les décors, les actions, comme à la télévision. Et en
plus, c'est toi le metteur en scène. À toi de te représenter la
voix que doivent prendre les acteurs et de régler leurs déplacements ; à toi d'imaginer le détail des décors…

Un fantôme chez le dentiste

Ce matin-là, Gus le fantôme tourne en rond et gémit : il a
mal aux dents ! Le voilà, invisible, dans la salle d'attente du den-
tiste, le docteur Bariton-Gouton.

Une porte s'ouvre derrière lui et le dentiste appelle :
— Au suivant !
Mais il ajoute en passant la tête :
— Tiens, il n'y a plus personne ?
5 — Si, moi ! fait une grosse voix.
Le dentiste écarquille les yeux et regarde derrière la porte.
— Qui, vous ? Où êtes-vous ?
— Attendez ! répond encore la grosse voix. Vous allez me voir
apparaître.
10 Gus est déjà dans le cabinet dentaire, en train de tirer les
rideaux et d'éteindre la lumière. Il marche sur la pointe des pieds
en murmurant :
— Soyons discret ! soyons prudent !
Le dentiste se retourne et devient blanc d'un seul coup. Sur le
15 fauteuil incliné, il y a un squelette phosphorescent qui ouvre sa
mâchoire en gémissant :
— È-a-o-an !

Gus veut dire tout simplement : « J'ai mal aux dents. » Mais le dentiste n'en croit pas ses oreilles, ni ses yeux. Il supplie :

20 — Soyons sérieux ! Par pi… pitié, cessez de vous déguiser en fan… fantôme. Mes mains tremblent. Je ne pou… pourrai pas vous soigner.

Gus commence à s'énerver. Il se redresse et dit avec impatience :

25 — Écoutez ! puisque je vous fais peur, je disparais bien volontiers. Mais je vous laisse mes dents, et tâchez de les soigner sans ameuter le quartier. Je passerai les prendre en fin de soirée.

Aussitôt dit, aussitôt fait. Gus pose sa mâchoire sur le fauteuil et s'en va. Vous pensez peut-être qu'on ne peut pas faire une chose 30 pareille. Mais sachez que le fantôme est un être surnaturel, et que surnaturellement sa mâchoire peut rester seule. Elle peut même continuer à parler. Si vous n'y croyez pas, ne lisez pas d'histoire de fantôme, c'est inutile.

Donc, la mâchoire de Gus, seule sur le fauteuil du dentiste, 35 gémit :

— Soignez mes caries ! je vous en prie !

Depuis tout à l'heure, le dentiste est passé par toutes les couleurs. Maintenant, il est plus blanc que sa blouse. Il hurle :

— Au secou-ou-ours !

40 Sa secrétaire l'entend. Elle n'a rien vu, mais elle le croit sur parole et elle hurle à son tour :

— Au secou-ou-ours !

Ils dévalent tous les deux l'escalier et s'enfuient dans la rue.

Évelyne Reberg, *La vieille dame et le fantôme*, © Bayard Poche.

A Se *figurer en détail la situation et l'interpréter*

● **Quels sont les personnages qui interviennent dans cette histoire ?**

● **Dans quel lieu se trouvent ces personnages ? Fais un plan des lieux.**

● **Suppose que tu sois metteur en scène. Tu t'apprêtes à réaliser le film** *Un fantôme chez le dentiste*. **Indique à chacun des acteurs la succession de ses déplacements pendant la séquence.**

● **Et maintenant, joue la scène avec tes camarades. Attention à parler et à agir comme on le ferait dans cette situation ! Vous pouvez essayer plusieurs interprétations : comment faire pour rendre le dentiste ridicule ? Comment, au contraire, faire qu'on ait pitié de lui, qu'on ait peur avec lui ?**

 Pour bien comprendre une histoire, tu dois te représenter la situation dans ta tête, comme un film.

● « Qu'est-ce qui se passe ? Pourquoi ces cris ? » demandent les passants au dentiste épouvanté. Mets-toi à la place du dentiste et raconte ce qui t'est arrivé : « Je viens d'avoir la plus grande peur de ma vie… »

● Lis l'histoire suivante.

Anton et les pirates

Anton B. Stanton était un très petit garçon, tout juste de la taille d'une tasse à thé. Il vivait avec sa mère, son père et ses deux frères, dans un grand château en pierres, entouré de profondes douves.

5 Ça ne le gênait guère d'être si petit, car il remarquait souvent des choses que personne d'autre que lui ne pouvait voir. Un après-midi, où il faisait particulièrement chaud, il se baignait dans une douve pour se rafraîchir, et il aperçut quelque chose de bizarre, à moitié caché dans les roseaux. « Un bateau ! »

« Nom d'un chien ! » dit Anton.

10 Il nagea dans sa direction. À portée de main, une corde se balançait le long du bastingage. « Je me demande à qui appartient ce navire, songeait Anton. Peut-être que je pourrais me faufiler par ici et jeter un coup d'œil. »

Comme il grimpait à bord, il entendit le son d'une voix qui se rappro-
15 chait.

C'était un rat, il en était sûr. Mais où pouvait-il bien se cacher ? Il n'y avait rien d'autre qu'un vieux tonneau. Anton s'y glissa prestement. Lentement il leva les yeux — et il en eut le souffle coupé. En haut du mât flottait le pavillon noir à tête de mort.

20 DES PIRATES !

« Ne te fais pas de souci pour ces rats d'eau douce, dit le premier pirate qui s'approchait en riant, ils sont tous mous comme des chiques !

— La Princesse n'aura même pas le temps de dire ouf ! reprit l'autre. Pense à la rançon, à l'or et à l'argent ! »

25 Au fond de son tonneau, Anton frissonnait. Puis son nez commença à le piquer. Il avait envie d'éternuer. Rien à faire pour s'en empêcher. « ATCHOUM ! »

Colin McNaughton, *Les pirates*, © Gallimard (Folio benjamin).

- **Pour quelle raison Anton monte-t-il sur le bateau ?**

- **Pourquoi frissonne-t-il dans le tonneau ?**

- **Comment imagines-tu la suite de l'histoire ? Quelle conséquence risque d'avoir l'éternuement d'Anton ?**

 Dans un récit, chaque action en entraîne une autre et de petites causes sont à l'origine de bien des événements, terribles ou amusants.

C Incroyable et vrai !

De la vie quotidienne aux plus folles aventures, les situations sont lointaines et pourtant si proches. La vie de tous les jours est bien là…

- **Lis cet extrait de *Dominic* : Dominic est un chien, il rencontre une tortue.**

« Mes aïeux ! s'exclama la tortue, comment as-tu récolté tout ça ? » Dominic s'assit, soupira, et raconta toute son histoire, y compris les épisodes concernant le gang des Affreux.

« Oh ! Je les connais bien, dit la tortue. Tout le monde dans la région les connaît. Mais personnellement, ils ne me dérangent pas. S'ils rappliquent, je rentre dans ma carapace. Ils peuvent taper dessus autant qu'ils veulent, je m'en moque. Qu'ils me retournent, je reste sur le dos. Au bout d'un moment, voyant que rien ne se passe, ils en ont assez et s'en vont. Tôt ou tard, on finit toujours par m'aider. Je me retrouve dans le bon sens et je repars à mes affaires. Dommage que tu n'aies pas une carapace comme moi. »

William Steig, *Dominic*, trad. de H. Robillot,
© Gallimard, Folio Junior.

- **Une tortue et un chien qui parlent, est-ce possible dans la vie ? Dans les livres ?**

- **As-tu déjà ressenti des sentiments proches de ceux de la tortue ? Dans quelle situation ? Cet extrait te permet-il de comprendre un événement de ta vie ?**

- **Dans les textes proposés (*Un fantôme chez le dentiste*, p. 141, et *Anton et les pirates*, p. 143), repère des éléments qui te semblent extraordinaires. Trouve ensuite des éléments qui te paraissent au contraire proches de ta vie quotidienne.**

 Des histoires très différentes, avec des personnages, des lieux ou des moments très variés peuvent nous faire ressentir les mêmes émotions ou les mêmes sentiments ; les écrivains inventent mille façons originales pour nous faire comprendre la vie.

Mon amie la baleine

Amos et Boris (1)

Amos le souriceau habitait près de l'océan. Il aimait l'océan. Il aimait l'odeur de l'air marin. Il aimait les bruits du ressac[1], les vagues qui déferlent et les galets qui roulent. Il pensait beaucoup à l'océan et s'interrogeait sur les lieux lointains situés de l'autre côté
5 de l'eau.

Un jour, Amos commença à construire un bateau sur la plage. Il y travaillait pendant la journée et, la nuit, il étudiait la navigation. [...]

Le six septembre, par un temps très calme, il attendit que la
10 marée haute eût presque atteint son bateau ; alors, déployant toute sa force, Amos le poussa à l'eau, grimpa à bord et prit la mer. [...]

Une nuit, dans une mer phosphorescente[2], il s'émerveilla de voir des baleines souffler de l'eau lumineuse ; plus tard, couché sur
15 le pont de son bateau, regardant l'immense ciel étoilé, le minuscule Amos, petit point vivant dans le vaste univers vivant, se sentit en harmonie complète avec cet univers. Accablé par la beauté et le mystère de ce qui l'entourait, il roula sur lui-même et, du pont de son bateau, tomba dans l'eau. [...]

20 Et il se trouvait là ! Où ? Au milieu de l'immense océan, à quinze cents[3] kilomètres au moins de la côte la plus proche. [...] Il décida de flotter ; nageant à la verticale et espérant que quelque chose – qui sait quoi ? – surviendrait pour le sauver. [...]

Mais ses forces l'abandonnaient. Il se demanda ce qu'il res-
25 sentirait s'il se noyait. Serait-ce long ? Serait-ce vraiment terrible ? Son âme irait-elle au ciel ? Y trouverait-elle d'autres souris ?

Comme Amos se posait ces affreuses questions, il vit une énorme tête jaillir de l'eau. C'était une baleine.

— Quelle sorte de poisson es-tu donc ? demanda-t-elle. Tu
30 dois être d'une espèce unique !

— Je ne suis pas un poisson, répondit Amos. Je suis une souris, un mammifère, la forme supérieure de la vie. Je vis sur terre.

1. ressac : agitation des vagues qui s'écrasent sur la côte.
2. phosphorescente : qui émet de la lumière.
3. quinze cents : mille cinq cents.

— Nom d'une palourde et d'une seiche ! s'exclama la baleine. Moi aussi, je suis un mammifère, bien que je vive dans la mer. Je m'appelle Boris.

Amos se présenta et raconta à Boris comment il en était venu à se trouver là, au milieu de l'océan. […]

— Quelle autre baleine, sur tous les océans du monde, a jamais eu l'occasion de rencontrer une créature aussi bizarre que toi ! dit Boris. Monte à bord, s'il te plaît.

Et Amos grimpa sur le dos de Boris.

— Es-tu sûr d'être un mammifère ? demanda Amos. Tu sens plutôt le poisson.

Boris la baleine se mit à nager, portant Amos le souriceau sur
45 son dos.

❶ Qui est Amos ?

❷ Comment Amos est-il décrit au début du récit (lignes 1 à 5) ? Cette description a-t-elle de l'importance pour la suite ?

❸ À quel moment est-on très inquiet pour Amos ? Quels sont les mots qui indiquent la gravité de la situation ?

❹ Un autre personnage apparaît ensuite. Comment s'appelle-t-il ?

Quel est le seul trait commun entre les deux personnages ?

❺ Comment Amos est-il sauvé de la noyade lorsqu'il tombe dans l'eau ?

❻ La rencontre entre Amos et Boris est le début d'une amitié.
Connais-tu d'autres histoires sur l'amitié entre deux personnages très différents ? Aimes-tu ces histoires ? Explique pourquoi.

J'écris — le récit d'une rencontre

❶ Observe cette image. Il s'agit là aussi d'une rencontre d'où naît une grande amitié. Rappelle-toi la scène avec tes camarades :
– qui sont les personnages ?
– d'où viennent-ils ?
– comment se rencontrent-ils ?

❷ Rédige en quelques lignes le récit de cette rencontre.

Je nomme un personnage

Éviter les répétitions

J'observe

■ **1. Relis ce passage d'*Amos et Boris* :**

Comme Amos se posait ces affreuses questions, il vit une énorme tête jaillir de l'eau. C'était une baleine.
— Quelle sorte de poisson es-tu donc ? demanda-t-elle.

■ **a) Quel personnage « il » désigne-t-il ? Qui désigne « elle » ?**

■ **b) Remets le nom des personnages à la place de « il » et de « elle ». Quelle est la meilleure version du texte ?**

■ **2. Relève les mots qui désignent M. Targette.**

Monsieur Targette a vraiment l'air patraque. Il se tient le ventre, et il fixe des yeux la tablette de chocolat.
— Excusez-moi, monsieur, mais…
Le bonhomme ne la laisse pas s'expliquer, il se jette sur la tablette.

J. Alessandrini, « Mystère et Chocolat »,
coll. Bayard Poche, *J'aime lire*, n° 11.

Pour éviter de répéter trop souvent le nom d'un personnage, on le remplace par un pronom, ou parfois par un autre nom.

Je m'exerce

■ **Replace dans ce passage les mots qui désignent les personnages : les petites, elles, il, il.**

Delphine et Marinette, qui voulaient faire une surprise à leurs parents, décidèrent de garder le secret sur les études du bœuf blanc. Plus tard, quand … serait savant, … auraient plaisir à voir l'étonnement de leur père. Les débuts furent plus faciles que … n'avaient osé l'espérer. En moins de quinze jours, … eut appris à lire les lettres.

M. Aymé, « Les Bœufs », *Les Contes du chat perché*,
© Gallimard.

Nommer clairement un personnage

J'observe

■ **1. Le petit Zozo adore Alfred. Essaie de trouver qui désigne chacun des pronoms « il » et « lui ».**

Quand il ne travaillait pas et avait du temps libre, il lui apprenait plein de trucs utiles ; comment seller un cheval ou comment priser ; oui ça n'était pas spécialement utile et il n'essaya qu'une seule fois. Mais il essaya quand même car il voulait faire tout ce qu'il faisait.

■ **2. Compare avec cette autre version du même texte. Laquelle des deux versions est compréhensible ? Pourquoi ?**

Quand Alfred ne travaillait pas et avait du temps libre, il apprenait à Zozo plein de trucs utiles ; comment seller un cheval ou comment priser ; oui ça n'était pas spécialement utile et Zozo n'essaya qu'une seule fois. Mais il essaya quand même car il voulait faire tout ce qu'Alfred faisait.

A. Lindgren, *Les Nouvelles Farces de Zozo la Tornade*, Le Livre de Poche, © Hachette.

Quand on remplace le nom d'un personnage par un pronom, le personnage désigné doit rester clairement identifiable.

Je m'exerce

■ **Utilise des pronoms pour limiter les répétitions tout en gardant le texte clair.**

Marie et Vanessa font toujours ensemble le chemin de l'école. Marie et Vanessa arrivent rue Pasteur. Mais la petite sœur de Marie s'impatiente : « On va arriver en retard, proteste la sœur de Marie.
— Pars toute seule, répond Marie.
— Tu sais que maman ne veut pas, dit la sœur de Marie. »

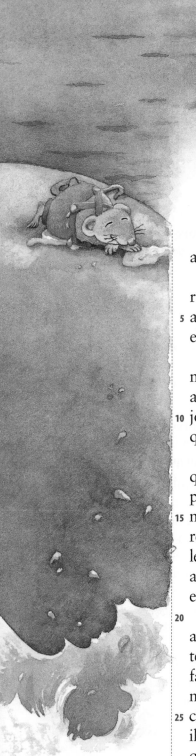

Amos et Boris (2)

Quel soulagement de se sentir sain et sauf ! Amos se coucha au soleil. Éreinté[1], il s'endormit bientôt.

Mais soudain Amos se retrouva de nouveau dans l'eau, bien réveillé, crachotant, s'agitant en tous sens. Ayant oublié qu'elle
5 avait un passager, la baleine avait plongé ! Réalisant son erreur, elle fit surface si brutalement qu'Amos fut projeté dans les airs.

Il se fit mal en retombant dans l'eau et se mit à crier, donnant mille coups de poing à la baleine avant de se souvenir qu'elle lui avait sauvé la vie. Alors, il remonta sur son dos. À partir de ce
10 jour-là, chaque fois que Boris voulait plonger, il prévenait Amos qui en profitait pour prendre un bon bain.

Nageant parfois à grande vitesse, parfois lentement et tranquillement, se reposant parfois et échangeant des idées ou s'arrêtant pour dormir, ils mirent une semaine à atteindre la côte proche de la
15 maison d'Amos. Pendant ce temps-là, une profonde admiration réciproque grandit entre eux. Boris admirait la finesse, la délicatesse, le toucher léger, la petite voix, le rayonnement du souriceau. Amos admirait le volume, la noblesse, la puissance, la volonté, la belle voix et la bienveillance[2] généreuse de la baleine.

20 Ainsi ils devinrent amis. Chacun racontait à l'autre sa vie, ses ambitions. Ils partageaient leurs secrets les plus graves. Boris s'intéressait beaucoup à la vie terrestre et regrettait de ne pouvoir en faire l'expérience. Amos était séduit par les récits de la vie sous-marine que la baleine lui faisait. Il avait plaisir à prendre de l'exer-
25 cice en courant de long en large sur le dos de sa compagne. Quand il avait faim, il mangeait du plancton. Une seule chose lui manquait : l'eau douce.

Vint le moment de se dire au revoir. Ils étaient près du rivage.

— Je souhaite que nous soyons amis pour toujours, dit Boris.
30 Non : nous *serons* amis pour toujours même si nous ne pouvons rester ensemble. Tu dois vivre sur terre et je dois vivre en mer. Pourtant, je ne t'oublierai jamais.

— Et tu peux être sûr que je ne t'oublierai jamais *non plus*, dit Amos. Je te serai toujours reconnaissant de m'avoir sauvé la vie.
35 Souviens-toi que si jamais tu avais besoin de mon aide, je serais plus qu'heureux de te l'apporter.

1. *éreinté :*
très fatigué.
2. *bienveillance :*
gentillesse, bonté.

Comment pourrait-il jamais aider Boris ? Amos n'en savait rien. […]

Bien des années après les événements que nous venons de
40 raconter, […] survint une des plus fortes tempêtes du siècle, l'ouragan Yetta. Et il se trouva que Boris fut jeté sur la rive par une lame de fond[3] et s'échoua sur le rivage même où demeurait Amos. Il arriva également qu'Amos se rendit à la plage pour examiner les dégâts causés par l'ouragan Yetta ; la tempête s'était apaisée et
45 Boris gisait[4] sur le sable, se desséchant au chaud soleil, éprouvant le besoin urgent de replonger dans l'eau. […]

Amos se précipita vers Boris. Boris ne put que regarder Amos.

— Amos, aide-moi, dit la baleine-grosse-comme-une-montagne à la souris-grosse-comme-une-poussière. Je crois que je vais
50 mourir si je ne retourne pas bientôt dans l'eau.

Amos regarda Boris avec une pitié extrême. Il se rendit compte qu'il fallait réfléchir très vite et agir plus vite encore. Brusquement, il disparut.

« J'ai peur qu'il ne puisse pas m'aider, se dit Boris. Malgré
55 toute sa bonne volonté, que peut faire quelqu'un d'aussi petit ? »

Tout comme Amos s'était jadis senti solitaire au milieu de l'océan, Boris la baleine se sentait également seule, étendue sur la plage. Elle était certaine qu'elle allait mourir. Alors qu'elle s'y préparait, Amos revint en courant, accompagné des deux plus grands
60 éléphants qu'il avait pu trouver.

Sans perdre de temps, ces deux éléphants se mirent à pousser l'énorme corps de Boris de toutes leurs forces. Ils parvinrent à le retourner, enduit de sable, et le roulèrent vers la mer. […]
Au bout de quelques minutes, Boris la baleine était déjà dans l'eau,
65 baignée de vagues, et elle ressentait leur merveilleuse humidité. […]

Elle se retourna vers Amos, qui était perché sur la tête du premier éléphant. Des larmes coulaient sur les joues de la grosse baleine. Le souriceau avait lui aussi les larmes aux yeux.

William Steig, *Amos et Boris*, © Gallimard Jeunesse.

3. *lame de fond :*
vague soudaine et violente qui vient du fond de l'eau.
4. *gisait :*
était étendu, sans mouvement.

❶ On pourrait découper ce texte en deux épisodes. Lesquels ? Cherche la phrase qui annonce le second épisode.

❷ Donne un titre à chaque épisode.

❸ Par quels mots désigne-t-on Amos et Boris aux lignes 12 à 19 ?

❹ Qu'est-ce que l'amitié d'après ce texte ? Qu'en penses-tu ?

1 Trouve deux personnages très différents l'un de l'autre (par exemple, une vache et une puce, un chat et une souris…).
Tu vas imaginer une rencontre entre eux et une petite aventure d'où naîtra une grande amitié. Recherche des idées avec tes camarades.

2 Rédige ton histoire. Tu peux t'aider de ces pistes pour écrire :
a) Quel malheur arrive-t-il à l'un de tes personnages ?
b) Quel danger court-il ?
c) Comment le second personnage entre-t-il en scène ?
d) Comment vient-il en aide à son ami ?
e) Comment se termine ton histoire ?

Des mots pour mieux écrire

1 Voici des mots et des expressions autour du couple « jamais/toujours » et autour du couple « oublier/se souvenir » :
– *éternellement, à aucun moment, sans cesse, constamment, jamais de la vie, à jamais…*
– *se rappeler, négliger, délaisser, se désintéresser, penser à…*
Continue le classement, puis essaie de trouver d'autres mots :

jamais	toujours		oublier	se souvenir
à aucun moment				se rappeler

2 En utilisant ton classement, trouve d'autres manières de dire : « Je ne t'oublierai jamais. »

Pistes de lecture

Un jour, un habitant des contrées sous-marines décide de gagner la terre, pour se faire de nouveaux amis.

Abel, la souris, se retrouve perdu sur une île déserte. Ses aventures débutent quand il veut rentrer chez lui…

Randall Jarrell
Des animaux pour toute famille
Illustrations de Maurice Sendak
l'école des loisirs

Randall Jarrell,
Des animaux pour toute famille,
L'École des Loisirs.

William Steig
L'île d'Abel

William Steig,
L'Île d'Abel,
Folio junior.

William Steig,
La Surprenante Histoire du docteur De Soto,
Flammarion.

William Steig,
Dominic,
Folio junior.

Marcel Aymé,
La Patte du chat,
dans *Les Contes du chat perché.*

Je fais agir mes personnages

Faire rebondir le récit

J'observe

■ À la page 145, Amos tombe à la mer. Il espère d'abord que quelqu'un va venir le sauver. Puis ses forces l'abandonnent et il perd espoir. On a très peur pour lui.

De la même manière, à quel moment de la seconde partie de l'histoire (p. 149) a-t-on très peur pour Boris ?

Une histoire est souvent d'autant plus intéressante que le lecteur tremble pour les personnages : ils doivent donc courir des dangers, rencontrer des obstacles…

Je m'exerce

■ **Voici, dans le désordre, des morceaux d'un scénario. Choisis certaines de ces propositions et mets-les dans l'ordre qui te convient, afin de tenir le lecteur en haleine.**

a) Pierre, Samir et Céline, trois cousins, passent leurs vacances au bord de la mer.

b) Ils entendent le bruit d'un moteur, ils crient. Mais le bruit s'éloigne.

c) Ils font du canot pneumatique.

d) Ils n'osent pas demander au « pirate » de les aider.

e) Un orage se lève. Leur canot est poussé loin de la côte, leurs pagaies sont emportées.

f) Ils abordent sur un îlot inhabité.

g) Sur l'île, ils rencontrent un homme à l'allure de pirate. Cet homme transporte une caisse.

h) Quand ils veulent repartir, leur canot n'est plus sur la plage.

i) La nuit tombe, le courant les entraîne, ils sont désespérés.

j) La nuit tombe, ils sont seuls sur l'île. Ils ont froid et peur.

Trouver une fin

J'observe

■ **Voici trois fins de récits.**

A. — Au revoir, chère amie, cria Amos d'une petite voix aiguë.
— Au revoir, cher ami, gronda Boris en disparaissant dans les vagues.
Ils savaient qu'ils ne se rencontreraient sans doute plus jamais. Ils savaient aussi que jamais ils ne s'oublieraient.

W. Steig, *Amos et Boris*, coll. Folio benjamin, © Gallimard.

B. Agathe, vexée, dit à son frère :
— Eh bien, moi, je ne retournerai plus jamais à la pêche !
Rémi regarde le ciel du matin :
— Moi, j'y retournerai. Je veux revoir l'Océanor.

M.-H. Delval, *Le Mystère de l'Océanor*, © Bayard presse.

C. Ici finit, pour l'instant, l'histoire de la famille Campagnol et du châtaignier.

Y. Pommaux, *La Destinée de la famille Campagnol…*, © Éd. du Sorbier, Paris, 1993.

■ **1. Parmi ces fins, quelles sont celles où :**
– on sait ce qu'il advient des personnages pour le reste de leur vie ?
– l'histoire peut rebondir et se poursuivre ?
– on trouve des commentaires et des impressions ?
– on trouve encore autre chose ?

■ **2. Trouve d'autres fins de romans ou de contes que tu as lus et classe-les.**

Quand on raconte une histoire, il faut savoir s'arrêter et « clore » le récit. On peut le faire de nombreuses manières différentes.

Je m'exerce

■ **Reprends le scénario que tu as construit dans la colonne de gauche. Termine-le en trouvant plusieurs fins possibles.**

1 Reprends le brouillon de ton histoire d'amitié (voir p. 150).
Lis-la à ton voisin.
En fonction des réactions de ton voisin, essaie d'améliorer avec lui ton récit (à quels moments a-t-il été intéressé ? à quels moments son intérêt a-t-il faibli ?).

2 Utilise cette grille de réécriture avant de recopier ton histoire au propre (essaie de la taper sur un ordinateur s'il y en a un à l'école).

1. J'ai varié la façon de désigner mes personnages en alternant leur nom, des pronoms, d'autres groupes nominaux…

2. Mes personnages sont clairement désignés : le lecteur sait toujours de qui il est question.

3. J'ai fait rebondir le récit au moins une fois : le personnage principal court un danger, rencontre un obstacle…

4. J'ai trouvé une fin : on sait comment les personnages se sortent de leur aventure, on tire la leçon de ce qui est arrivé…

Récréation

Le lion et le rat

Il faut, autant qu'on peut, obliger tout le monde,
On a souvent besoin d'un plus petit que soi.

    Entre les pattes d'un lion
Un rat sortit de terre assez à l'étourdie.
Le roi des animaux, en cette occasion,
Montra ce qu'il était, et lui donna la vie.
    Ce bienfait ne fut pas perdu.
    Quelqu'un aurait-il jamais cru
    Qu'un lion d'un rat eût affaire ?
Cependant il advint qu'au sortir des forêts
    Ce lion fut pris dans des rets*,
Dont ses rugissements ne purent le défaire.
Sire rat accourut, et fit tant par ses dents
Qu'une maille rongée emporta tout l'ouvrage.

    Patience et longueur de temps
    Font plus que force ni que rage.

Jean de La Fontaine, *Fables*, II, 11.

* **rets** : *filet.*

Au pays des géants

Les derniers Géants

En 1849, un savant anglais, Archibald Leopold Ruthmore, part à la recherche du pays des Géants. Au terme d'une longue expédition, ayant perdu tous ses hommes, épuisé, il atteint son but.

Au nord-est, la vallée s'incurvait pour s'élever en amphithéâtre jusqu'à une sorte de plateau. J'escaladai degré par degré les marches de cet escalier cyclopéen[1]. Depuis longtemps, je ne me nourrissais que de lichens ou de racines additionnées d'un peu de
5 sucre, buvant l'eau accumulée au creux des rochers. J'étais si épuisé que je perdis toute notion du temps et parvins sur le plateau dans un état de quasi-somnambulisme. D'énormes piliers semblaient soutenir le ciel. À bout de forces, je sombrai dans un profond sommeil.

10 La terre se mit à trembler légèrement, mais j'étais trop faible pour réagir. Un soleil froid me fit soulever les paupières, avant de s'éclipser dans l'ombre d'un de ces piliers de pierre. Horreur! Ce dernier se pencha vers moi. Il chantait d'une voix incroyablement douce. Ma raison était-elle à ce point altérée[2]? Était-ce un rêve?
15 une hallucination?

Une angoisse irrépressible[3] m'étreignait la poitrine; pas un mot, pas un cri ne parvenait à franchir mes lèvres paralysées, et mon corps amaigri tressaillait sous l'emprise de la fièvre.

Quelque chose me souleva dans les airs. Quatre énormes
20 têtes, entièrement tatouées, me contemplaient avec insistance. Je perdis connaissance.

Lorsque je repris mes esprits, beaucoup plus tard sans doute, ce fut pour constater que tout ce cauchemar avait laissé place au plus beau des rêves. Ici s'étendait le pays des Géants.

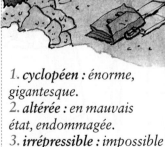

1. *cyclopéen : énorme, gigantesque.*
2. *altérée : en mauvais état, endommagée.*
3. *irrépressible : impossible à retenir.*

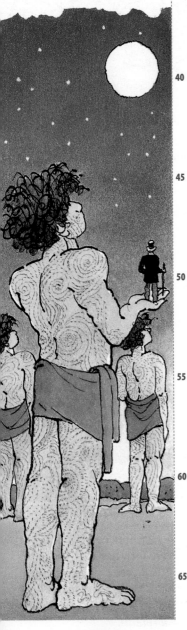

4. **ténues :** *de peu d'ampleur, de peu de force.*
5. **embrouil-lamini :** *mélange très confus et désordonné.*
6. **volutes :** *enroulements.*
7. **entrelacs :** *motifs qui s'entrecroisent.*

25 Ils avaient dû prendre soin de moi, car toute fatigue m'avait abandonné. Au contraire, j'étais dans un bien-être absolu et trouvais presque naturel de côtoyer aussi simplement ces colosses à voix de sirène qui m'avaient accueilli avec tant de bienveillance. Il ne me restait plus qu'à les connaître et les comprendre. Une 30 tâche largement à la hauteur d'Archibald Leopold Ruthmore, tout bien considéré !

Dès le début de notre rencontre, ils prirent soin de moi comme d'un enfant. Je me souviens de nos premiers vrais échanges lors d'interminables veillées nocturnes : des nuits 35 entières, leurs voix s'entremêlaient pour appeler une à une les étoiles. Une mélodie fluide, complexe, répétitive, un tissage merveilleux de notes graves, profondes, orné de variations ténues[4], de trilles épurés, d'envolées cristallines. Musique céleste, infiniment subtile, que seule une oreille inattentive aurait pu trouver mono-40 tone et qui transportait mon âme bien au-delà des limites de l'entendement. J'étais, par chance et de longue date, un observateur attentif des mouvements des astres et de la voûte céleste. J'entrepris une sorte de dictionnaire bilingue et assignai à chaque constellation la phrase musicale lui correspondant.

45 Ils étaient neuf, cinq Géants et quatre Géantes. Enluminés de la tête aux pieds, y compris sur la langue et les dents, d'un embrouilla-mini[5] délirant de tracés, de volutes[6], d'entrelacs[7], de spirales et de pointillés d'une extrême complexité. À la longue, on pouvait discerner, émergeant de ce labyrinthe fantasque, des images recon-50 naissables : arbres, plantes, animaux, fleurs, rivières, océans, un véritable chant de la terre dont la partition dessinée répondait à la musique de leurs invocations célestes. Dire qu'il ne me restait que deux carnets pour tenter de représenter tout cela ! Je dus écrire et dessiner si finement que les pages de mes carnets ressemblèrent à 55 des peaux de Géant.

Eux-mêmes s'amusaient énormément à me voir œuvrer. C'était un spectacle dont ils ne se lassaient pas, et je compris alors qu'aucun d'eux ne savait dessiner.

D'où venaient alors ces gravures qui couraient de la plante de 60 leurs pieds jusqu'au sommet de leurs crânes ? J'avais repéré, parmi les figures décorant le large dos d'Antala, le plus grand d'entre eux, neuf silhouettes humaines que j'interprétai comme une représentation de leur peuple. Et voici qu'un dixième personnage se mit à apparaître au milieu d'elles, d'abord imprécis, puis 65 de mieux en mieux discernable ; plus petit que les autres, il portait un haut-de-forme !

De plus, leur peau semblait réagir aux plus infimes variations d'atmosphère : elle frissonnait au moindre souffle de vent, se moirait d'éclats mordorés au soleil, tremblait comme la surface d'un lac ou 70 prenait les teintes sombres et orageuses de l'océan dans la tempête.

Je compris alors pourquoi ils me regardaient parfois avec pitié. Davantage que ma petite taille, c'était ma peau muette qui les peinait : j'étais un être sans parole.

François Place,
Les Derniers Géants, © Casterman.

❶ Qui est le narrateur dans ce texte ? Relève la phrase où il se désigne à la troisième personne.

❷ Pourquoi le narrateur éprouve-t-il de l'angoisse au début du texte ? Que désigne l'expression « ce dernier » (lignes 12-13) ?

❸ Pourquoi, par la suite, le narrateur se sent-il parfaitement heureux ?

❹ Relève le passage qui permet de comprendre qu'il est un savant.

❺ Quelles sont les deux caractéristiques importantes des Géants ?

❻ Pourquoi pensent-ils qu'Archibald Ruthmore est « un être sans parole » ?

❼ Comment imagines-tu leur vie ?

J'écris **un récit en changeant de point de vue**

❶ Dans le texte que tu viens de lire, c'est Archibald Leopold Ruthmore qui raconte sa rencontre avec les Géants. Imagine que, cette fois, ce sont les Géants qui parlent. Vont-ils raconter la scène de la même façon ? Comment va leur apparaître le savant anglais ? Échange tes idées avec des camarades.

❷ Rédige maintenant en quelques lignes le récit des premiers moments de cette rencontre (lignes 1 à 21) du point de vue des Géants. Tu peux commencer ainsi :
Nous avions remarqué quelque chose d'étrange… un drôle de petit insecte escaladait le grand escalier de pierre. Nous nous sommes dirigés vers lui…

Je raconte à la première personne

Choisir le narrateur

J'observe

■ **1. Lis ces deux extraits.**

A. J'escaladai degré par degré les marches de cet escalier cyclopéen. Depuis longtemps, je ne me nourrissais que de lichens ou de racines additionnées d'un peu de sucre, buvant l'eau accumulée au creux des rochers. J'étais si épuisé que je perdis toute notion du temps et parvins sur le plateau dans un état de quasi-somnambulisme.

F. Place, *Les Derniers Géants*, © Casterman.

B. Ce soir-là, Odilon, le fils du fermier, était allé pêcher dans le ruisseau. Tout à coup, il eut l'étrange impression d'être épié. Juste en haut de la falaise, dans le noir, il distingua deux lumières vertes. C'est alors qu'apparut une énorme silhouette noire d'où jaillissaient les deux faisceaux.

D'après T. Hughes, *Le Géant de fer*, coll. Folio cadet rouge, © Gallimard.

■ **2. Ces deux histoires ne sont pas racontées de la même façon.**
Dans quel extrait le narrateur est-il un personnage (ou un héros) de l'histoire ? Recherche dans l'extrait tous les indices qui t'ont permis de répondre.

Dans un récit de fiction, on peut choisir de raconter de l'extérieur, comme un spectateur : on emploie la troisième personne du singulier (« il eut l'étrange impression »). On peut aussi raconter en donnant la parole à l'un des personnages de l'histoire : on emploie alors la première personne du singulier (« J'escaladai les marches »).

Je m'exerce

■ **Mets à la première personne le texte B ci-dessus, de manière que l'histoire soit racontée par Odilon.**

Donner le point de vue du narrateur

J'observe

■ **1. Réduis le plus possible cet extrait des *Derniers Géants* en ne conservant que ce qui est nécessaire pour comprendre l'action.**

Horreur ! Ce dernier se pencha vers moi. Il chantait d'une voix incroyablement douce. Ma raison était-elle à ce point altérée ? Était-ce un rêve ? une hallucination ? Une angoisse irrépressible m'étreignait la poitrine […]. Quelque chose me souleva dans les airs.

F. Place, *Les Derniers Géants*, © Casterman.

■ **2. Relève parmi les phrases et les expressions que tu as retirées :**

– des adjectifs ou des adverbes indiquant un jugement, une appréciation ;

– des réflexions que le personnage se fait en lui-même ;

– les sentiments du personnage.

Un récit est rendu plus intéressant lorsqu'on introduit le point de vue du narrateur, ses pensées, ses impressions, sa façon de voir et de ressentir le cours des événements.

Je m'exerce

■ **Tu es Odilon, le héros du *Géant de fer*. Insère dans cet extrait tes impressions et commentaires sur la suite des événements.**

Qu'allait-il se passer maintenant ? Je descendis ★ de l'arbre. Mon cœur ★. Je devais rentrer à la maison et prévenir mon père. Mais arrivé en bas de l'arbre, je m'arrêtai ★. L'homme de fer avait disparu de mon champ de vision. Était-il reparti vers la mer ? ★ Ou bien ★ ?

D'après T. Hughes, *Le Géant de fer*, coll. Folio cadet rouge, © Gallimard.

Le troisième voyage
de Sindbad le marin

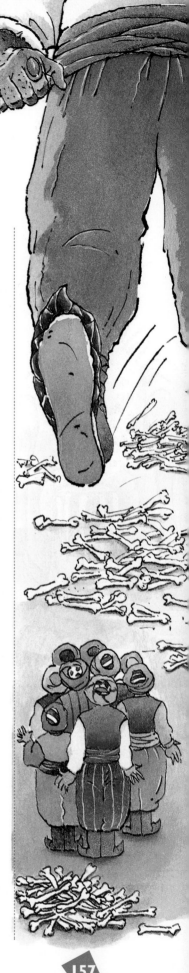

Sindbad et ses compagnons sont échoués sur une île, sans bateau pour repartir.

À la faveur de notre errance à travers cette île, nous découvrîmes un jour une demeure qui nous sembla être un palais. Nous nous approchâmes : il s'agissait d'un édifice grandiose, aux fondations solides, aux murs élevés. Un large portail y donnait accès,
5 dont les deux battants faits de bois d'ébène se trouvaient fermés : nous les poussâmes ; ils s'ouvrirent aussitôt. Nous pénétrâmes dans une vaste cour sur laquelle s'ouvraient d'autres portes qui desservaient diverses pièces. Partout le sol était jonché d'ossements. Le fond de la cour avait été surélevé et se trouvait sur trois
10 côtés entouré par une banquette de pierre. Devant, par terre, était disposé un banc près duquel on pouvait voir les vestiges d'un foyer, avec une réserve de bois à brûler et quelques broches de fer de dimensions impressionnantes. Les lieux étaient déserts, ce qui nous étonna et ne laissa pas de nous inquiéter. Mais, vaincus par
15 la fatigue, nous résolûmes malgré tout de nous étendre en ce lieu et d'y prendre quelque repos.

Le soleil était près de se coucher quand la terre se mit à trembler, tandis que se faisait entendre une sorte de bourdonnement qui évoquait un vent impétueux soufflant à travers des branches.
20 Un être géant venait de franchir le portail de la cour : il était aussi haut qu'un palmier, noir de teint à l'extrême, avec des yeux rouges qui brillaient comme des braises. Quant au reste de son visage : deux narines énormes ; des dents qui lui sortaient de la bouche comme autant de broches formidables ; et cette bouche
25 elle-même, aussi vaste que celle d'un chameau, avec une lèvre inférieure qui lui pendait jusqu'à la poitrine ; des oreilles enfin semblables à celles de l'éléphant, et qui pendaient elles aussi jusqu'à lui toucher les épaules. Avec cela, des ongles qui avaient bien plutôt l'air de griffes, telles qu'on peut en voir aux pattes des
30 grands fauves. Rien qu'à le voir, nous avions perdu l'usage de nos sens, serrés par la crainte les uns contre les autres et déjà presque réduits à l'état de cadavres.

Le maître des lieux commença par s'asseoir sur la banquette de pierre. Puis il se leva et vint vers nous. Il fit le tour de notre

groupe, cependant que nos cœurs, saisis d'épouvante à la vue de son effroyable aspect, battaient à se rompre. Il étendit la main, et c'est sur moi que celle-ci choisit de s'abattre. Je devins semblable à un mort. Il m'empoigna et m'éleva jusqu'à sa face hideuse, me tournant et me retournant comme fait le boucher en quête de quelque brebis bien grasse. Je me trouvais dans sa main tel l'oisillon livré sans protection à la convoitise du chasseur. Mais lorsqu'il me vit si maigre, si dépourvu de chair, il me rejeta avec dédain loin de mes compagnons.

Il en usa avec chacun de mes camarades comme il avait fait avec moi, ne cessant de les retourner et de les palper, jusqu'à ce qu'il fût parvenu à notre capitaine, qu'il trouva gros et gras et fort à son goût. L'ayant choisi à sa satisfaction, il s'empara sans plus attendre d'une des broches de fer qui se trouvaient là et en transperça promptement le bonhomme du fondement[1] jusqu'au crâne. Il le ficela ensuite, mains et pieds, avec le plus grand soin, alluma un grand feu… et se mit en devoir de le faire rôtir. Confrontés à l'horreur de cette scène qui nous avait éclairés à suffisance sur le sort que le monstre réservait à ses victimes, nous ne pouvions guère faire mieux que nous lamenter. Et de la tombée de la nuit jusqu'au lever du jour, nous ne cessâmes de trembler. Enfin la lumière éclaira à nouveau le monde. Le géant s'était levé. Il s'en alla bientôt ouvrir le portail et ne tarda pas à quitter le palais.

Nous commençâmes donc à explorer les alentours, espérant y découvrir un refuge, peut-être même une issue par où fuir. Rien de tout cela ne s'offrait cependant à nos yeux. Quand l'obscurité commença à nous envelopper, force nous fut de regagner le palais. La terre se mit bientôt à trembler sous nos pieds : le géant était de retour. Comme la veille, il finit par choisir l'un d'entre nous… Après l'avoir mis à rôtir, il le dégusta pareillement, assis sur sa banquette. À la suite de quoi il s'endormit et ronfla jusqu'au matin.

Le lendemain, il nous quitta encore une fois dès son réveil, nous laissant littéralement hébétés[2] d'épouvante.

— Pourquoi n'irions-nous pas nous jeter à la mer ? Nous péririons noyés ; ce sera toujours mieux que de mourir rôtis.

— Ô mes frères, m'écriai-je, écoutez plutôt ! Commençons donc par fabriquer à l'aide de ces branches de légers radeaux capables de supporter chacun trois hommes. Nous irons les amarrer au rivage et, cette précaution prise, nous pourrons toujours aviser au moyen de tuer ce monstre.

Mon conseil fut reçu favorablement. Nous nous mîmes au travail. De retour au palais, nous eûmes beau cette fois encore

nous cacher, le géant noir n'eut pas trop de peine à nous retrouver ; et il s'empressa comme à son habitude de faire rôtir et de
80 déguster celui d'entre nous qu'il jugea le mieux à point.

Nous le laissâmes ronfler un moment, mais nous connaissions ses habitudes et il était peu probable qu'il s'éveillât avant le matin. Nous nous étions levés sans bruit et, nous étant emparés de deux des broches qui se trouvaient fichées en terre près du feu, nous les
85 avions placées sur la braise. La pointe s'en trouva à la fin si bien rougie à blanc qu'on eût dit que le métal s'était changé en charbon ardent. Il ne nous restait plus qu'à transporter ces redoutables ustensiles jusqu'auprès du géant endormi et toujours ronflant. Les deux pointes incandescentes[3] furent alors dirigées vers les yeux du dor-
90 meur, où nous les enfonçâmes d'un seul élan, pesant dessus de tout notre poids, de toutes nos forces. Terrassé par le sommeil tel un animal enchaîné, notre adversaire ne s'était douté de rien, et voilà qu'il se réveillait aveugle, les deux yeux crevés ! Il jeta un cri terrible qui emplit nos cœurs d'épouvante, puis, se levant brusquement de sa
95 banquette, il se mit à tâtonner confusément autour de lui, tandis que nous courions nous réfugier à l'autre bout de la cour.

Comprenant cependant qu'il lui fallait renoncer à s'emparer de nous, le monstre se dirigea à tâtons vers le portail contre lequel il donna de la tête, puis l'ayant ouvert, il s'enfuit en hurlant, fai-
100 sant trembler le sol tout ensemble de ses cris et du martèlement de ses pas. Dès qu'il eut disparu, nous quittâmes le palais pour gagner le rivage.

Traduction de René R. Khawam, *Les Aventures de Sindbad le Marin*,
© Éd. Phébus.

3. *incandescentes :* rendues lumineuses sous l'action d'une chaleur intense.

❶ Quel est le premier élément inquiétant que découvrent les voyageurs dans le palais ?

❷ Dessine le palais du géant en t'appuyant sur le texte.

❸ Quelle impression d'ensemble donnent tous les détails du portrait du géant (lignes 20 à 30) ? Quel passage confirme ensuite ton impression ?

❹ Relève les différentes manières de désigner le géant au fur et à mesure que les événements se déroulent.

❺ Relis le passage de la ligne 20 à la ligne 32 et relève les nombreuses comparaisons. À quoi servent-elles ?

❻ Compare ce texte à celui des pages 153 à 155. En quoi se ressemblent-ils ? Laissent-ils la même impression ?

J'écris un récit

1 Bons ou mauvais géants ? Invente une histoire avec les géants de ton choix. À quoi ressemblent-ils ? Où habitent-ils ? Que ressent-on selon leurs caractéristiques ? Font-ils trembler ou font-ils rêver ? Échange tes idées avec tes camarades.

2 Tu vas maintenant raconter par écrit l'expédition d'un héros dans le pays de tes géants. Ton héros a fait naufrage et il se retrouve en terre inconnue. Que se passe-t-il alors ? Raconte comment il rencontre les géants. Tu peux décider d'être le héros de cette histoire. N'oublie pas dans ce cas d'écrire à la première personne.

Des mots pour mieux écrire

Dans les deux textes que tu as lus, plusieurs mots ou expressions sont employés pour parler des géants.

1 On les voit comme « des piliers », « d'énormes têtes », « des colosses » ; l'un d'eux est « haut comme un palmier », « il a des oreilles semblables à celles de l'éléphant »…
Continue cette liste en cherchant d'autres mots ou expressions dans les textes précédents ou dans d'autres histoires.
Trouve ensuite des critères pour classer ces mots et expressions.

2 Complète ces listes en t'aidant d'un dictionnaire.
– Des adjectifs : *immense, gigantesque, démesuré…*
– Des noms : *un colosse, un titan, un hercule…*
– Des comparaisons : *fort comme un taureau, haut comme une tour…*

Pistes de lecture

Un homme de fer affronte un dragon-chauve-souris-diable de l'espace.

Un documentaire sur les hommes qui ont découvert des terres inconnues.

Ted Hughes,
Le Géant de fer,
coll. Folio cadet, Gallimard.

François Place,
Le Livre des Explorateurs,
coll. Découvertes cadet, Gallimard.

Charles Perrault
« Le Petit Poucet »,
dans *Contes,*
L'École des loisirs.

François Place,
Les Marchands,
coll. Découvertes cadet,
Gallimard.

Jonathan Swift,
Les Voyages de Gulliver,
coll. 1 000 soleils, Gallimard.

Je raconte au passé

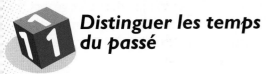

Distinguer les temps du passé

J'observe

■ **1. Relis le début du texte *Le troisième voyage de Sindbad le marin* (p. 157).**

À la faveur de notre errance à travers cette île, nous découvrîmes un jour une demeure qui nous sembla être un palais. Nous nous approchâmes : il s'agissait d'un édifice grandiose, aux fondations solides, aux murs élevés. Un large portail y donnait accès, dont les deux battants faits de bois d'ébène se trouvaient fermés : nous les poussâmes ; ils s'ouvrirent aussitôt. Nous pénétrâmes dans une vaste cour sur laquelle s'ouvraient d'autres portes qui desservaient diverses pièces.

■ **Tu sais qu'on peut choisir d'écrire une histoire en utilisant le passé composé ou le passé simple (voir p. 59). Quel temps l'auteur a-t-il choisi dans ce texte ?**

■ **2. Réécris cet extrait en utilisant le passé composé (comme à l'oral).**

Que remarques-tu ? Est-il possible de mettre tous les verbes au passé composé ? Quels verbes doivent rester tels quels ? À quel temps sont-ils ?

⋮ *L'imparfait s'emploie aussi bien dans un récit au passé simple que dans un récit au passé composé.*

Je m'exerce

■ **Mets au passé composé ce passage des *Derniers Géants* (p. 153). Attention : certains verbes ne doivent pas être transformés.**

La terre se mit à trembler légèrement, mais j'étais trop faible pour réagir. Un soleil froid me fit soulever les paupières, avant de s'éclipser dans l'ombre d'un de ces piliers de pierre. Horreur ! Ce dernier se pencha vers moi. Il chantait d'une voix incroyablement douce. Ma raison était-elle à ce point altérée ?

Utiliser l'imparfait

J'observe

■ **1. Compare ces deux versions d'un même extrait du texte *Les derniers Géants* (p. 153).**

A. Une angoisse irrépressible m'étreignait la poitrine ; pas un mot, pas un cri ne parvenait à franchir mes lèvres paralysées, et mon corps amaigri tressaillait sous l'emprise de la fièvre.

B. Une angoisse irrépressible m'étreignit la poitrine ; pas un mot, pas un cri ne parvint à franchir mes lèvres paralysées, et mon corps amaigri tressaillit sous l'emprise de la fièvre.

■ **2. Ces deux textes ont-ils le même sens ? Lequel donne l'impression d'événements non limités dans le temps ? À quoi cela est-il dû ? Quelle version trouve-t-on dans *Les derniers Géants* (lignes 16-18) ? Pourquoi convient-elle mieux ?**

⋮ *Dans un texte au passé, on emploie l'imparfait pour décrire, préciser les circonstances ou donner des commentaires sur les actions. On utilise le passé simple ou le passé composé pour relater les actions qui se succèdent au fil du récit.*

Je m'exerce

■ **Mets ce texte au passé.**

Ils mangent très rarement, se nourrissant de plantes, de terre ou de rochers. Je ris à les voir faire leurs délices d'un mille-feuille de schiste saupoudré de mica, ou couvrir d'un regard gourmand un morceau de calcaire rose.

Ils m'indiquent les plantes comestibles dont je fais mon ordinaire pendant près d'un an. Ils me font goûter un bouillon dont ils tiennent à garder la préparation secrète.

Ils semblent parfaitement heureux.

D'après F. Place,
Les Derniers Géants, © Casterman.

1 Relis ton histoire de géants (voir p. 160). As-tu bien décrit les géants et le pays dans lequel ils vivent ? Lis ton texte à un(e) camarade. Demande-lui de te poser des questions sur ce qu'il (elle) n'arrive pas à se représenter à partir de ton texte.

2 Reprends encore ton brouillon et améliore-le en te servant de cette grille.

1. J'ai raconté l'arrivée de mon héros chez les géants et leur rencontre.
2. J'ai montré s'il s'agissait de bons ou de mauvais géants.
3. J'ai donné le point de vue de mon héros sur son aventure en précisant ses réflexions et ses sentiments.
4. Si j'ai choisi d'être le héros, j'ai raconté mon histoire à la première personne et je n'ai pas changé de point de vue au cours du récit.
5. J'ai utilisé le passé simple (ou le passé composé) pour indiquer les actions, et l'imparfait pour le cadre de l'action.

Récréation

Jupiter et les Géants

Restés maîtres de l'Univers, après la fuite de Saturne, ses trois fils se répartirent sa succession. Neptune eut l'empire des Mers ; Pluton se contenta des Enfers ; quant à Jupiter, il s'installa en maître sur l'Olympe, un massif montagneux, et s'attribua le palais des Dieux.

Cependant, il eut encore à supporter la révolte des Géants, fils de Titan, qui ne pouvaient oublier la défaite. Revenant à la charge, ils conçurent le présomptueux projet d'escalader l'Olympe. D'une taille prodigieuse, d'une force dépassant tout ce qu'on peut imaginer, ces monstres à queue de serpent étaient dotés d'une centaine de bras et de cinquante têtes. Ils saisissent d'énormes rochers. Ils les lancent contre Jupiter : les uns tombent dans la mer, deviennent des îles, et les autres retombent à terre, formant des montagnes. Mais jamais ils ne parviennent à détrôner le maître de l'Olympe.

D'après Émile Genest,
Les Plus Belles Légendes de la mythologie,
© Éditions Nathan.

Des histoires à construire

La plus grande carotte du monde

Un jour, un jardinier sema des carottes. Il les cultiva comme d'habitude et, à l'époque prévue, il commença à les arracher. Tout à coup, il en trouva une bien plus grosse que les autres. Il tirait, tirait, mais ne pouvait pas la déterrer. Il essaya de différentes

5 façons : rien à faire… Alors, il se décida à appeler sa femme.

« Joséphine !

— Qu'y a-t-il, Auguste ?

— Viens voir, il y a une drôle de carotte que je ne peux pas arracher. Tiens, regarde !

10 — Elle a l'air vraiment énorme !

— On va faire ainsi : moi, je tire la carotte et toi, tu m'aides, en me tirant par la veste. Allez, vas-y… Tu es prête ? Tire ! Allez, ensemble…

— Il vaut mieux que je te tire par le bras. Sinon je vais déchi-

15 rer ta veste.

— Tire donc par le bras. Courage ! Rien à faire ! Appelle le petit… Je suis à bout de souffle !

— Paul, Paul ! cria la femme du jardinier.

— Qu'est-ce qu'il y a, maman ?

20 — Viens un peu ici. Et dépêche-toi.

— J'ai mes devoirs à faire…

— Tu les finiras après. Pour l'instant, viens nous aider… On n'arrive pas à déterrer cette carotte. Moi, je vais tirer Papa par un bras, toi par l'autre. Papa tirera la carotte. On y arrivera bien… »

25 Le jardinier cracha dans ses mains.

« Vous êtes prêts ? Allez ! Tirez ! Oh ! hisse ! Oh ! hisse ! Elle ne bouge pas d'un pouce !

On appelle à la rescousse le grand-père, puis le voisin, sa femme et son fils… Sans succès. Les badauds se rassemblent dans 30 *le jardin d'Auguste pour le regarder tirer…*

Et les bavardages allaient bon train. Et on tirait, on tirait… Et le soleil était sur le point de se coucher…

Premier épilogue

On ne réussit pas à arracher la carotte.

35 Tout le village se met à l'œuvre : c'est peine perdue.

Des gens viennent des villages voisins : on s'escrime en vain.

D'autres arrivent de villages très lointains : rien, toujours rien.

Finalement, on s'aperçoit que cette carotte gigantesque traverse le globe terrestre de part en part. Aux antipodes, il y a un 40 autre jardinier entouré d'une autre foule qui tire. En somme, c'est un grand jeu de la corde qui ne s'achèvera jamais.

Deuxième épilogue

On tire longtemps et on finit par déterrer quelque chose. Mais ce n'est pas une carotte, c'est une citrouille. À l'intérieur se 45 trouvent sept nains cordonniers qui sont en train de ressemeler des chaussures.

« Qu'est-ce que c'est que ces manières ! protestent les nains. Vous n'avez pas le droit de voler notre boutique, notre maison. Remettez-nous où nous étions ! »

50 La foule se disperse, épouvantée.

Tous s'enfuient sauf le grand-père. Il dit aux nains :

« Auriez-vous une allumette ? Ma pipe s'est éteinte. »

Le grand-père et les nains sympathisent.

« J'ai presque envie de venir habiter dans votre citrouille, leur 55 dit-il, vous n'auriez pas une petite place pour moi ? »

Alors Paul crie de loin :

« Grand-père, si tu y vas, je viens avec toi ! »

Joséphine crie aussitôt :

« Paul, n'y va pas ou j'y vais aussi ! »

60 Alors le jardinier crie à son tour :

« Joséphine, attends. Si tu y vas, j'y vais, moi aussi ! »

Les nains se fâchent et disparaissent sous terre avec leur citrouille.

Troisième épilogue

65   Tirez, tirez… l'union fait la force. On extirpe la carotte, centimètre par centimètre. Elle est énorme : pour l'emporter au marché, on doit utiliser vingt-sept camions et un tricycle.

Il n'y a pas d'entreprise impossible pour les hommes qui travaillent avec le même enthousiasme, n'est-ce pas ?

Gianni Rodari, *Histoires à la courte paille*,
coll. Le livre de poche Jeunesse, © Hachette.

1 Relève dans les lignes 1 à 27 les prénoms des différents personnages. Qui sont-ils les uns par rapport aux autres ?

2 Où la scène se passe-t-elle ?

3 Qu'est-ce qu'un épilogue ?

4 Classe les trois épilogues en deux catégories.

5 Quel épilogue préfères-tu ?

6 Relis les lignes 1 à 27.
Joue la scène avec des camarades.

J'écris — **une fin de récit**

L'auteur a proposé trois épilogues. À toi d'en imaginer un quatrième en quelques lignes.

Pour t'aider, relis le début du deuxième épilogue à partir de « Mais ce n'est pas une carotte, c'est une citrouille. À l'intérieur… » (lignes 44 à 46) et invente un autre récit. Tu peux imaginer que d'autres êtres habitent la citrouille.

Que pourrait-il leur arriver ? Et si la famille partait vivre avec eux ?

Je construis la trame d'un récit

Présenter un récit « en arbre »

J'observe

■ **Voici le début du scénario d'un récit en arbre.**

1. Kongolo rêve à Kassala, la belle princesse triste, qui, sur l'autre versant du mont Noir, se désespère.

2. Il s'engage dans la montagne vers le royaume de Kassala. Un terrible gorille garde le chemin.

3. Il va consulter la vieille et sage Kali, dans la petite île de Koutouba, à deux jours de pirogue.

4. Le gorille l'empêche de passer.

5. Avec l'aide du renard, Kongolo trompe la vigilance du gorille. Il arrive près de la maison où Kassala est recluse.

6. Il entreprend un long voyage vers Chibongou pour découvrir le secret de la tristesse de Kassala.

7. Impatient, Kongolo écrit un message à la princesse.

8. Kongolo part à la ville chercher un « ikembé », pour entrer en contact avec Kassala par le langage de la musique.

D'après J. Sauvy et N. Louis-Lucas, *Kassala*, © Casterman.

■ **Comment ce scénario est-il présenté pour que le lecteur comprenne qu'il peut choisir entre plusieurs possibilités ? Aurait-on pu le présenter différemment ?**

Dans un récit « en arbre », il faut bien séparer les épisodes et indiquer clairement les parcours de lecture offerts aux lecteurs. On peut indiquer les choix par des flèches ou terminer les épisodes par une formule du genre : « Si Kongolo part vers le royaume de la princesse, va en 2. Si tu préfères qu'il aille demander conseil à Kali, va en 3. »

Je m'exerce

■ **Présente de manière claire ce scénario d'histoire « en arbre ».**

Ingrid s'est égarée dans la forêt. Elle aperçoit un écriteau sur un arbre. « Voilà qui va me permettre de retrouver le bon chemin ! » se dit-elle. Hélas, les lettres sont effacées, l'arbre lui-même est bizarre et creux. Ingrid entre dedans. Avec un bruit sec, l'arbre se referme sur elle. Ingrid frotte l'écriteau : les lettres deviennent d'or et une voix la fait frissonner. Ingrid cherche un trou pour sortir. Elle appelle au secours pendant très longtemps, puis, épuisée, s'endort. « En frottant ces lettres, tu m'as appelé. Que veux-tu ? » Soudain, tout en haut de ce tronc creux, elle remarque un écureuil qui sautille de branche en branche. Brusquement, un vieil homme barbu apparaît devant elle.

Le petit bandit
de grands chemins

Dans le soir tombant, au bord d'un chemin creux, un petit bandit était embusqué[1] derrière un gros arbre.

C'était en Angleterre, en octobre 1730. Il pleuvait, il ventait, et le petit bandit frissonnait. Il frissonnait de froid, dans sa vieille
5 chemise râpée, mais d'excitation aussi. C'était la première fois de sa vie qu'il détroussait[2] un passant, ou, plus exactement, qu'il allait essayer.

Soudain, il tendit l'oreille. Là-bas, sur le chemin, ce bruit de pas… Une victime, enfin !

10 Il risqua un coup d'œil hors de sa cachette.

Au bout du chemin, clopin-clopant, une petite vieille avançait sans hâte, courbée sur son bâton et sous le poids des ans. Flic ! floc ! faisaient ses sabots dans la boue.

Alors, le cœur battant, l'apprenti bandit se planta au milieu
15 du chemin et lança de sa plus grosse voix : « La bourse ou la vie ! »

Dans la famille de Tod Prentiss, on était voleur de père en fils.
La tradition remontait loin. Du côté de sa mère, depuis des générations, on volait des moutons. Rude métier, et des plus risqués : plusieurs oncles et grands-oncles avaient fini pendus haut
20 et court.

Du côté de son père, on aimait mieux garder les pieds sur terre. On se contentait sagement de petite truanderie. Depuis l'arrière-arrière-arrière-grand-père de Tod, brillant chapardeur de carottes, la famille avait pourvu la contrée en habiles

1. embusqué : caché pour surprendre ou pour agresser quelqu'un.
2. détroussait : dépouillait quelqu'un de ce qu'il portait ; dévalisait.

coupe-jarrets, tire-laine, vide-goussets et autres doigts agiles. Mais depuis trois générations, on y pratiquait surtout l'art de détrousser le passant, de préférence au coin d'un bois. [...]

À peine avait-il prononcé « La bourse ou la vie ! » que Tod se souvint : son père était contre ce genre de discours.

Mais peu importait. Car la petite vieille allait son chemin comme si elle n'avait même pas entendu.

Tod la rattrapa d'un bond, il se campa devant elle et lui corna aux oreilles :

— La bourse ou la vie, je vous dis !

Cette fois, la vieille s'arrêta, en appui sur son bâton, une main en cornet à l'oreille.

— Pour ça oui, chevrota-t-elle. Tu l'as dit. Toujours la pluie. Quel temps pourri !

Tod lui brandit son couteau sous le nez. Ce n'était pas un vrai coutelas. Tod l'avait taillé dans une écorce grise, et frotté de betterave au bout, pour faire rouge et redoutable. Il le trouvait très réussi.

— Avez-vous compris ? Je suis un bandit !

— Grandi ? Sûrement, que tu as grandi, répondit la vieille. La mauvaise herbe ça pousse toujours. Mais si tu veux mon avis, tu peux grandir encore !

Alors Tod vit rouge :

— Mais puisque je vous dis que je suis un voleur !

— L'heure ? Je n'en sais rien, mon pauvre garçon. Tout ce que je peux dire, c'est qu'il est tard. Et qu'à cette heure-ci un gamin de ton âge devrait être chez lui, au lieu de jouer à faire peur aux vieilles gens !

Et l'écartant de son bâton comme elle l'eût fait d'une brebis rétive[3], elle passa son chemin sans plus de façon.

Tod recula d'un bond.

Mais la boue était traîtresse : il dérapa, perdit l'équilibre et s'en alla choir[4] au fossé.

Alors un grand rire s'éleva du pré voisin.

— Hi-han ! faisait le témoin. Hi-han, hi-han !

Tod se releva, trempé, crotté, les mains vides. Là, entre les aubépines, une ânesse pointait le mufle et deux longues oreilles mitées[5].

— Et tu te dis bandit ? pouffa la bête, riant de toutes ses dents jaunes. Si j'étais toi, je me ferais plutôt...

— Tu te ferais plutôt quoi ? bougonna Tod.

— Amuseur dans les foires. Pour faire rire les bonnes gens.

D'autres que Tod auraient mal pris la chose. Échouer (lamentablement) dans sa première attaque à main armée ; se faire envoyer au fossé par une petite vieille ratatinée ; et pour finir s'entendre traiter de pitre, c'était assez pour vous détourner à jamais d'une carrière de brigand. La plupart des apprentis bandits auraient sans doute pris la mouche[6] — injurié le ciel, insulté la vieille, jeté des pierres à l'ânesse. D'autres se seraient pris la tête à deux mains pour verser des larmes amères sur la cruauté du destin…

Et à vrai dire, l'espace d'une seconde, Tod fut tenté par cette solution : pleurer un bon coup.

Mais, comme il repêchait son couteau qui flottait sur les lentilles d'eau, l'aspect comique de toute l'affaire lui sauta aux yeux soudain, et à son tour il éclata de rire.

— Écoute, dit-il à l'ânesse, je n'aime pas beaucoup qu'on me traite de nigaud, mais si je t'ai fait rire, j'en suis bien content… Malheureusement, c'est la seule bonne chose que j'ai faite de la journée.

— Ah ? fit l'ânesse.

— Oui, puisque je rentre bredouille. Ma mère va être bien déçue de me voir revenir les mains vides.

— Il n'est pas trop tard encore, dit l'ânesse.

Et l'ânesse, que son maître rend malheureuse, propose à Tod de la voler.

— Écoute, reprit l'ânesse, c'est simple : tu cherches que voler, je cherche qui me volera. Nous sommes faits l'un pour l'autre.

Dick King-Smith, *Le Petit Bandit de grands chemins*,
coll. Castor poche, © Flammarion.

6. *auraient pris la mouche :*
se seraient mis en colère.

---

❶ À quelle époque et à quel moment de l'année se situe cette histoire ?

❷ Comment s'appelle le personnage principal de cette histoire ? Retrouve, dans l'ordre, tous les mots qui le désignent.

❸ Quels sont les mots qui désignent l'animal (lignes 58 à 66) ? Ce personnage te semble-t-il sympathique ?

❹ Voici ce que Tod dit à la vieille dame. Retrouve ce qu'elle lui répond et explique pourquoi.
a) La bourse ou la vie, je vous dis !
b) Avez-vous compris ? Je suis un bandit !
c) Mais puisque je vous dis que je suis un voleur !

❺ Quel marché propose l'ânesse à Tod ? À ton avis, vont-ils s'entendre ?

J'écris un récit « en arbre »

1 Relis les lignes **67** à **79** du *Petit bandit de grands chemins*. Devant une telle situation d'échec, l'auteur envisage différentes réactions possibles. Laquelle a-t-il choisie pour Tod, son héros ?

2 Choisis une autre solution parmi celles proposées. Que va-t-il se passer ? Rédige ta suite, puis compare ton texte avec celui de tes camarades.

3 Cherche maintenant avec tes camarades comment présenter vos suites pour faire un récit en arbre, à la manière de *La plus grande carotte du monde*.

Des mots pour mieux écrire

1 « Bandit de grands chemins » est une expression ancienne pour désigner un voleur. D'autres noms sont aussi employés dans le texte pour désigner cet « honorable métier » : « chapardeur », « coupe-jarrets », « tire-laine », etc. (lignes 23 à 25).

Complète cette liste avec d'autres mots que tu trouveras dans le texte, puis en recherchant dans des dictionnaires.

2 Voici des expressions utilisées dans le texte (lignes 72 à 74) pour exprimer les sentiments d'un personnage face à l'échec :

prendre la mouche – injurier le ciel – insulter – verser des larmes.

En t'aidant d'un dictionnaire, trouve d'autres expressions permettant de décrire un sentiment de ton choix : colère, joie, tristesse, révolte… Note celles que tu pourras utiliser pour la suite de ton récit.

Pistes de lecture

Décide du destin d'Amad le barbier, dans le désert et les oasis…

Mène ton enquête à ta guise et découvre le secret du Louvre…

◆ ◆ ◆ P. Thiès,
Amad, les dés du hasard,
coll. Aventures à construire,
Casterman.

◆ ◆ Claude Delafosse
et Yvan Pommaux,
La Peur du Louvre,
L'École des loisirs.

◆ ***La Jungle aux cent périls,***
Gründ.

◆ ◆ ◆ J. Sauvy et Kalali,
Le Chemin de la lune,
du soleil et du vent,
coll. Aventures à construire,
Casterman.

◆ ◆ ◆ Steve Jackson
et Ian Livingstone,
Le Sorcier de la montagne de feu,
coll. Folio junior, Gallimard.

J'organise mon texte

Reconnaître l'unité du paragraphe

J'observe

■ Relis ce passage de *La plus grande carotte du monde* (p. 164, lignes 35 à 39).

Tout le village se met à l'œuvre : c'est peine perdue.
Des gens viennent des villages voisins : on s'escrime en vain.
D'autres arrivent de villages très lointains : rien, toujours rien.
Finalement, on s'aperçoit que cette carotte gigantesque traverse le globe terrestre de part en part.

■ **À quoi correspondent les passages à la ligne, du point de vue du sens ?**
Ici les paragraphes sont courts ; pourquoi, en général, sont-ils plus longs ?

: *Un paragraphe correspond à une unité de sens (une action d'un personnage, un événement, une situation…) : on peut toujours le résumer en quelques mots.*

Je m'exerce

■ Relis le début du *Petit bandit de grands chemins* (lignes 1 à 15).

■ **1. Combien y a-t-il de paragraphes ?**

■ **2. Redonne à chaque paragraphe la phrase qui le résume.**

a) Soudain, il entendit arriver sa première victime.
b) Un bandit était embusqué derrière un arbre au bord d'un chemin creux.
c) C'était une petite vieille qui avançait courbée sur son bâton.
d) Il faisait mauvais : le bandit frissonnait de froid et d'excitation car c'était sa première attaque.
e) Le bandit se planta au milieu du chemin et s'écria : « La bourse ou la vie ! »
f) Il jeta un coup d'œil.

Enchaîner les paragraphes

J'observe

■ **Voici une liste de mots ou d'expressions que l'on trouve souvent dans les récits :**

une nuit	mais	alors
plus tard	soudain	ainsi
cette fois	à peine	c'est pourquoi

■ **1. Cherche ceux qui sont utilisés dans *Le petit bandit de grands chemins* et trouves-en d'autres.**
À quoi servent ces mots dans le récit ?

■ **2. Classe-les en trois colonnes. Quels critères as-tu retenus pour les classer ?**

: *Les mots et les expressions qui organisent le récit ont un sens : ils renvoient soit à un moment dans le cours du récit, soit à une rupture ou à une accélération, soit à une conséquence.*

Je m'exerce

■ **Voici une autre liste de mots et d'expressions pour organiser le récit.**
un jour - donc - tout à coup - aussitôt - la semaine suivante - par conséquent - alors - le lendemain - brusquement - le jour même - puis.

■ **Complète ce début de récit en utilisant, parmi ces mots, ceux dont le sens permet de structurer l'histoire.**
Essaie de continuer oralement le récit.

Il était une fois une pauvre petite servante qui lavait la vaisselle toute la journée en rêvant de beaux palais et de vaisselle d'or. ★, Gertrude la petite servante sortit de l'eau une chose étrange : une cuillère d'or. ★ la petite servante s'apprêtait à aller porter sa trouvaille à sa patronne lorsque, ★, un poisson sauta hors de sa bassine et dit : « Garde la cuillère d'or, elle est à toi. » ★ il replongea dans l'eau savonneuse. ★ Gertrude serra la cuillère sur son cœur.

À plusieurs, vous avez construit une histoire « en arbre » (voir p. 170) qui présente différentes suites possibles à la mésaventure de Tod.

1 Relisez les suites proposées par chacun : regardez si tout est compréhensible et si ces suites s'enchaînent bien avec le début de l'histoire.

2 Puis reprenez votre texte. Essayez de l'améliorer à partir des remarques de vos camarades et en vous aidant de la grille suivante.

1. Mon texte s'intègre bien à ce moment dans le récit.
2. J'ai organisé mon texte en paragraphes.
3. Mes paragraphes correspondent à une unité de sens.
4. J'ai utilisé des mots et des expressions qui aident à mieux percevoir l'organisation logique du texte.
5. J'ai présenté clairement mon texte pour que l'on comprenne qu'il s'agit d'un récit « en arbre ».

Récréation

Histoires en cartes

À partir de là, ils parlèrent assez vite, et souvent ensemble, si bien qu'il était difficile de savoir qui disait quoi. Cela donnait à peu près :

— On pourrait inventer des histoires avec des cartes postales !

— Mais on aura le droit de parler !

— Les cartes nous donneront seulement des idées !

— Il ne faut pas raconter n'importe quoi, ce serait trop facile !

— Quelque chose qui nous est arrivé !

— Mais non, puisqu'il faut inventer !

— Alors, quelque chose qui pourrait nous arriver !

— Ou qu'on aimerait faire !

— Un rêve à réaliser !

— Ou un voyage !

Olivier devait prendre au hasard sept cartes postales et en faire les éléments d'une histoire cohérente, avec un début, un milieu et une fin. Il devait en être le personnage principal, et elle devait illustrer un de ses rêves d'avenir. Il avait le droit d'ajouter quelques éléments à ceux imposés par les cartes, mais pas beaucoup. Il avait aussi le droit de s'attribuer un pouvoir surnaturel qui lui permettrait de franchir certains obstacles et de surmonter certaines situations.

Jacques Bens, *Cinq Châteaux de cartes*,
D.R.

Pour lire des récits différents

Il existe toutes sortes d'histoires. Les unes font rire, d'autres font peur. Certaines se passent près de chez toi et leurs personnages ressemblent à des gens que tu connais. D'autres te transportent dans des pays lointains ou dans des époques reculées, ou encore dans le futur sur d'autres planètes…

Au zoo

Deux nouvelles créatures venaient d'arriver au zoo et la classe 10XA s'était groupée autour de leur cage pour les observer.

—Ne vous approchez pas trop ! dit le professeur.

—Ils n'ont pas l'air dangereux, dit un élève.

5 —Ils ont l'air doux, dit un autre.

—Ils vous semblent doux parce qu'ils sont jeunes mais même les jeunes peuvent parfois être méchants. N'oubliez pas qu'ils sont carnivores dès leur plus jeune âge.

—Que veut dire carnivore ? demanda un élève.

10 —Cela veut dire qu'ils se nourrissent de viande.

—Est-ce que ça veut dire qu'ils pourraient nous manger ?

—C'est possible, dit le professeur.

—Et ils ont l'air apprivoisés, dit un autre élève. Ils n'ont presque pas bougé depuis que nous sommes arrivés.

15 — C'est probablement parce qu'ils sont plus intéressés par la boîte qui se trouve dans le coin de leur cage, dit le professeur. Si vous posez une de ces boîtes devant eux, ils resteront assis là pendant des heures. C'est quand vous leur enlevez la boîte qu'ils deviennent sauvages.

20 — Eh bien, moi, je les trouve plutôt calmes, dit un élève. Ils ressemblent un peu aux singes qui sont dans l'autre cage. Est-ce qu'ils sont aussi intelligents ?

— Oh non, dit le professeur. Ils sont incapables de faire la moitié de ce que font les singes.

25 — Je les trouve plutôt ennuyeux, dit un autre élève. Et puis toute cette peau rose. Berk ! ils sont vraiment laids !

— Peut-être seraient-ils plus intéressants s'ils ne restaient pas bouche bée devant cette boîte, dit le professeur. Il leur arrive de se déplacer davantage, généralement pendant la journée. De toute

30 façon, ils font partie de notre programme au zoo et vous devez tous en donner une description sur vos blocs-notes électroniques.

La classe 10XA se désintéressa rapidement des nouveaux spécimens et passa à la cage suivante.

Comme ils s'éloignaient, un des élèves demanda :

35 — D'où avez-vous dit qu'ils venaient ?

— Je vous l'ai déjà dit, répondit le professeur. Vraiment Prosper ! Il m'arrive parfois de penser que vous n'avez guère de cervelle dans aucune de vos trois têtes ! Ils viennent d'une planète appelée Terre et on les appelle des Enfants. J'espère que vous ne

40 l'oublierez plus !

Brian Patten, « Au Zoo », dans *Les souris tête en l'air et autres histoires d'animaux*, © Gallimard.

● **Que sais-tu, après avoir lu ce texte, des élèves qui visitent le zoo ? Note toutes les informations sur ceux-ci, dans l'ordre où elles sont données.**

● **Que sais-tu des deux créatures qui se trouvent dans la cage ?**

● **Peux-tu déduire de toutes ces informations l'endroit où se trouve le zoo ?**

● **À ton avis, que sont donc les boîtes que regardent les « créatures » à longueur de temps ?**
Les créatures en question sont-elles décrites de manière flatteuse ?

L'invité du ciel

*V*oyageant avec sa mère, inspectrice des planètes, Jonathan se trouve sur Anderson 2, la dernière planète que les humains ont conquise.*

Il explore cet univers rocailleux, peuplé d'habitants étranges appelés « Roues » par les hommes.

Jonathan allait se mettre en route quand son regard fut attiré par quelque chose qui remuait ; c'était une autre Roue, mais plus petite que l'autre. Elle ne faisait pas plus d'un mètre de haut et agitait doucement ses fins rayons qui diffusaient une lumière
5 orangée autour d'elle.

« Je te salue. »

Jonathan avait bien entendu les mots. Pourtant, il lui sembla qu'ils n'avaient pas été prononcés par une voix étrangère, mais plutôt qu'il les avait pensés lui-même. Oui, c'était bien cela, ils lui
10 étaient d'abord venus à l'esprit avant que quelqu'un d'autre ne parle. Troublé, il écarquilla les yeux : il y avait peut-être un autre être humain quelque part. Il regarda la petite Roue. Elle diffusa à nouveau une lumière orangée et Jonathan entendit encore :

« Je te salue. »

15 Les mots se répétèrent encore deux fois et, chaque fois, la petite Roue s'auréolait de lumière.

« Tu me dis quelque chose, petite Roue ? » demanda Jonathan, gêné de poser une telle question.

Alors il entendit :

« Oui. Quand tu émets des sons bizarres, mon esprit t'entend. Je t'ai déjà entendu, quand tu parlais à l'Homme Rouge.

— Quand tu brilles de toutes tes drôles de couleurs, je peux t'entendre aussi », dit Jonathan.

L'un et l'autre, un peu craintifs, se rapprochèrent lentement.

« La vieille Bleue t'a entendu émettre les sons, lui dit la petite Roue. C'est pourquoi elle s'est enfuie. Moi, je t'ai entendu dire à l'Homme Rouge de ne pas utiliser son explosif. Tu es un ami.

— La vieille Bleue, c'était la grosse Roue qui est partie ? demanda Jonathan.

— Oui, elle ne peut pas entendre les pensées de vous autres, les Bruyants. Moi je peux.

— Tu peux ?

— Oui, parce que je suis encore petite. Et je peux entendre tes pensées bien mieux que celles des autres. Sans doute parce que tu es encore petit, toi aussi.

— Je m'appelle Jonathan.

— Je ne comprends pas, dit la petite Roue.

— Jonathan », répéta Jonathan.

Doucement, la petite Roue émit quelques rayons bleus et pourpres et Jonathan entendit dans sa tête :

« Jenethon.

— C'est très bien, dit Jonathan.

— Je m'appelle Vertjaune », dit la petite Roue.

En tout cas, c'était le nom que Jonathan avait compris alors
45 que l'un des rayons de la petite Roue se divisait en deux bandes de
lumière jaune nimbée d'un halo vert.

« Vertjaune ? »

Jonathan n'était pas sûr de lui.

La petite Roue lança quelques petits flashes blancs et Jona-
50 than entendit dans sa tête l'écho d'un rire.

« Tu le dis d'une drôle de façon, mais je comprends. »

Ils s'étaient progressivement rapprochés l'un de l'autre. Et ils
étaient maintenant si proches qu'ils se touchaient presque.

Cette nouvelle façon de communiquer semblait déjà très
55 familière à Jonathan.

Isaac Asimov,
L'invité du ciel, © Gallimard.

● **Qui sont les deux personnages dont tu fais la connaissance dans cet extrait de roman ?**

● **Où l'histoire se passe-t-elle ?**
Relève tous les éléments qui indiquent que nous ne sommes pas sur Terre.

● **Voici plusieurs titres possibles pour cet extrait de *L'invité du ciel*. Lesquels, selon toi, conviennent le mieux ?**
Pourquoi ?

– Rencontre avec un étranger

– Un étrange moyen pour communiquer

– L'extraterrestre

– Les Roues passent à l'attaque

● **Compare les deux textes que tu viens de lire.**
Quels sont leurs points communs ?
Comment appelle-t-on le genre littéraire auquel ils appartiennent ?

*Il est d'usage de classer les récits en genres :
le roman de science-fiction, le roman d'aventures, le roman policier, le roman
historique, le fantastique sont des exemples de genres littéraires.*

● **Lis les débuts de romans ou de nouvelles qui suivent et essaie de deviner à quel genre ils appartiennent.**
Précise ce qui te permet de répondre.

1. Par une sombre nuit d'hiver, un voyageur solitaire avançait sur une route déserte. Il venait de parcourir plusieurs kilomètres sans avoir vu une seule habitation. Le temps se faisait de plus en plus menaçant, ce qui le contrariait.
Un vent glacial s'était levé, soulevant des nuages de poussière, secouant les branches des arbres qui gémissaient comme des âmes en peine, et poussant devant lui d'énormes nuées noires.

2. Le baron Richard de Montfort était un seigneur puissant et riche. Son domaine s'étendait dans la vallée de l'Andelle, en Nivernais. De belles forêts pleines de gibier y entouraient les terres de labour, les fins pâturages et les coteaux plantés de vignes. La faim n'aurait pas dû tourmenter trop ce bon pays.
Hélas, le baron dévorait à pleine bouche les récoltes de ses paysans.

3. *10, rue des Frissons*, c'était l'adresse d'une taverne fameuse dans le port d'Amsterdam. Les pirates de la terre entière s'y donnaient rendez-vous pour boire le meilleur rhum du pays et goûter au foudre brûlant, une succulente purée aux pommes acides et au lard salé.

4. 17 décembre 1985 ; un cadavre fut découvert flottant dans le bassin à flot n° 2 des docks de Bacalan dans le port de Bordeaux. L'homme avait été tué d'une balle dans la tête. L'inspecteur Lemaire, qui se chargea des premières constatations, ne découvrit sur lui qu'un pistolet de petit calibre et un morceau de papier sur lequel étaient griffonnés des chiffres : 96 75-79. Ce morceau de papier était la moitié d'une étiquette de bouteille de vin déchirée dans le sens de la largeur. Le nom du château qui figurait au recto était coupé par moitié. On pouvait lire : CHATEAU VIRE…, POM…, 19…

● **Choisis l'un de ces textes et essaie d'imaginer ce qui pourrait se passer ensuite.**

Lorsque tu as reconnu à quel genre appartient un livre, tu peux t'attendre à ce que l'histoire ressemble aux autres histoires du même genre.
Par exemple, dans un roman d'aventures, un héros rencontre beaucoup d'obstacles et surmonte des trahisons. Il court de nombreux dangers dans des pays ou des endroits inconnus de lui.

16 Suspense !

Soupçon

J'ai tout de suite compris qu'il s'était passé quelque chose de grave. Dès que je l'ai vu. Il avait sauté sur mon lit et il se léchait les babines d'une manière qui m'a semblé bizarre. Je ne saurais expliquer pourquoi, mais ça me semblait bizarre. Je l'ai regardé
5 attentivement, et lui me fixait avec ses yeux de chat incapables de dire la vérité.

Bêtement, je lui ai demandé :
— Qu'est-ce que tu as fait ?

Mais lui, il s'est étiré et a sorti ses griffes, comme il fait tou-
10 jours avant de se rouler en boule pour dormir.

Inquiet, je me suis levé et je suis allé voir le poisson rouge dans le salon. Il tournait paisiblement dans son bocal, aussi inin-téressant que d'habitude. Cela ne m'a pas rassuré, bien au contraire. J'ai pensé à ma souris blanche. J'ai essayé de ne pas
15 m'affoler, de ne pas courir jusqu'au cagibi où je l'ai installée. La porte était fermée. J'ai vérifié cependant si tout était en ordre. Oui, elle grignotait un morceau de pain rassis, bien à l'abri dans son panier en osier.

J'aurais dû être soulagé. Mais en regagnant ma chambre, j'ai
20 vu que la porte du balcon était entrouverte. J'ai poussé un cri et mes mains se sont mises à trembler. Malgré moi, j'imaginais le spectacle atroce qui m'attendait. Mécaniquement, à la façon d'un automate, je me suis avancé et j'ai ouvert complètement la porte vitrée du balcon. J'ai levé les yeux vers la cage du canari suspen-
25 due au plafond par un crochet. Étonné, le canari m'a regardé en penchant la tête d'un côté, puis de l'autre. Et moi, j'étais telle-ment hébété qu'il m'a fallu un long moment avant de comprendre qu'il ne lui était rien arrivé, qu'il ne lui manquait pas une plume.

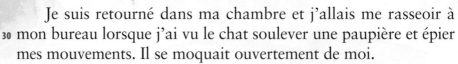

Je suis retourné dans ma chambre et j'allais me rasseoir à
30 mon bureau lorsque j'ai vu le chat soulever une paupière et épier
mes mouvements. Il se moquait ouvertement de moi.

Alors, j'ai eu un doute. Un doute horrible. Je me suis précipité dans la cuisine et j'ai hurlé quand j'ai vu…

Le monstre, il a osé ! Il a dévoré…

35 Je me suis laissé tomber sur un tabouret, épouvanté, complètement épouvanté, complètement anéanti. Sans y croire, je fixais
la table et l'assiette retournée.

Il a dévoré mon gâteau au chocolat !

Bernard Friot, *Histoires pressées*,
coll. Zanzibar, © Milan.

① Explique le titre de cette histoire :
« Soupçon ».

② Recopie la phrase qui fait penser que
le chat a sûrement fait une bêtise.

③ Quelles sont les inquiétudes successives du narrateur ?

④ Dans les lignes 19 à 28, relève les mots
ou les expressions qui montrent que le
narrateur a de plus en plus peur.

⑤ Que penses-tu de la fin de l'histoire ?

⑥ Sais-tu comment s'appelle ce genre
d'histoire courte ?

J'écris **une histoire à suspense**

Imagine une autre histoire sur le modèle de *Soupçon* : tu dois faire monter progressivement l'inquiétude du personnage principal… et du lecteur.

Tu peux reprendre la structure suivante :

J'ai tout de suite compris qu'il s'était passé quelque chose de grave.
Dès que je l'ai vu. Il …… . Inquiet, je …… . Cela ne m'a pas rassuré,
bien au contraire. J'ai pensé à …… . J'ai essayé de ne pas m'affoler,
…… …… .
J'aurais dû être soulagé. Mais …… .

Repère les différents procédés qui permettent d'entretenir le suspense dans une bande dessinée.

Edgar P. Jacobs, *Le Piège diabolique*, © Blake et Mortimer.

Je crée le suspense (1)

 **Laisser le lecteur dans l'attente**

J'observe

■ **Voici une autre façon de raconter l'histoire de *Soupçon*.**

J'ai compris qu'il s'était passé une chose grave. Mon chat avait un air inquiétant. J'ai d'abord pensé au poisson rouge, puis à la souris blanche. Ils étaient en vie. Alors j'ai eu peur qu'il se soit attaqué au canari. Affolé, je suis allé le voir. Mais non, il ne lui était rien arrivé. C'est alors que j'ai pensé à la cuisine. Et là, j'ai été anéanti : le chat a dévoré mon gâteau au chocolat !

■ **Compare cette histoire avec le texte des pages 179-180. Quel texte te semble le plus passionnant ? Pourquoi ?**

Pour qu'une histoire soit palpitante, il faut avant tout que le lecteur s'inquiète, se demande ce qui va arriver. Il est donc nécessaire de donner beaucoup de détails, de décrire les actions, et de les multiplier afin de laisser longtemps celui-ci dans l'attente.

Je m'exerce

■ **Dans ce texte, fais durer le suspense en imaginant les détails de la fuite de Kim.**

Au cours d'un grand jeu dans les bois, Kim est terrorisée par des garçons qui veulent lui faire du mal. La rattraperont-ils ?

Elle se mit à courir aussi vite que possible à travers les bois humides et glissants et s'écarta .... Puis elle quitta le sentier pour .... Ceux de son équipe étaient loin à présent : .... Cherchant désespérément un endroit qui la mettrait à l'abri des regards de Wendy, Kim .... Tout à coup, elle réalisa que .... Elle commençait à être épuisée. Elle .... Elle ....

D'après B. Ashley, *À la poursuite de Kim*, coll. Folio cadet rouge, © Gallimard Jeunesse.

 **Communiquer l'inquiétude du personnage**

J'observe

■ **1. Relève dans les lignes 11 à 28 du texte *Soupçon* les mots et les expressions qui indiquent l'inquiétude du narrateur.**

■ **2. Relis le texte en supprimant toutes ces indications. Le texte crée-t-il encore autant de suspense ?**

Pour augmenter l'inquiétude du lecteur, on peut montrer celle du narrateur ou du personnage principal. On peut utiliser pour cela des mots ou expressions (verbes, adjectifs...) précis, que l'on choisit dans ce but (par exemple « inquiet, horrible, je me suis précipité, mort de peur, le cœur palpitant... »).

Je m'exerce

■ **Continue l'histoire en deux ou trois phrases. Insère dans ton récit des mots ou des expressions qui montrent ce que ressentent les deux garçons.**

Tom et Huck sont à la recherche d'un trésor.

Lorsqu'ils atteignirent la maison hantée, le silence qui y régnait était tellement profond, l'impression de solitude et de désolation qui s'en dégageait était si démoralisante, que tout d'abord ils hésitèrent à s'aventurer à l'intérieur. Peu après, ils s'enhardirent, rampèrent jusqu'à la porte et jetèrent un coup d'œil prudent...

M. Twain, *Les Aventures de Tom Sawyer*, © Mercure de France.

Le comte de Monte-Cristo

*Edmond Dantès est injustement emprisonné au château d'If,
forteresse située dans une île. Un autre détenu, le vieil abbé Faria,
vient de mourir et Dantès prend la place du mort afin de s'évader.*

Maintenant son plan était arrêté.

Voilà ce qu'il comptait faire.

Si pendant le trajet les fossoyeurs[1] reconnaissaient qu'ils por-
taient un vivant au lieu de porter un mort, Dantès ne leur donnait
5 pas le temps de se reconnaître ; d'un vigoureux coup de couteau
il ouvrait le sac depuis le haut jusqu'en bas, profitait de leur terreur et s'échappait. [...]

S'ils le conduisaient jusqu'au cimetière et le déposaient dans
une fosse, il se laissait couvrir de terre ; puis comme c'était la nuit,
10 à peine les fossoyeurs auraient-ils le dos tourné qu'il s'ouvrait un
passage à travers la terre molle et s'enfuyait : il espérait que le
poids ne serait pas trop grand pour qu'il pût le soulever. [...]

Vers l'heure fixée par le gouverneur, des pas se firent
entendre dans l'escalier. Edmond comprit que le moment était
15 venu ; il rappela tout son courage, retenant son haleine ; heureux
s'il eût pu retenir en même temps et comme elle les pulsations
précipitées de ses artères.

On s'arrêta à la porte, le pas était double. Dantès devina que
c'était les deux fossoyeurs qui le venaient chercher. Ce soupçon se
20 changea en certitude quand il entendit le bruit qu'ils faisaient en
déposant la civière.

La porte s'ouvrit, une lumière voilée parvint aux yeux de
Dantès. Au travers de la toile qui le couvrait, il vit deux ombres
s'approcher de son lit. Une troisième à la porte, tenant un falot[2] à
25 la main. Chacun des deux hommes qui s'étaient approchés du lit
saisit le sac par une de ses extrémités.

« C'est qu'il est encore lourd, pour un vieillard si maigre ! dit
l'un d'eux en le soulevant par la tête.

1. *fossoyeurs :*
*personnes qui
creusent des
tombes dans
un cimetière.*
2. *falot : grande
lanterne.*

— On dit que chaque année ajoute une demi-livre au poids
30 des os, dit l'autre en le prenant par les pieds.

— As-tu fait ton nœud ? demanda le premier.

— Je serais bien bête de nous charger d'un poids inutile, dit
le second, je le ferai là-bas.

— Tu as raison ; partons alors. »

35 « Pourquoi ce nœud ? » se demanda Dantès.

On transporta le prétendu mort du lit sur la civière. Edmond
se raidissait pour mieux jouer son rôle de trépassé. On le posa sur
la civière ; et le cortège, éclairé par l'homme au falot, qui marchait devant, monta l'escalier.

40 Tout à coup, l'air frais et âpre de la nuit l'inonda. Dantès
reconnut le mistral[3]. Ce fut une sensation subite, pleine à la fois
de délices et d'angoisses.

Les porteurs firent une vingtaine de pas, puis ils s'arrêtèrent
et disposèrent la civière sur le sol.

45 Un des porteurs s'éloigna, et Dantès entendit ses souliers
retentir sur les dalles.

« Où suis-je donc ? » se demanda-t-il.

« Sais-tu qu'il n'est pas léger du tout ! » dit celui qui était
resté près de Dantès en s'asseyant sur le bord de la civière.

50 Le premier sentiment de Dantès avait été de s'échapper, heureusement il se retint.

« Éclaire-moi donc, animal, dit celui des deux porteurs qui
s'était éloigné, ou je ne trouverai jamais ce que je cherche. » […]

« Que cherche-t-il donc ? se demanda Dantès. Une bêche
55 sans doute. »

Une exclamation de satisfaction indiqua que le fossoyeur
avait trouvé ce qu'il cherchait.

« Enfin, dit l'autre, ce n'est pas sans peine.

— Oui, répondit-il, mais il n'aura rien perdu pour attendre. »
60 À ces mots, il se rapprocha d'Edmond, qui entendit déposer
près de lui un corps lourd et retentissant ; au même moment, une
corde entoura ses pieds d'une vive et douloureuse pression.

« Eh bien, le nœud est-il fait ? demanda celui des fossoyeurs
qui était resté inactif.

65 — Et bien fait, dit l'autre ; je t'en réponds.

— En ce cas, en route. »

Et la civière soulevée reprit son chemin.

On fit cinquante pas à peu près, puis on s'arrêta pour ouvrir
une porte, puis on se remit en route. Le bruit des flots se brisant
70 contre les rochers sur lesquels est bâti le château arrivait plus distinctement à l'oreille de Dantès à mesure que l'on avança.

« Mauvais temps, dit l'un des porteurs, il ne fera pas bon être en mer cette nuit.

— Oui, l'abbé court grand risque d'être mouillé », dit l'autre.

75 Et ils éclatèrent de rire.

Dantès ne comprit pas très bien la plaisanterie, mais ses cheveux ne s'en dressèrent pas moins sur sa tête.

« Bon, nous voilà arrivés ! reprit le premier.

— Plus loin, plus loin, dit l'autre, tu sais bien que le dernier

80 est resté en route, brisé sur les rochers, et que le gouverneur nous a dit le lendemain que nous étions des fainéants. »

On fit encore quatre ou cinq pas en montant toujours, et Dantès sentit qu'on le prenait par la tête et par les pieds et qu'on le balançait.

85 « Une, dirent les fossoyeurs.

— Deux.

— Trois ! »

En même temps, Dantès se sentit lancé, en effet, dans un vide énorme, traversant les airs comme un oiseau blessé, tombant,

90 tombant toujours avec une épouvante qui lui glaçait le cœur. Quoique tiré en bas par quelque chose de pesant qui précipitait son vol rapide, il lui sembla que cette chute durait un siècle. Enfin, avec un bruit épouvantable, il entra comme une flèche dans une eau glacée qui lui fit pousser un cri, étouffé à l'instant

95 même par l'immersion.

Dantès avait été lancé dans la mer, au fond de laquelle l'entraînait un boulet de trente-six attaché à ses pieds.

La mer est le cimetière du château d'If.

Alexandre Dumas, *Le Comte de Monte-Cristo*,
Le livre de poche, © Hachette.

1 Qui sont les personnages ?

2 Retrouve les passages où l'on parle du nœud. En quoi est-ce important pour l'histoire et pourquoi est-ce inquiétant ?

3 Le lecteur découvre les événements comme s'il était l'un des personnages. Lequel ? Cite des passages où ce procédé produit du suspense.

4 Comment comprends-tu la plaisanterie du fossoyeur à la ligne 74 ?

5 Les deux derniers paragraphes sont-ils la fin de l'histoire ou la fin d'un épisode ?

6 Le titre *Soupçon* conviendrait-il aussi pour ce texte ? Donne des arguments.

7 Propose un titre pour cet épisode.

J'écris une suite d'histoire

1 Tu vas imaginer la suite de l'histoire d'Edmond Dantès : où se trouve le personnage ? Échappera-t-il à la mort ? Que va-t-il faire, selon toi ?

2 Écris cette suite. N'oublie pas de montrer que le héros est dans une situation dramatique. Essaie de faire partager son angoisse.

Des mots pour mieux écrire

Voici des mots et des expressions qui se rapportent à des actions ou sensations en rapport avec l'air ou l'eau :

suffoquer - retenir son souffle - respirer à pleins poumons - avoir le souffle court - se noyer - être asphyxié - manquer d'air - être englouti - chavirer - bloquer sa respiration - étouffer - perdre pied - couler à pic - souffler - être oppressé - être submergé - sombrer.

1 Classe-les en deux colonnes dans un tableau comme ci-dessous. (Si tu ne connais pas le sens de certains mots, utilise un dictionnaire.)

air	eau
……	……

2 Quels sont ceux qui conviennent à la situation d'Edmond Dantès lorsque celui-ci est jeté à la mer ?

Pistes de lecture

Rien ne peut arracher Lola à la lecture d'un livre palpitant !

Si tu aimes les histoires de pirates, écoute le perroquet El Papagayo…

Rejoins Tom sur les bords du Mississippi et cours avec lui mille dangers…

Yvan Pommaux, *Un livre palpitant*, Sorbier.

Marie-Raymond Farré, *Les Aventures de Papagayo*, Folio cadet, Gallimard.

Mark Twain, *Les Aventures de Tom Sawyer*, coll. Chefs-d'œuvre universels, Gallimard.

Je crée le suspense (2)

Imaginer une chute

J'observe

■ **Voici deux autres idées de fin pour le chapitre de *Monte-Cristo* que tu viens de lire :**

A. Edmond est enterré dans un cimetière, il creuse la terre meuble et s'échappe.

B. Edmond éternue alors qu'il est porté par les fossoyeurs, il est démasqué et se bat avec ses gardiens.

■ **Compare ces fins possibles avec celle que tu as lue p. 185. Laquelle provoque le meilleur effet de surprise ? À quoi cela est-il dû ?**

Une nouvelle (une histoire courte) et certains épisodes d'un roman d'aventures ont une « chute », c'est-à-dire une fin inattendue. Cette surprise fait partie du plaisir du lecteur.

Je m'exerce

■ **Imagine une chute pour cette histoire.**

La chouette a dit à Mathieu : « La richesse t'attend au bout du chemin, mais, pour la trouver, tu dois ne jamais t'arrêter et arriver avant le coucher du soleil. Ce sont les ordres. »
Hélas ! Au milieu de la pente, ils rencontrèrent la vache qui meuglait si désespérément que Mathieu ne put faire autrement que de s'arrêter…
– Ma pauvre, dit-il à la vache, je comprends bien ton problème, mais je suis très pressé…
Enfin… Je ne peux vraiment pas te laisser comme cela !
La chouette haussa les épaules d'un air résigné, en regardant Mathieu traire la vache. Quand le garçon eut fini, le soleil n'était plus qu'un point d'or scintillant au sommet de la montagne. Alors il se mit à courir, à courir…
Il apercevait la grotte qui luisait dans le soir et, au centre, l'or et les diamants. Il allait réussir à y entrer avant que le soleil ne disparaisse… non… le dernier rayon hésita, puis mourut derrière la montagne.

É. Brisou-Pellen, *Le trésor des deux chouettes,*
© Rageot Éditeur.

Faire rebondir l'action

J'observe

■ **1. Lis la bande dessinée de la p. 181. Quelle question peux-tu te poser à la 4e vignette ? à la 6e vignette ? à la 8e vignette ? à la fin de la page ?**

■ **2. Fais la liste des événements et des actions qui font rebondir l'intérêt.**

Souvent, la dernière vignette d'une B.D. donne envie de tourner la page. De même, dans un roman d'aventures, un chapitre se termine souvent par l'attente d'un rebondissement : le lecteur se demande comment le héros va se tirer d'un mauvais pas. Le chapitre suivant donne la solution… tout en créant un nouveau suspense !

Je m'exerce

■ **1. Imagine (sous la forme d'une liste d'actions ou d'événements) ce qui va se passer dans la suite de la B.D. *Le Piège diabolique*. Discute avec tes camarades des différentes suites auxquelles vous avez pensé. Sélectionnez celles qui permettent le mieux de faire rebondir l'action pour maintenir le lecteur en haleine.**

■ **2. Reprends des textes que tu as déjà lus dans ton manuel *L'Île aux mots*.**
Donne des exemples de textes :
– qui se terminent par une chute et qui sont achevés ;
– qui maintiennent le lecteur en haleine à la fin (c'est la fin d'un chapitre et non celle de l'histoire).

Tu devais imaginer la suite des aventures d'Edmond Dantès et faire partager aux lecteurs l'inquiétude de la situation (voir p. 186).

1 Avec plusieurs camarades, échangez vos textes. Essayez entre vous de relever les idées qui vous semblent intéressantes et d'en trouver de nouvelles qui pourraient améliorer certains passages.

2 Révisez vos textes en vous aidant de la rubrique « Des mots pour mieux écrire » (voir p. 186) et de la grille ci-dessous.

1. J'ai maintenu le lecteur dans l'attente en ne dévoilant pas trop vite le déroulement des actions.

2. J'ai fait partager l'inquiétude d'Edmond Dantès en révélant au lecteur les interrogations du personnage.

3. J'ai conservé l'attention du lecteur en faisant rebondir l'action.

4. J'ai trouvé une chute.

Récréation

Le château d'If existe bien. Il se trouve sur un îlot rocheux, à quelques kilomètres au large de Marseille. Construit au XVIe siècle, à la demande de François Ier, ce rude château à trois tours (la plus haute s'élève à 24 m au-dessus de la mer) a joué un rôle défensif, puis il a servi de prison dès la fin du XVIIe siècle. Cette forteresse reçut de nombreux prisonniers, mais dut sa célébrité à l'imagination d'Alexandre Dumas qui y enferma les héros de son roman *Le Comte de Monte-Cristo*.

Énigmes et enquêtes

Le cheval sans tête

Le cheval sans tête, un vieux tricycle récupéré dans un terrain vague, est pour Fernand Douin un cadeau magnifique : lui et ses copains de la bande à Gaby passent leur temps libre sur le cheval, à dévaler les rues de leur coin de banlieue. Mais deux individus à la mine sinistre s'intéressent bizarrement au cheval.

Les inconnus attendirent le mardi suivant pour prendre contact avec la bande. Il n'était pas loin de cinq heures, mais le ciel était découvert du côté de l'ouest et le couchant empourprait[1] magnifiquement la voûte nuageuse, qui réfléchissait un jour
5 tendre et rose dans la rue des Petits-Pauvres.

La moitié de la bande était restée avec le grand Gaby devant la maison des Douin, les autres attendaient sur le chemin de la Vache Noire, hurlant d'excitation chaque fois que le cheval débouchait du virage. Le petit Bonbon, comme à son habitude,
10 faisait le flic au coin de la rue Cécile. Zidore venait de prendre son deuxième départ ; on l'avait vu traverser le carrefour à toute allure en poussant des cris de porc égorgé. Trois minutes passèrent, mais la rue resta vide. Zidore ne remontait pas.

« Qu'est-ce qu'il fabrique donc ? » grogna Juan-l'Espagnol,
15 qui attendait son tour avec impatience. Depuis deux jours, on était tranquille, et Gaby ne pensait même plus aux histoires de M. Douin. Il se réveilla soudain :

« Venez ! cria-t-il aux autres. Vite... »

Ils descendirent en courant jusqu'au fond de la rue. Fernand,
20 Zidore et les trois filles discutaient âprement[2] avec les deux types en canadienne. L'un de ceux-ci avait empoigné le guidon du cheval sans tête, et il essayait de l'attirer à lui par grandes secousses ; mais Berthe et Marion se cramponnaient solidement à la roue droite, Zidore et Fernand à la roue gauche, Mélie aux moignons[3] des
25 pattes arrière, et tous les cinq braillaient à tue-tête, soutenus par les douze chiens de Marion qui se pressaient en aboyant derrière le grillage du jardin. L'homme lâcha prise en voyant surgir du renfort.

1. *empourprait :* colorait de rouge.
2. *âprement :* d'une manière rude.
3. *moignons :* ce qu'il reste de membres amputés ; ici, les montants métalliques du tricycle.

« Ils veulent nous acheter le cheval ! cria Fernand à Gaby.
30 Nous, on ne veut pas le vendre…

— Dix mille balles ! s'écria le plus grand des deux. Ce n'est
pas rien : pour ce prix vous aurez un cheval neuf, avec les pédales,
la tête et tout !

— Des clous ! riposta Gaby d'une voix mauvaise. Il y a des
35 années qu'on n'en fait plus comme celui-là. Ce cheval est à
Fernand ; nous n'avons que cela pour nous amuser, nous autres !
Il n'a pas de prix…

— Tu l'entends, Pépé ? ricana l'homme en se retournant vers
son compagnon. Ils ont la tête dure… »

40 L'autre déboutonna lentement sa canadienne, sortit un gros
portefeuille.

« Assez de salades ! dit-il d'une voix menaçante. Voilà l'argent !
prenez-le et fichez le camp : il nous faut ce cheval !

— Vous ne l'aurez pas ! » répliqua Gaby d'un ton résolu.

45 D'une légère poussée, Fernand avait fait reculer furtivement
le cheval contre la grille. Les dix gosses s'étaient alignés le long
du trottoir pour le défendre, leurs figures blondes ou brunes illu-
minées par l'horizon flamboyant. Les deux inconnus, sombres,
carrés, massifs, se découpaient à contre-jour devant le talus
50 gazonné. Au fond du Clos Pecqueux, la silhouette rouillée de la
Vache Noire[4] surveillait cette scène étrange.

« Nous allons te faire comprendre la chose autrement » grogna le nommé Pépé en faisant un pas vers le grand Gaby. […]

« Vous n'aurez pas le cheval, répéta Gaby avec assurance.
55 Vous ne l'aurez pas davantage en nous tapant dessus. Vous êtes
deux gros pépères, mais ça ne me fait pas peur… »

Les petits yeux de cochon de Pépé se mirent à briller.

« Attends, petit ! je vais te mettre mon pied quelque part,
marmonna-t-il entre ses dents.

60 — Je parie bien que non ! gouailla[5] Gaby. Il n'y a que Papa
qui se le permette, et encore je lui fais faire le tour du quartier
avant de me laisser rejoindre. »

Tous les gosses éclatèrent de rire.

« On y va, Pas-Beau ? fit Pépé en se tournant vers son cama-
65 rade. Commençons par moucher[6] celui-là… »

Marion siffla. Pépé bondissait déjà vers Gaby, qui s'était
ramassé sur ses jarrets. Le voyou reçut dans l'estomac un beau
coup de tête qui ne parut pas lui faire de bien ; il se plia en deux
et bascula en geignant dans le ruisseau. À son tour, le nommé Pas-
70 Beau tomba sur Gaby à bras raccourcis. C'est à ce moment que
surgit le premier chien.

4. la Vache Noire :
*une vieille
locomotive
abandonnée sur
une ancienne voie
de garage.*
5. gouailla :
se moqua.
6. moucher :
remettre à sa place.

C'était Hugo, le braque[7]. [...] Pas-Beau le reçut sur les épaules et se mit à hurler de terreur en gigotant sous les morsures. En se relevant, Pépé se trouva nez à nez avec Fritz et César qui
75 tournaient ventre à terre le coin de la rue. Le danois ouvrait une gueule aussi large qu'un moule à gaufres.

Les trois chiens haletants, leurs gros yeux brillant comme de la braise, commencèrent à dépouiller les truands de leurs canadiennes [...]. Ils arrachaient la toile à grands coups secs [...].
80 Un vrai régal ! Les deux hommes se roulaient à terre, la tête au creux du bras, ruant pour sauver leurs cuisses et leurs mollets. Les douze pensionnaires de Marion orchestraient bruyamment la curée derrière leur grillage.

« Au secours ! au secours ! » cria Pas-Beau d'une voix éraillée.

Paul Berna, *Le cheval sans tête*, © Rouge et Or.

7. **braque** : *chien de chasse.*

1 Dans le premier paragraphe, relève tous les éléments qui situent le moment où se déroule l'histoire.

2 Où l'action se passe-t-elle ?

3 Fais la liste des personnages et relève les mots qui les désignent.

4 Classe les personnages en deux groupes : les agresseurs et les victimes.

5 Quel renfort permet aux enfants de repousser leurs agresseurs ?

6 Lis à voix haute les dialogues avec tes camarades en tenant compte des indications données sur le ton des échanges.

7 Cet extrait se situe au début d'un roman policier. As-tu une idée de l'énigme que Gaby et sa bande vont devoir résoudre ?

J'écris une scène d'interrogatoire

Pépé et Pas-Beau ont été mis en fuite. Cependant, ils reviennent dès le lendemain et réussissent cette fois à voler le cheval sans tête. Les dix enfants se rendent au commissariat.

L'inspecteur Sinet reprit l'interrogatoire :
« Il me faut maintenant un signalement précis des deux chenapans, dit-il aux enfants. Vous allez me les décrire l'un après l'autre. Attention, n'inventez rien ! »

Rédigez les réponses de quelques-uns des enfants, en tenant compte de ce que vous savez des voleurs.

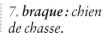

Je crée les personnages d'un roman policier

Classer les personnages selon leur rôle

J'observe

Qui a tué Minou Bonbon ? Nico a trouvé son chat Minou Bonbon tué à coups de bâton. Il veut retrouver l'assassin.

La Puce, détective rusé. Qui saccage les boulangeries pâtisseries ? La Puce mène l'enquête.

La bande mouchetée. Sherlock Holmes doit élucider une étrange affaire. Julie Stoner est morte brutalement. Pourquoi ce sifflement dans sa chambre ? Quelle est cette bande mouchetée dont elle parlait dans son agonie ? Le brutal Dr Roylott, son beau-père, est-il coupable ?

■ **1. Fais la liste des principaux personnages de ces trois romans policiers.**

■ **2. Classe les personnages selon le rôle qu'ils jouent dans l'histoire.**

⋮ *Dans une énigme policière, les principaux*
⋮ *personnages se répartissent selon leur rôle :*
⋮ *la victime, le coupable et celui qui mène*
⋮ *l'enquête. On peut introduire également des*
⋮ *suspects et des témoins.*

Je m'exerce

■ **Fais correspondre à chaque personnage le rôle qu'il pourrait jouer :**

a. Enquêteur. **b.** Victime. **c.** Suspect.
d. Coupable. **e.** Témoin.

1. Mme Lepic, une dame âgée qui vit seule.

2. Mme Lefèvre, la femme de ménage de Mme Lepic.

3. Alain Régnier, un ancien collègue de bureau, ami de Mme Lepic.

4. Hervé Leroi, beau-frère de Mme Lepic, qui déteste celle-ci.

5. Le commissaire Maillard, un as de la PJ.

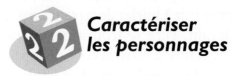

Caractériser les personnages

J'observe

A. Hercule Poirot était un homme au physique extraordinaire. Malgré son petit mètre soixante-deux, il était l'image même de la dignité. Son crâne affectait une forme ovoïde, et il tenait toujours la tête légèrement penchée de côté. [...] Le soin qu'il apportait à sa tenue était presque incroyable, et je suis enclin à penser qu'il aurait souffert davantage d'un grain de poussière dans ses vêtements que d'une blessure par balle.

A. Christie, La mystérieuse affaire de Styles,
Le Masque, n° 106.

B. Derrière le comptoir, un homme mal rasé lisait un bouquin bon marché. [...] Il portait une chemise crasseuse, un blue-jean d'où s'échappait un estomac volumineux qui lui tombait sur les genoux, et mâchonnait un mégot de cigare éteint depuis au moins une semaine. Il tourna une page, grogna, et poursuivit sa lecture.

« Jack Splendide ? » s'enquit Herbert.

A. Horowitz, Le faucon malté, coll. Vertige Policier,
© Hachette Livre.

■ **1. Relève les noms et les caractéristiques des personnages.**

■ **2. D'après toi, comment leurs noms et leurs caractéristiques ont-ils été choisis ?**

⋮ *Pour caractériser un personnage, on choisit*
⋮ *un nom, un détail physique, un trait moral en*
⋮ *rapport avec son rôle dans l'histoire policière.*

Je m'exerce

■ **Choisis un nom dans la liste. Donne un rôle dans une histoire policière au personnage que tu as choisi. Décris-le.**

Gustave Petitpas Nestor Lafouine
Cindy Stone Nicolas Flemmardon
Ginette Latasse Carole Trémince

Sans Atout
contre l'Homme à la dague

François Robion, surnommé Sans Atout, et son père, un avocat, passent des vacances chez M. Royère, un collectionneur de tableaux. L'Homme à la dague est le chef-d'œuvre de sa collection. Mais deux événements étranges se produisent : un autre tableau placé dans la même pièce est lacéré, comme à coups de dague. Très vite on trouve une lettre : « Je ne resterai pas un jour de plus dans votre maison. »

— Je ne dis pas que j'ai une théorie, expliquait-il[1], mais il me semble que j'aperçois les grandes lignes de cette affaire… Combien vaut le tableau, à l'heure actuelle ?

— À peu près un million. On ne sait jamais comment peut

5 tourner une vente aux enchères. Mais je crois qu'on peut retenir ce chiffre.

— Le tableau mérite donc largement qu'on se donne la peine de le voler. Ce sera mon hypothèse de départ : on veut le voler. On commence par vous mettre en condition. On lacère une toile sans

10 valeur, comme si l'Homme à la dague, conscient d'être un chef-d'œuvre, était incapable de supporter la vue d'une croûte. C'est bien cela, n'est-ce pas ? Et vous m'accorderez que, dès qu'on formule clairement cette idée, elle apparaît dans toute son absurdité. Il n'empêche, le doute est semé. L'angoisse va se manifester aussitôt.

15 Le châtelain saisit le bras de maître Robion.

— Continuez, dit-il. Vos paroles me font du bien.

— Deuxième épisode : la lettre. Qu'est-ce qu'elle sous-entend ? Que l'Homme à la dague va quitter le château en dépit de toutes les précautions que vous pourrez prendre. Et vous voilà déjà en

20 état d'infériorité, parce que vous commencez à croire à la menace. Votre voleur a la partie bien en main. Il n'a plus devant lui qu'une victime terrorisée.

— C'est vrai, avoua Royère.

— Dès lors, que va-t-il faire ? Là, nous avons le choix entre

25 plusieurs possibilités. J'admets, bien entendu, qu'il se cache quelque part, soit dans la maison, soit à l'extérieur.

1. *il : maître Robion, le père de Sans Atout.*

— Nous avons fouillé, objecta le châtelain.

— Pas exactement. Vous avez fait un rapide inventaire pour vous assurer que rien n'avait été volé. C'est tout différent. Je
30 reprends donc. Notre voleur attend la nuit pour agir. Quand l'heure est venue, il ouvre une porte ou une fenêtre. Peut-être a-t-il des complices ? Et ni vous ni vos domestiques ne bougez, parce que vous êtes déjà à demi, sinon complètement, résignés.

— Mais ensuite ? interrogea Royère. À qui revendrait-il le
35 tableau ?

— Sans doute à vous. C'est ordinairement ainsi que les choses se passent.

On arrivait à la bibliothèque. Royère offrit des fauteuils et s'assit devant son bureau. Il paraissait très malheureux.
40 — Seulement, reprit l'avocat, le plus beau plan du monde ne peut tout prévoir.

« Ce qu'il est malin, papa, pensait Sans Atout. En trois minutes, il nous a tous mis dans sa poche, et sans rien prouver. Il suppose. C'est facile. Il est vrai qu'il cherche surtout à nous rassurer. »
45 — Et ce que le malfaiteur n'a pas prévu, continuait maître Robion, c'est notre visite, le jour même où il a lacéré cette méchante toile. Car vous n'êtes plus seul, cher monsieur. Nous sommes trois[2].

— Quatre, rectifia Sans Atout.

L'avocat sourit.
50 — Soit. Nous sommes quatre. Et à nous quatre, nous allons organiser votre défense. [...]

— Eh bien, si vous voulez, dit l'avocat, nous allons d'abord fermer partout et ensuite nous inspecterons toutes les pièces. Commençons par le salon bleu.
55 Royère, devant ses invités, ferma les volets des deux fenêtres. [...] La bibliothèque, à son tour, fut soigneusement close. Maître Robion donna un tour de clef à la porte qui faisait communiquer cette pièce avec le grand salon et tendit la clef à Royère.

— Y en a-t-il d'autres ? demanda-t-il.
60 — Non. C'est la seule.

— Parfait. De cette façon, nous sommes sûrs que personne ne peut entrer de ce côté. Ici, tout est en ordre. Je ferme devant vous la porte-fenêtre... Et maintenant, les deux fenêtres... Voilà.

L'Homme à la dague observait les allées et venues avec beau-
65 coup d'intérêt. Maître Robion alluma le grand lustre et, sous le masque, les yeux du portrait brillèrent.

— Je vous propose de laisser entrouverte la porte qui sépare ce salon de la salle à manger, continua l'avocat. On n'a tout de même pas besoin de monter la garde ici. Ce serait un peu ridicule.

2. *Les personnages sont accompagnés par le médecin de M. Royère.*

70 Le châtelain approuva. Cécile achevait de mettre le couvert.

— Pendant que nous y sommes, Cécile, dit Royère, nous allons aussi boucler votre cuisine. Défense d'ouvrir, jusqu'à demain matin. [...]

— Cette fois, je crois que toutes les précautions sont prises.
75 Toutes les issues sont fermées. [...] Et si l'on veut entrer dans le grand salon, il faut passer par cette pièce où nous sommes.

— Eh bien, à table, dit le châtelain. Je me sens, grâce à vous, mes bons amis, complètement rassuré. Merci. [...]

Maître Robion donna, aussitôt, un tour plus plaisant à la
80 conversation. Il connaissait tant d'anecdotes ! [...] Cécile servit le café.

— Quand vous sortirez, dit Royère, fermez la porte du couloir. Elle nous envoie dans les jambes un courant d'air désagréable.

— Elle est fermée, Monsieur, répondit Cécile.

85 Le châtelain fronça les sourcils.

— Mais voyons… ce courant d'air…

Il se dressa brusquement, courut à la porte du grand salon et poussa un cri étouffé. Sans Atout était déjà près de lui. Le tableau avait disparu. La porte-fenêtre était ouverte. Le vent de la nuit
90 agitait doucement les tentures[3]. Sans Atout bondit dans le jardin.

— Là-bas ! cria-t-il. Là-bas, je le vois !

Une haute silhouette s'effaçait déjà dans l'ombre. Sans Atout avait eu le temps de reconnaître la cape rouge. L'Homme à la dague venait de s'enfuir.

Boileau-Narcejac, *Sans Atout contre l'Homme à la dague*,
© Rageot-Éditeur.

3. **tentures** : tissus tendus le long d'un mur ou d'une porte.

❶ Vrai ou faux ?
a) Quelqu'un menace M. Royère de lui voler son tableau, *L'Homme à la dague*.
b) On veut faire croire à M. Royère que le personnage du tableau est vivant et va s'enfuir.
c) Maître Robion aide M. Royère à barricader la maison.
d) Les précautions prises permettent d'éviter le vol.

❷ Quels sont les personnages désignés par les noms suivants : Sans Atout (l. 42), le châtelain (l. 15), l'avocat (l. 40), papa (l. 42) ?

❸ Quel mystère s'installe à la fin de cet extrait ?

❹ Quelle sera, selon toi, la suite de l'histoire ? Note tes idées.

le dossier d'une enquête

L'enquête sur le vol du tableau *L'Homme à la dague* commence. Avec tes camarades, tu vas réaliser le dossier de cette enquête.

1 Que devra contenir ce dossier ? Le plan des lieux, le procès-verbal des interrogatoires des différents témoins, les articles de presse consacrés à l'événement, peut-être les empreintes relevées sur place, la description précise de l'objet volé…
Lorsque vous aurez établi la liste complète du dossier, répartissez-vous le travail : chacun de vous réalisera une pièce du dossier.

2 Fabrique la pièce du dossier qui t'a été attribuée.

Des mots pour mieux écrire

1 Dans les phrases suivantes, essaie d'expliquer ce qui crée une atmosphère de mystère et d'inquiétude :
Les deux inconnus, sombres, carrés, massifs, se découpaient à contre-jour. *(Le cheval sans tête)*
La silhouette s'effaçait dans l'ombre. *(Sans Atout)*
Cet après-midi-là, il pleuvotait, un petit crachin qui piquait les paupières. *(Du rififi dans les poireaux)*
Ça s'est passé la semaine après les vacances de Toussaint, en novembre. Je déteste novembre. Ma mère dit que novembre, c'est le mois des suicidés. Elle dit que c'est à cause du noir tôt le soir et de la pluie. Mais ça n'a pas joué dans l'histoire. *(Faux ami)*
Une brume argentée remplissait la rue Jules-Verne et lui donnait un aspect inhabituel. *(On a mangé l'alphabet)*

2 Complète la liste en cherchant d'autres expressions dans les textes de cette unité et dans d'autres romans policiers.

Pistes de lecture

Si tu aimes le mystère, pars avec Mathilde, Rémi et Pierre-Paul à la recherche de leur professeur.

Avec ses amis, Émile met tout en œuvre pour retrouver son argent. Le voleur ne sait pas ce qui l'attend.

Jean-Philippe Arrou-Vignod,
Le professeur a disparu,
Folio junior, Gallimard.

Erich Kästner,
Émile et les détectives,
Livre de Poche Jeunesse, Hachette.

✦ Yvan Pommaux,
On a volé l'Angelico,
J'aime lire, Bayard.

✦✦ Roderic Jeffries,
Les horloges de la nuit,
Pleine Lune, Nathan.

✦✦✦ Arthur Conan Doyle,
Les aventures de Sherlock Holmes,
Castor Poche, Flammarion,
2 tomes.

Je crée le mystère

Raconter un méfait

J'observe

■ **Quelles ressemblances remarques-tu entre les débuts de romans policiers que tu as lus dans cette unité et les débuts résumés ci-dessous ?**

Le mystère de la chambre jaune. On a entendu Mlle Stangerson crier au secours. Son père a voulu se précipiter, mais la porte et les volets étaient fermés de l'intérieur. Il n'y a pas d'autre issue. On force la porte et on découvre la victime gravement blessée et seule !

Qui a volé l'Angelico ? En regardant le journal télévisé, Jeannot apprend qu'un chef-d'œuvre de Fra Angelico a été volé en Italie, à Florence. Et voilà que la police soupçonne l'oncle Louis, le plus honnête homme qui soit ! Est-ce possible qu'il ait volé le tableau ?

Une énigme policière commence par le récit d'un méfait : un vol, un meurtre, un enlève-ment… On ne sait pas qui est le coupable ou pourquoi le méfait a été commis.

Je m'exerce

■ **Reprends la liste des personnages présentés en bas de la première colonne de la page 192. Imagine et rédige la scène où l'on découvre le méfait en faisant intervenir chaque personnage.**

Décrire les circonstances

J'observe

■ **Dans *Le mystère de la chambre jaune*, voici le témoignage du domestique qui a découvert le meurtre.**

Mademoiselle, dans sa chemise de nuit, était par terre, au milieu d'un désordre incroyable. Tables et chaises avaient été renversées, montrant qu'il y avait eu là une sérieuse « batterie ». […] Elle était pleine de sang avec des marques d'ongles terribles au cou. […] Nous cherchions l'assassin […] mais comment expliquer qu'il n'était pas là, qu'il s'était déjà enfui ? […] Nous n'avons retrouvé que ses traces ; les marques ensanglantées d'une large main d'homme sur les murs, et sur la porte, un grand mouchoir rouge de sang, sans aucune initiale, un vieux béret et la marque fraîche, sur le plancher, de nombreux pas d'homme.

G. Leroux, *Le mystère de la chambre jaune.*

■ **Qu'apprends-tu de plus que dans le résumé de la colonne de gauche ?**

En décrivant les circonstances du crime, l'auteur glisse des indices et des fausses pistes. Ces détails permettront au détective d'éclaircir le mystère.

Je m'exerce

■ **Insère des détails pour mieux décrire les circonstances du méfait.**

Elle tâtonna pour trouver le bouton de l'interrupteur et appuya : la lumière éclaira la boutique. Madame Leroi, horrifiée, fit un bond en arrière et se colla contre la porte…

Son magasin avait été sauvagement saccagé. […] Elle hurla.

S. Cohen-Scali, *La Puce, détective rusé*, © Casterman.

Avant de rassembler toutes les pièces du dossier avec tes camarades, assure-toi que ce que tu as fait ressemble à une vraie pièce : montre ton travail à un(e) camarade et utilisez ensemble la case de la grille qui correspond à ton « document ».

1. *Interrogatoire :* les réponses du témoin donnent tous les détails des circonstances, en fonction de ce qu'il a pu voir et entendre.

2. *Plan des lieux :* il comporte des renvois à une légende, avec les principaux événements (« La bibliothèque : c'est ici qu'on a retrouvé la lettre », etc.).

3. *Description du tableau volé :* il décrit ce portrait et montre que le personnage a l'air vivant et qu'il a une allure terrible.

4. *Article de journal :* le récit de ce fait divers donne l'ensemble des faits, insiste sur les détails étranges et sensationnels, utilise des expressions qui renforcent l'impression de mystère.

5. *Empreintes :* le texte qui accompagne la « photo » des empreintes montre la valeur de cet indice.

Récréation

Règles pour écrire une énigme policière

Un auteur américain de romans policiers, S. S. Van Dine, a énoncé vingt règles pour écrire une énigme criminelle. En voici certaines.

1. Le lecteur et le détective doivent avoir des chances égales de résoudre le problème. Tous les indices doivent être pleinement énoncés et décrits en détail.

6. Dans tout roman policier, il faut, par définition, un policier. Or, ce policier doit faire son travail et il doit le faire bien. Sa tâche consiste à réunir les indices qui nous mèneront à l'individu qui a fait le mauvais coup dans le premier chapitre.

10. Le coupable doit toujours être une personne qui ait joué un rôle plus ou moins important dans l'histoire, c'est-à-dire quelqu'un que le lecteur connaisse et qui l'intéresse.

15. Le fin mot de l'énigme doit être apparent tout au long du roman, à condition, bien sûr, que le lecteur soit assez perspicace pour le saisir. Je veux dire par là que si le lecteur relisait le livre une fois le mystère dévoilé, il verrait que, dans un sens, la solution sautait aux yeux dès le début, que tous les indices permettaient de conclure à l'identité du coupable et que, s'il avait été aussi fin que le détective lui-même, il aurait pu percer le secret sans lire jusqu'au dernier chapitre.

Cité par M. Lits, *L'énigme criminelle*, 1991,
© Éd. Didier Hatier.

Voyages dans l'espace

La fille de Terre Deux

Évilys est une jeune fille de Terre Deux, une planète à la civilisation plus avancée que la nôtre. En voyage sur notre Terre, elle devient l'amie de Sylvie. « Mais Terre Deux, est-ce vraiment si bien ? », se demande Sylvie.

Évilys la regarda avec un sourire narquois, puis elle se pencha sur sa mallette. Elle en sortit la petite sphère hérissée[1] et une trousse où se trouvait compressée une étrange étoffe. Dépliée, elle affectait la forme d'une combinaison.

5 — Déshabille-toi, glisse-toi là-dedans et tu visiteras ma chambre, assura Évilys. Tu n'as pas peur, j'espère ? Je ne suis pas venue sur Terre Douze pour enlever les filles de mon âge. Il ne va rien t'arriver.

Sylvie hocha la tête. Elle voulait se persuader que la combi-
10 naison était un vêtement anodin[2]. [...]

— Jusqu'en haut, dit Évilys qui s'était retournée. Ta tête doit être recouverte.

— Mais je vais étouffer !

— Aucun risque, on est faites pareil, toutes les deux.

15 Sylvie étira le tissu au-dessus de sa tête et la fermeture magnétique emprisonna son visage. Elle eut un instant de panique, mais elle respirait sans entraves. Et, ouf ! elle entendait toujours Évilys.

— Le combi est tapissé de capteurs. Dans un instant, tu vas
20 parcourir ma chambre comme si tu t'y trouvais physiquement. Tu pourras toucher les objets, sentir les odeurs… Dommage que je ne dispose pas d'un deuxième combi. J'aurais aimé t'accompagner. [...]

Et d'un seul coup, Sylvie fut ailleurs. Elle ne put retenir un cri
25 d'admiration. Elle avait l'impression de contempler la huitième merveille du monde. Elle se trouvait dans une grande pièce à niveaux multiples où s'ouvraient plusieurs alvéoles. Le soleil

1. *la petite sphère hérissée :*
c'est un projecteur de films en trois dimensions.
2. *anodin :*
sans danger.

entrait à flots par d'immenses baies vitrées en arcades. L'une d'elles était ouverte, on entendait des oiseaux chanter.

— Alors, ça te plaît ? dit une voix qui semblait surgir du néant.

Sylvie sursauta, puis se rappela qu'elle n'était pas sur Terre Deux mais toujours dans sa chambre, en compagnie d'Évilys.

— Attends, s'écria-t-elle, surexcitée. Je commence juste d'explorer.

Elle monta deux marches, pénétra dans un alvéole où se trouvait une console qui ressemblait à un terminal d'ordinateur et
40 que couronnait un vaste écran de forme concave. Elle effleura l'écran et le vit avec surprise s'éclairer tandis qu'une voix chaleureuse disait : « Prête pour ta leçon, Évilys ? » Mystifiée[3], secouant la tête, Sylvie s'écarta.

Un peu plus loin, en contrebas cette fois, un autre alvéole
45 donnait accès au coin toilette. Dans une vasque-coquillage, de l'eau se mit à cascader et Sylvie sentit monter une vapeur au parfum de vanille. Elle avança ses mains sous la cascade. L'eau lui parut si délicieusement tiède et souple qu'elle dut se retenir pour ne pas sauter dans la vasque.

Derrière celle-ci s'ouvrait une cabine hexagonale où elle cherchait en vain une pomme de douche.

— C'est quoi, ce truc ? s'étonna-t-elle. Ce n'est pas une cabine de douche ?

— C'en est une, dit la voix désincarnée d'Évilys. À ultrasons.

Cela décrasse plus vite et mieux. Sur Terre Deux, on ne se baigne que pour le plaisir.

Sylvie hocha la tête et poursuivit son exploration. Ici, ce devait être le coin loisirs. Il abritait des jeux inconnus et une collection impressionnante de livres et de cassettes. Un fauteuil relax invitait à la lecture. Sylvie saisit l'un des volumes. Les illustrations ne correspondaient à rien de ce qu'elle connaissait. Elles semblaient sortir de la page et montraient des lieux ou des animaux inconnus.

En s'approchant de l'alvéole dévolu au sommeil, Sylvie vit
65 osciller un lit qui flottait tel un bateau dans un bassin empli d'une substance argentée analogue au mercure. Elle fit un bond en arrière quand une créature en jaillit.

— N'aie pas peur, dit la voix d'Évilys. Si j'en juge par ta réaction, tu viens de rencontrer Pistache, ma chimère. Elle ne ferait pas
70 de mal à une mouche. Caresse-la, tu vas voir comme elle est douce.

3. mystifiée :
trompée, dupée.

Pistache s'étirait sur le sol avec une grâce féline. Sur son pelage vert amande, des arabesques plus sombres dessinaient des figures étonnantes. L'animal déploya des ailes irisées et darda[4] sur Sylvie le regard de ses yeux à facettes brillant comme des pierres précieuses. Sylvie frissonna. Elle n'arrivait pas à se persuader que la bête était virtuelle.

— Elle peut voler ? demanda-t-elle d'une voix chevrotante, sûre que Pistache allait se jeter sur elle d'un instant à l'autre.

— Non, son corps n'a pas été conçu pour le vol. Ses ailes sont un élément purement décoratif.

— Conçu ? Tu veux dire qu'elle a été fabriquée ?

— Oui. Pistache est une chimère. Il y en a de toutes sortes. Elles sont créées par manipulation génétique. Nos savants sont capables de croiser plusieurs animaux entre eux et de jouer sur toute la gamme de leurs caractères. De cette façon, on peut réaliser une infinité de chimères. Chacune est unique. Elles s'attachent à l'enfant qui les a adoptées et, comme leur longévité est très grande, elles peuvent l'accompagner toute la vie.

Joëlle Wintrebert, *La fille de Terre Deux*,
Castor poche, © Flammarion.

4. *darda :*
lança, jeta.

1 Évilys vient de Terre Deux et visite Terre Douze. Qu'est-ce que Terre Douze ?

2 Qu'est-ce qui donne à Sylvie l'impression qu'elle est dans la chambre d'Évilys ? Comment Sylvie sait-elle qu'elle n'y est pas physiquement ?

3 Selon toi, quel est l'avantage d'un « combi » comme celui d'Évilys ?

4 Entre les deux personnages venant de planètes différentes, il existe une ressemblance forte. Laquelle ?

5 À quoi la chimère est-elle comparée (l. 71) ? Cette comparaison te paraît-elle appropriée ?

6 Quels mots résument l'impression que laisse la chambre d'Évilys ?

J'écris — *la suite d'une description*

1 Que découvrira ensuite Sylvie dans la maison d'Évilys, ou dans le jardin, ou bien encore dans la rue sur la planète Terre Deux ? Cherche des idées avec tes camarades en inventant des meubles, des objets, des plantes...

2 À partir des idées que vous avez trouvées, rédige la suite de la description de cette « huitième merveille du monde ».

Je décris un univers inventé (1)

Créer l'illusion de la réalité

J'observe

Un peu plus loin, en contrebas cette fois, un autre alvéole donnait accès au coin toilette. Dans une vasque-coquillage, de l'eau se mit à cascader et Sylvie sentit monter une vapeur au parfum de vanille. Elle avança ses mains sous la cascade. L'eau lui parut si délicieusement tiède et souple qu'elle dut se retenir pour ne pas sauter dans la vasque.

■ **1. Quels détails permettent de se représenter les lieux de manière précise ?**

■ **2. Classe ces détails : l'aspect ou la forme des objets, leur situation dans l'espace, les sensations ou les impressions qu'ils laissent.**

Pour donner au lecteur l'illusion de la réalité, on décrit l'univers que l'on invente en multipliant les détails : le décor, les objets, les sensations procurées...

Je m'exerce

■ **Insère les détails suivants dans le texte. Tu peux également ajouter des éléments de ton invention.**

elle grésillait lorsqu'un brin d'herbe ou une feuille morte se posait sur elle, mais aucun pli ne venait rider la surface du lac - sur la berge du plan d'eau artificiel - des poissons de forme étrange glissaient sur son fond en bancs serrés.

Nous nous sommes installés. Cette eau conservait sa très grande pureté grâce à un champ de protection statique. La fine pellicule d'énergie était pratiquement imperceptible. Néanmoins, en se penchant un peu, on pouvait voir que le plan d'eau grouillait de vie.

D'après C. Lambert, *Meurtres à 30 000 km/s*,
coll. Vertige Science-Fiction, © Hachette Livre.

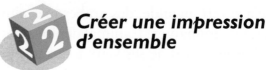

Créer une impression d'ensemble

J'observe

■ **Relis ce début de la description de la chambre d'Évilys.**

Elle se trouvait dans une grande pièce à niveaux multiples où s'ouvraient plusieurs alvéoles. Le soleil entrait à flots par d'immenses baies vitrées en arcades. L'une d'elles était ouverte, on entendait des oiseaux chanter.

■ **1. Quelle impression d'ensemble se dégage de cette description ?**

■ **2. Relève les mots qui permettent de créer cette impression.**

Pour décrire un lieu, on choisit des mots, des détails qui contribuent à donner une impression d'ensemble (par exemple un endroit splendide et agréable, ou bien un lieu désert et triste...).

Je m'exerce

■ **Voici la réaction d'Évilys lorsqu'elle découvre la chambre de Sylvie.**

« Pas terrible, dit Évilys avec une franchise plutôt brutale. C'est petit, et surtout, ça manque de lumière. »

■ **Décris cette chambre de manière précise. Ta description doit laisser au lecteur l'impression d'un lieu petit et sombre.**

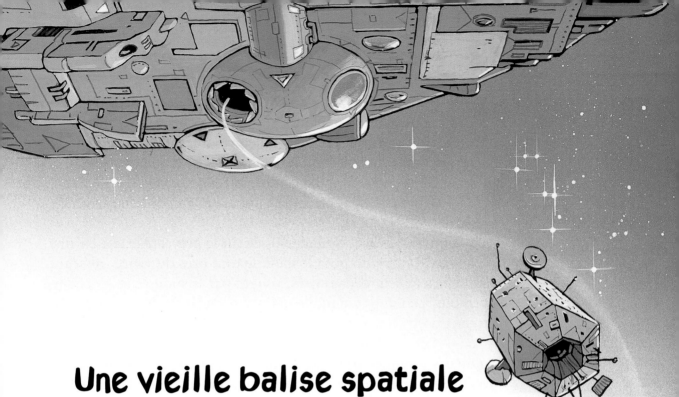

Une vieille balise spatiale

Romualdo et Élodia, sur le chemin de retour vers la Terre, naviguent à bord d'un vaisseau spatial. Ils captent le signal de la balise de détresse d'un astronef disparu cent huit ans plus tôt et tentent de le retrouver.

Munis de ces renseignements[1], ils descendirent dans la soute et prirent place dans l'étroit module blindé d'amiante et de résines isolantes. Élodia programma la descente. Et bientôt, le petit engin autonome quitta les flancs du grand navire stabilisé en orbite ; il
5 frôla la vieille balise aux minces parois criblées de micrométéorites et amorça une vertigineuse descente vers la surface de la planète.

Bientôt, une clarté crépusculaire[2] fit place au jour blessant du vide spatial. Tandis que Romualdo goûtait le vertige de la plongée en observant au hublot les premières manifestations de l'atmo-
10 sphère, Élodia ne quittait pas des yeux les instruments de mesure.

— Incroyable ! s'exclama-t-elle. Moins cinquante degrés à dix-huit mille mètres. Et encore des nuages ! Voyons ce que disent les détecteurs.

À présent, les précisions affluaient, les marges d'erreur tom-
15 baient mètre après mètre.

— Beaucoup d'hydrogène. Et huit pour cent d'oxygène à douze mille mètres du sol. La température continue d'augmenter. Toujours du gaz carbonique. Échanges chlorophylliens possibles. Vie végétale ou animale envisagée. Beaucoup de vapeur d'eau.
20 Pas mal d'ultraviolets. Quinze pour cent d'oxygène – et probablement plus de quarante degrés au sol ! Ah, le radar indique la présence de métal, s'agirait-il du vaisseau ?

Romualdo orienta la course aveugle du module, qui ne perça définitivement les nuages qu'à un kilomètre du sol.

1. *Romualdo et Élodia viennent de consulter la base de données de leur ordinateur.*
2. *crépusculaire : qui succède au coucher du soleil.*

Et le hublot révéla tout à coup, en contrebas, une forêt inextricable, des marais, quelques sommets rocheux noyés dans les brumes : un paysage préhistorique et dantesque[3], grouillant de végétation et probablement de multiples vies animales.

— Un monde habitable ! murmura Romualdo.

— Cosmos 612 ! s'exclama Élodia. Là, au bord du marécage, regarde !

L'immense carcasse était enlisée sur la grève, telle une baleine échouée. Romualdo posa le module tout près du vieux vaisseau ; ses flancs étaient déchiquetés, rongés par la mousse et les champignons. Le temps aidant, le marais achevait de digérer ce monstrueux corps étranger.

— Peu d'éléments récupérables, grommela Élodia. Les moteurs ioniques sont sûrement noyés et oxydés. Rien de pire qu'une planète avec une atmosphère pour corroder[4] la matière et lui occasionner les pires dégâts. [...]

— Eh bien, Élodia, crains-tu de te risquer à l'extérieur ? On dirait que tu n'es pas pressée d'aller te rendre compte sur place de l'état du vaisseau.

— Je n'en vois pas l'utilité, en effet. La carlingue porte les traces d'un atterrissage brutal. J'imagine que tous les occupants ont péri.

— Pourtant, les détecteurs à infrarouge indiquent de nombreuses traces de vie alentour.

— Des animaux. Cette planète est en pleine ère mésozoïque[5]. Elle doit pulluler de reptiles, d'insectes, peut-être d'oiseaux.

— Eh bien moi, dit Romualdo, je sors. Imagine que des survivants aient laissé un message ?

Interloquée, Élodia regarda son compagnon enfiler une combinaison autonome.

— Attends-moi, déclara-t-elle à contrecœur. Je t'accompagne.

Il pleuvait. Ou plutôt, de fines gouttelettes en suspension brouillaient le paysage et saturaient l'air ambiant. Ils durent se risquer dans la vase putride[6] du marais afin d'accéder au vaisseau ; ils ne purent y accéder que par une large déchirure, sans doute occasionnée dans le métal lors de l'atterrissage forcé. L'intérieur était envahi de plantes aux troncs spongieux, de feuilles épaisses recouvertes de moisissures.

Bientôt, leur progression fut stoppée par un enchevêtrement inextricable de métal froissé ; là, littéralement encastrés dans les cloisons et les murs, gisaient trois squelettes.

— Eh bien, fit Élodia en réprimant un mouvement de dégoût, nous sommes fixés, à présent.

3. **dantesque :** *effrayant et grandiose, comme l'œuvre du poète Dante.*

4. **corroder :** *ronger.*

5. **mésozoïque :** *ère secondaire, il y a environ 130 millions d'années.*

6. **putride :** *en train de pourrir.*

— Attends : nous n'avons retrouvé que trois corps.
Et l'expédition comprenait cinq personnes.

70 — Veux-tu découper le navire au chalumeau pour retrouver
la trace des deux autres squelettes ? Laisse ce soin à d'autres !
Car d'autres viendront plus tard ici, mais avec des moyens
appropriés. Grâce à son climat humide, cette planète pourrait
aisément être transformée en une gigantesque réserve d'hévéas,
75 qui produirait du caoutchouc pour toute la Terre. C'est dans ce
sens que je me propose de rédiger mon rapport pour le Bureau…
Mais Romualdo, que fais-tu ? Es-tu devenu fou ?

Resté sur le seuil du vaisseau, il venait d'ôter son casque et
sa combinaison. À présent, il humait avec délice l'air épais et
80 piquant aux saveurs étranges. Autour de lui, la forêt transpi-
rait, craquait, murmurait. Des cris et des frôlements furtifs
résonnaient au loin sous la haute voûte des arbres.

— Tu devrais m'imiter et venir me rejoindre : il fait délicieusement bon. Ce monde a la pureté et la sauvagerie des pre-
85 miers âges.

— Cette entorse au règlement est très imprudente, jeta
sèchement Élodia. Nous ignorons encore la nature des radiations, des virus, des germes microbiens.

— Je suis persuadé que je ne risque rien ! Si tu avais été
90 moins pressée, tu aurais regardé de plus près le tableau de bord
du vaisseau. Tu aurais constaté qu'il y manque beaucoup de
pièces. On a déconnecté de nombreux fils. Tous les sièges de la
cabine de pilotage ont été soigneusement dévissés. C'est la
preuve qu'on est venu récupérer ici du matériel. Il y a eu des
survivants, Élodia.

Christian Grenier, *Futurs antérieurs*, coll. Zanzibar, © Éd. Milan, 1989.

❶ À ton avis, quand cette histoire se passe-t-elle ? D'où viennent Romualdo et Élodia ?

❷ Grâce à quels détails peux-tu imaginer l'évolution de la Terre à cette époque ?

❸ Relève les indices qui indiquent que la planète découverte par Romualdo et Élodia est habitable.

❹ Les deux personnages réagissent différemment. Qu'est-ce qui les sépare ? Pour quelles raisons Romualdo se sent-il heureux sur cette planète et Élodia mal à l'aise ?

❺ Quelles conséquences ce désaccord pourrait-il avoir sur la suite de l'histoire ?

❻ Imagine une fin.

J'écris un récit de science-fiction

Voici le début du scénario d'un récit de science-fiction : des Terriens entreprennent une expédition dans l'espace afin d'aller explorer une planète ignorée, dans un lointain système solaire.

1 Avec tes camarades, détermine qui seront les membres de l'expédition (tu peux en faire partie), la nature exacte de la mission, les caractéristiques du vaisseau qui transporte les astronautes.

2 Raconte le voyage dans l'espace et l'arrivée sur la planète.
Pour bien décrire l'univers dans lequel évoluent tes voyageurs de l'espace, utilise des documents (par exemple ceux de l'unité 22).

Des mots pour mieux écrire

1 Voici une liste de mots et d'expressions. Classe-les dans un tableau.

> *vaisseau spatial - étroit module bardé d'amiante -*
> *à propulsion ionique - gazole - satellite - avion gros porteur -*
> *réacteurs à hydrogène liquide - balise spatiale - astronef -*
> *fusée - capsule - réservoirs de propergol.*

	Spécifiques à la science-fiction	Non spécifiques à la science-fiction
Les moyens de transport	....	....
Les modes de propulsion	....	....

2 Pour nommer les objets de l'univers du futur, tu peux inventer des mots nouveaux à partir de mots existants.
a) Imagine ce que désignent : un combi, un phaseur, un spatioport, un antigrav, un télécran.
b) Invente toi-même des mots pour ton récit de science-fiction.

Pistes de lecture

Vivre sur Mars grâce à des ballons d'air serait idéal, si...

François Sautereau,
L'orpheline de Mars,
Pleine Lune, Nathan.

À bord d'un vaisseau spatial, meurtres et sabotages font régner la terreur...

Christophe Lambert,
Meurtres à 30 000 km/s,
Hachette.

Christian Grenier,
Le satellite venu d'ailleurs,
Zanzibar, Milan.

François Sautereau,
Classe de lune,
Cascade, Rageot-Éditeur.

John Christopher,
Les montagnes blanches,
L'École des loisirs.

Je décris un univers inventé (2)

Utiliser des connaissances scientifiques

J'observe

■ **Compare ces deux textes, l'un extrait de** *Une vieille balise spatiale*, **l'autre d'un ouvrage documentaire.**

A. À présent, les précisions affluaient, les marges d'erreur tombaient mètre après mètre.

— Beaucoup d'hydrogène. Et huit pour cent d'oxygène à douze mille mètres du sol. La température continue d'augmenter. Toujours du gaz carbonique. Échanges chlorophylliens possibles. Vie végétale ou animale envisagée. Beaucoup de vapeur d'eau. Pas mal d'ultraviolets. Quinze pour cent d'oxygène – et probablement plus de quarante degrés au sol !

B. Si la Terre n'avait pas d'atmosphère, la vie n'y serait pas possible. Qu'est-ce que l'atmosphère ? Une couche d'air d'une centaine de kilomètres d'épaisseur, mais dont la plus grande partie se concentre sous l'altitude de dix kilomètres. L'air est un mélange d'azote (78 %), d'oxygène (21 %) et d'autres gaz, comme le gaz carbonique, l'ozone, la vapeur d'eau… L'oxygène est indispensable à la vie animale. Sans gaz carbonique, les végétaux ne pourraient pas se nourrir. Quant à l'ozone, concentré dans la haute atmosphère, il filtre certaines radiations du soleil. L'atmosphère joue aussi un rôle pour conserver la chaleur fournie par le rayonnement solaire.

■ **1. Qu'est-ce que ces deux textes ont en commun ?**

■ **2. En quoi diffèrent-ils ?**

Pour écrire un récit de science-fiction, on s'appuie sur une documentation scientifique. Ces connaissances scientifiques sont intégrées à l'action des personnages et aux descriptions des objets.

Je m'exerce

■ **a) Continue ce texte en décrivant la descente vers Mars. Utilise des informations tirées du dossier de l'unité 22.**

Le commandant de bord était en train de procéder à la satellisation du vaisseau autour de Mars. Bientôt il invita les voyageurs à enfiler leur combinaison blanche, à coiffer leur casque rouge et à prendre place dans la navette de descente.

D'après F. Sautereau, *L'orpheline de Mars*, coll. Pleine Lune, © Nathan.

■ **b) Dans l'histoire de Romualdo et Élodia, quatre engins spatiaux apparaissent : « un grand navire spatial, un petit engin autonome, une balise, un vieux vaisseau ».**

Dessine un de ces engins en mêlant imagination et emprunts à une documentation.

Lis à tes camarades le récit de science-fiction que tu as écrit (voir p. 206).

1 Tes camarades ont-ils été intéressés ? Note leurs remarques.

2 Tu peux utiliser cette grille et la fiche « Des mots pour mieux écrire » (p. 206).

1. J'ai localisé les endroits où je fais voyager mes personnages.
2. Les descriptions du vaisseau, de l'espace et de la planète sont détaillées.
3. Chacune de mes descriptions produit une impression d'ensemble.
4. J'ai utilisé ma documentation scientifique pour que mon récit soit vraisemblable.
5. J'ai employé des termes techniques.
6. Mes personnages d'extraterrestres présentent des particularités, mais sont proches du lecteur.

Récréation

J.-C. Mézières et P. Christin, *L'empire des 1 000 planètes*, © Dargaud éditeur.

4. Les textes documentaires

De la page 209 à la page 276

Pour lire des textes documentaires

Pars à la découverte des livres documentaires, des journaux, des revues… Ils t'aident à comprendre le monde.
Ils te donnent des informations sur tout ce qui te passionne et ils te permettent de mener à bien tes projets.

A Informer grâce à l'image

Les bébés félins

La mère déplace ses petits en les saisissant dans sa gueule par la peau du cou. **Cette technique de transport** est utilisée par tous les félins. Et cela ne leur fait pas mal !

Sur la piste des félins, Éd. Nathan, coll. « Superscope ».

● Le document ci-dessus comporte deux éléments différents. Lesquels ?

● Que représente l'illustration ? Qu'apprends-tu de ces deux animaux et du lieu où ils vivent en observant l'illustration ?

● Sur le modèle de cette page, réalise une page documentaire concernant un animal de ton choix.

Un texte documentaire contient en général des photos ou des images : elles apportent à elles seules beaucoup d'informations.

B Des titres, des textes, des images

Après trois mois et demi, les mamans félins mettent au monde une portée de deux à six petits. Ils ouvrent leurs yeux au bout d'une semaine seulement. Leur mère les allaite jusqu'à trois mois environ.

Dans les premiers mois de leur vie, les bébés ne savent pas chasser. Leur mère leur rapporte de petites proies vivantes pour qu'ils s'habituent au goût de la viande. Les félins commencent à chasser eux-mêmes entre le troisième et le cinquième mois.

Les petits félins jouent sans cesse entre eux : ils se mordillent, bondissent l'un sur l'autre, poursuivent des grenouilles, plantent leurs griffes dans des troncs d'arbre… C'est de cette façon qu'ils apprennent à se déplacer et à imiter les adultes.

découvrir

Sur la piste des félins, Éd. Nathan, coll. « Superscope ».

● **Quel est le sujet du document pp. 211-212 ?**
Comment le sais-tu, avant même d'observer l'illustration et de lire le texte ?

● **Dans la page ci-dessus, observe l'organisation du texte en paragraphes et les images associées au texte.**
Dans quelle partie évoque-t-on :

– l'allaitement des bébés félins ?

– leurs jeux ?

– l'âge auquel ils commencent à chasser ?

● **Concours de vitesse. Trouve trois questions auxquelles tes camarades devront donner la réponse le plus vite possible dans la page ci-dessus.**

Les livres et les articles documentaires comportent des titres, des textes et des images.
Lorsque tu cherches une information précise, tu peux t'aider des titres et des images pour la localiser.

Comme ce petit garçon pakistanais en train de coudre des ballons, ils sont dans le monde quelque 200 millions d'enfants de 5 à 14 ans contraints à travailler. Un chiffre qui fait honte au troisième millénaire et qui ne concerne pas que des pays pauvres.

● **Regarde le document ci-dessus en cachant la légende en bas. À ton avis, que montre la photo ?**

– un garçon qui s'entraîne dans une salle de sport ?

– un garçon qui travaille ?

– un garçon qui essaie un mini-scooter ?

● **Lis maintenant la légende et réponds de nouveau à la question précédente.**

● **Qu'apprends-tu en lisant cette légende ? Quel est le sens ici du mot « travail » ?**

● **L'auteur de la légende donne-t-il son opinion sur le travail des enfants ? Par quels mots ?**

● **Situe sur la carte du monde ci-dessous le pays où la photo de la p. 213 a été prise.**
Dans quel continent se trouve-t-il ?

● **Quel est le pays où le travail des enfants de 10 à 14 ans est le plus important ?**

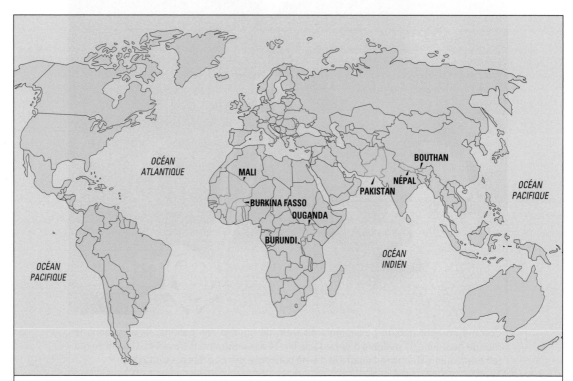

Pourcentage d'enfants de 10 à 14 ans qui travaillent, selon les estimations de la Banque mondiale en 1998.
Au Pakistan, le pourcentage d'enfants de 10 à 14 ans qui travaillent est de 16 %. Dans certains pays, ce pourcentage est encore plus élevé, approchant ou dépassant 50 %. Bouthan : 53 % – Mali : 52 % – Burundi : 49 % – Burkina-Faso : 47 % – Ouganda : 44 % – Népal : 43 %.

(Source : *World Development Indicators 2000.*)

● **Pourquoi, à ton avis, est-il grave que les enfants travaillent ?**

● **Ces informations te toucheraient-elles de la même manière sans la photo ?**

Pour bien comprendre une image, il est nécessaire de la mettre en relation avec sa légende ou avec le texte qu'elle illustre.

Invitation au voyage

Promenades en Alsace

L'Alsace a trois visages : celui de la montagne avec les sommets arrondis des Vosges, celui des collines sous-vosgiennes, où s'est installé le vignoble, et celui de la plaine qui s'étend jusqu'au Rhin.

UNE TOUTE PETITE RÉGION

Avec ses 8 310 km², l'Alsace est la plus petite des 22 régions de France, mais c'est aussi l'une des plus peuplées et des plus riches.
Elle est formée de deux départements : le Bas-Rhin au nord, le Haut-Rhin au sud. Cette étroite langue de terre enchâssée[1] entre deux massifs montagneux, les Vosges à l'ouest et la Forêt-Noire à l'est, a connu une histoire très mouvementée. En effet, l'Allemagne et la France se la sont âprement[2] disputée au cours des guerres passées. Aujourd'hui, l'Alsace occupe une position centrale en Europe, mais elle a su garder son identité et un sens très développé des traditions : tu y entendras souvent parler une langue assez proche de l'allemand, l'alsacien, et tu y dégusteras une cuisine originale et extrêmement savoureuse.

A. Chotin, *Alsace,* coll. « Mon guide »,
© Casterman.

1. enchâssée :
insérée.
2. âprement :
durement.

LES PROMENADES

Strasbourg, carrefour de l'Europe

Strasbourg, le cœur de la cité

La verdoyante région du Sundgau

Colmar, une ville d'art à visiter le nez en l'air

Mulhouse, une ville aux trésors cachés

La route du vin

Sainte-Odile : un fabuleux belvédère

Le Rhin, géant magnifique

La route des Crêtes

Outre-Forêt : les villages fleuris du Nord et la route des châteaux

Alsace, coll. « Les Petits Bleus », © Hachette.

COMMENT ALLER EN ALSACE ?

On ne peut pas dire que l'Alsace soit très bien desservie par les transports. Depuis Paris, il faut compter entre quatre et cinq heures par l'autoroute pour se rendre à Strasbourg (cinq heures depuis Lyon, six heures depuis Lille), et pas moins de quatre heures par le train ! Mais rassure-toi : l'ouverture d'une ligne ferroviaire à grande vitesse vient d'être décidée et ce sera bientôt beaucoup plus rapide. Bien sûr, il reste la voie des airs : deux aéroports, celui de Strasbourg International et l'Euro-Airport de Bâle-Mulhouse, sont reliés à Paris et aux grandes villes de province... C'est rapide (une heure environ pour Paris-Strasbourg), mais un peu cher.

A. Chotin, *Alsace*, coll. « Mon guide »,
© Casterman.

1 De quels documents disposes-tu pour t'informer sur l'Alsace dans ces deux pages ?

2 Qu'apprends-tu sur l'Alsace dans les deux parties du texte ?

3 Sur quoi la carte nous informe-t-elle ? Combien de villes sont indiquées sur la carte ?

Quelles villes apparaissent sur la légende ? Par quoi sont-elles signalées ?

4 À quoi correspondent les autres dessins (logos) de la légende : à des curiosités naturelles, à des monuments ?

5 Relève dans la légende les mots qui donnent envie de visiter l'Alsace.

J'écris la légende d'une carte

Voici une carte situant les départements et territoires d'outre-mer dans le monde.

Méga Benjamin, © Nathan.

1 Choisis un département ou territoire d'outre-mer.

2 En t'inspirant de la carte d'Alsace (p. 215), réalise une petite carte avec des dessins. Écris pour chaque dessin une courte légende qui donne envie de visiter le département ou le territoire d'outre-mer que tu as choisi. Tu peux t'aider d'un atlas, d'un guide ou d'une encyclopédie.

Je donne les bonnes informations

 Relier les informations d'une carte et d'un texte

 **Donner envie de connaître**

J'observe

■ **Regarde bien cette carte de la route alsacienne des Crêtes et relève : le nom des villes et des villages ; le nom des cols ; le nom d'une montagne ; quatre numéros de routes ; des dessins.**

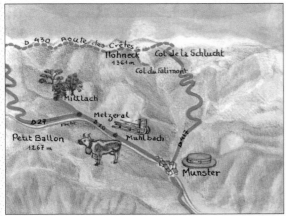

Alsace, coll. « Les Petits Bleus », © Hachette.

Un document qui informe sur un lieu comporte en général des dessins, des noms, des numéros. Il faut bien comprendre à quoi chacun correspond.

Je m'exerce

■ **Complète à présent ce petit texte d'information sur la route des Crêtes.**

La route des Crêtes passe par deux cols appelés … et … situés sur la D … .
Elle passe dans une ville où l'on fabrique du fromage, … . Puis elle nous emmène dans une région où l'on exploitait le bois de la forêt. Ce bois était descendu par les bûcherons dans de longs traîneaux, que l'on peut voir dans le musée de la ville de … . Enfin, elle aboutit dans un village réputé pour les frênes, les bouleaux, les hêtres, les sapins, que l'on trouve dans ses environs : … .

J'observe

■ **Voici deux textes sur des îles de la Grèce, les Cyclades :**

A. Cyclades : îles grecques de la mer Égée, ainsi nommées parce qu'elles forment un cercle (grec : *kuklos*) autour de l'île de Délos. Les principales autres îles sont : Andros, Paros, Santorin, Syros, Milo, Mykonos.

B. Les Cyclades, ce sont trente-neuf îles rocailleuses, situées au milieu de la mer Égée. Leurs maisons, toutes blanches et sans toit, ressemblent à des cubes posés les uns à côté des autres. Les rues sont si étroites que seuls les ânes peuvent y circuler. Ces îles sont assez éloignées d'Athènes. Il faut de quatre à treize heures de bateau pour les rejoindre.

V. Chabrol, *Grèce*, coll. « Mon guide »,
© Casterman.

■ **Dans quel texte trouve-t-on les informations qui donnent le plus envie de visiter les Cyclades ? Pourquoi ?**

Pour donner envie de connaître un lieu, une région, il faut donner des informations précises, exactes, mais aussi attirantes ou surprenantes. On choisit celles qui vont permettre au lecteur de bien se représenter ce lieu, cette région.

Je m'exerce

■ **En t'inspirant des textes A et B ci-dessus, écris un texte de trois ou quatre lignes sur les Cyclades, en conservant les informations qui te semblent les meilleures.**

L'Arctique

Le pôle Nord est un point... dans la mer ou sous la banquise. L'Arctique s'étend au-delà du cercle polaire, englobant le nord de l'Amérique – Alaska et Nord canadien –, le nord de l'Europe et de la Sibérie, et le Groenland – terre danoise. De nombreux explorateurs y ont trouvé la mort, dont le commandant français Charcot, qui disparut en mer après plusieurs expéditions, en 1936. Charcot eut de nombreux disciples, et parmi eux, un homme comme Paul-Émile Victor, qui vécut au Groenland la vie des Esquimaux et témoigna de l'originalité et de la vitalité de leur culture.

Les Esquimaux se sédentarisent et vivent de plus en plus dans de petites agglomérations.

Toi, qui n'as ni père ni mère,
Toi, cher petit orphelin,
Donne-moi des kamiks de caribou,
Fais-moi un cadeau
Un animal, un de ceux qui fournissent
*   de la bonne soupe au sang*
Un animal des profondeurs marines,
Et non des plaines de la terre,
Toi petit orphelin
Fais-moi un cadeau.

Poème esquimau.

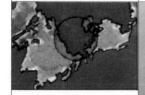

CANADA
1/Île Victoria
2/Îles de la Reine-Élisabeth
3/Terre Ellesmere
4/ Terre de Baffin

GROENLAND
(Danemark)
5/Godthaab (10 900 hab.
Centre de radio-communication)
6/Angmagssalik

NORVÈGE
7/Hammerfest (ville la plus septentrionale d'Europe ;
port de pêche)
8/Cap Nord

RUSSIE
9/Mourmansk
10/Doudinka
11/Nordvik
12/Verkhoïansk

Tupilaks

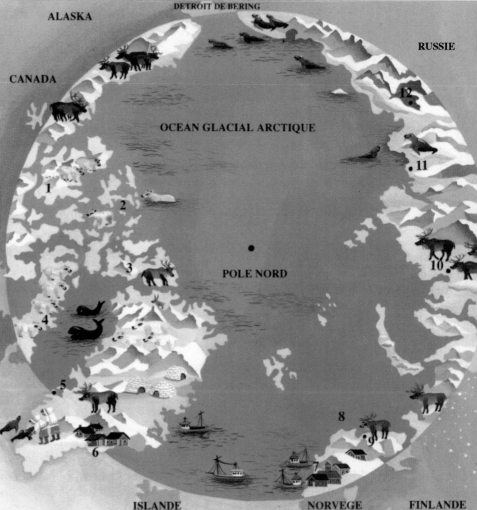

DETROIT DE BERING

ALASKA

RUSSIE

CANADA

OCEAN GLACIAL ARCTIQUE

POLE NORD

ISLANDE   NORVEGE   FINLANDE

218

Le pôle Nord n'a été atteint qu'en 1909, par l'Américain Peary, tandis que le Groenland, découvert, dit-on, par le navigateur grec Pithéas en 700 av. J.-C., a été redécouvert en 983 par le Viking Erik le Rouge.

Richesses naturelles

Le volume de glace que représente le Groenland constitue la plus grande réserve d'eau douce de l'hémisphère Nord. L'Arctique est riche en pétrole. Des centres industriels apparaissent qui bouleversent la vie et les traditions des Esquimaux.

Ces pêcheurs et chasseurs de phoques, suprêmement habiles dans l'art de conduire leurs bateaux en peau de phoque, ou kayaks, abandonnent en effet peu à peu leur vie nomade pour se regrouper dans les agglomérations où ils se livrent à la pêche industrielle et au commerce des fourrures. Mais leur art est resté très raffiné !

Il n'y a pas si longtemps, les Esquimaux tuaient le phoque, chassaient le caribou, l'ours et le bœuf musqué. Dans des traîneaux tirés par des chiens, ils parcouraient de longues distances. Les chiens flairent bien l'ours polaire et repèrent les glaces fragiles…

Au printemps, ils s'abritaient sous des tentes en peau. Lorsque la neige revenait, ils la découpaient en blocs pour construire des igloos.

Les hommes travaillaient par équipes en taillant la neige avec leurs longs couteaux, ils en libéraient et soulevaient de gros blocs et les dressaient en cercle l'un contre l'autre. Le constructeur à l'intérieur de chaque maison neuve ne mettait jamais le pied dehors. Il édifiait tout l'igloo en n'utilisant que les blocs qu'il avait découpés dans le sol de neige à l'intérieur.

Extrait de *L'Aube blanche*, John Houston, © Stock.

Tout en contant des récits de chasse, les Esquimaux exécutaient des figures avec des ficelles passées autour des doigts ou sculptaient des monstres mythiques dans des dents de cachalot : les tupilaks.

Images d'une vie traditionnelle en voie de disparition : igloo, kayak en peau de phoque, traîneau attelé d'une douzaine de chiens.

Femme du Groenland (costume traditionnel).

G. Jean, M. R. Farré, *Le Livre de tous les pays*, Atlas poétique illustré, © Gallimard.

?

1 Observe la carte et sa légende : quels grands pays se partagent l'Arctique ?

2 Montre sur la carte :
a) le centre de radio-communication ;
b) la ville la plus septentrionale (la plus au nord) d'Europe.

3 Pourquoi certains textes sont-ils en italique ?

4 Cite trois personnes qui sont allées dans l'Arctique. Ont-elles toutes réussi leur expédition ? Pourquoi ?

5 Par rapport aux documents sur l'Alsace (pp. 215-217), que trouve-t-on ici de plus qu'un texte d'information, une carte et sa légende ? Quel document préfères-tu ?

6 Complète la légende de la carte à l'aide des informations du texte.

J'écris un extrait de guide de voyage

Réalise deux pages pour présenter ta région dans un guide.
On devra y trouver :
– une carte simple, avec sa légende ;
– un petit circuit de visite intéressant et commenté ;
– deux ou trois textes courts qui fournissent des informations précises et donnent envie de visiter la région ;
– des photos, des dessins qui attirent le regard du lecteur.

Des mots pour mieux écrire

1 Des mots pour donner envie de connaître.
Voici quelques synonymes de « beau ». Continue la liste :
magnifique, merveilleux, fabuleux, grandiose...

2 Des mots pour situer.
• Relie chaque point cardinal à l'adjectif qui lui correspond.

nord	septentrional
sud	occidental
ouest	méridional
est	oriental

• Cherche d'autres mots qui permettent de situer les lieux les uns par rapport aux autres.
        Par exemple : *à côté, entre, près, au-delà...*
• Cherche la signification de chacune de ces expressions, puis emploie chacune d'elles dans une phrase :
        à la limite, à la frontière, à la lisière, à l'orée.

Pistes de lecture

Tu peux découvrir différentes régions et différents pays
dans deux collections de guides qui sont destinées aux enfants de ton âge :

▸▸▸ *Les Petits Bleus*, Hachette.
(L'Aquitaine, La Provence, La Bretagne,
L'Alsace...)

▸▸▸ *Mon guide*, Casterman.
(Les Alpes, L'Italie, L'Espagne,
La Grande-Bretagne...)

Je donne mon avis sur un lieu

Présenter un lieu

J'observe

■ 1. Relis page 219 les deux premiers paragraphes de « Richesses naturelles ».
À propos de quoi l'auteur donne-t-il son avis ? Relève les deux expressions qui le montrent.

■ 2. Dans ce texte sur la Crète (une grande île de la Grèce), repère les expressions où l'auteur donne son avis. Cela te donne-t-il envie de visiter la Crète ?

Une île aux multiples facettes

Quel paysage changeant que celui de la Crète ! On passe, en quelques kilomètres, des plaines fertiles du nord et du centre aux gorges profondes et sauvages du sud de l'île, puis des plages de sable aux montagnes les plus escarpées : le plus haut sommet, le mont Ida, atteint 2 455 m. C'est dans ce décor extraordinaire que s'est développée, il y a près de cinq mille ans, l'une des plus brillantes civilisations que nous connaissons : la civilisation minoenne.

V. Chabrol, *Grèce*, coll. « Mon guide »,
© Casterman.

> Lorsque l'on présente un lieu que l'on veut faire aimer, on donne son avis sur les paysages, le climat, la végétation, les habitants. On choisit des adjectifs, des adverbes, des verbes qui renforcent son point de vue.

Je m'exerce

■ Voici la présentation du musée de cire de Londres « Madame Tussaud's ».

Enrichis ce texte de façon à donner envie de visiter le musée, sans donner d'informations nouvelles. Avant de commencer, demande-toi ce qui peut être drôle ou intéressant dans un musée de cire.

Madame Tussaud's (équivalent de notre musée Grévin) abrite les effigies en cire de stars de cinéma, d'hommes d'État et de criminels célèbres. Il faut trois mois pour les fabriquer et le musée en expose régulièrement de nouvelles.

G. Harvey, M. Butterfield, Guide *Londres*, coll. « Les Petits Malins », « reproduced from LONDON by permission of Usborne Publishing © 1996 Usborne Publishing Ltd ».

Cette photographie te donne une idée des paysages que tu peux rencontrer en Crète.

Au musée Grévin, tu trouves aussi des personnages célèbres. Ici, la Reine Margot.

1 Pour améliorer les pages de ton guide (voir p. 220), enrichis ton texte avec des adjectifs précis en te servant de la fiche « Des mots pour mieux écrire ».

2 Ensuite, corrige ton texte à l'aide de cette grille de réécriture.

1. J'ai utilisé plusieurs supports d'information (texte, carte légendée, dessins, photo, poème, conte).
2. J'ai donné des informations précises.
3. J'ai donné des informations qui donnent envie de connaître ma région.
4. Ma carte est claire et elle a une légende.
5. Ma légende est compréhensible par tous.
6. J'ai correctement recopié les noms de lieux et tous les noms propres sans oublier leur majuscule.

Récréation

Bons et mauvais génies

Autrefois vivaient en Alsace les nains des chaumes. Ces petits êtres se faisaient un plaisir d'entrer dans le chalet du fermier qu'ils avaient pris en affection pour lui confectionner pendant son absence son beurre et son fromage… Mais dès que le colchique rosé de l'automne apparaissait dans les pâturages, quand le pâtre regagnait la vallée avec ses bêtes, les bons petits gnomes rassemblaient leurs troupeaux de chevreuils et de daims et venaient s'installer, avec tout leur attirail, dans les étables abandonnées.

Avec un peu de chance, on pouvait les apercevoir, à la clarté fantastique de la lune, traire leurs biches et leurs daines.

A. Chotin, *Alsace*, coll. « Mon guide », © Casterman.

Les Vosges aux sombres forêts, le long cours du Rhin et les campagnes cachées dans la brume sont la demeure de nains joyeux, mineurs ou agriculteurs, de géants débonnaires et de cortèges de sorcières. Si l'on en croit les vieilles légendes d'Alsace, gare aux rencontres !

20 Métamorphoses

Comment un cocon est-il fait ?

— Oncle Cyrus ! crie Tibérius. Vite, venez voir !

Le savant et son neveu ont décidé de s'attaquer ensemble au ménage de la cave. C'est ainsi que Tibérius a fait une découverte.

— Qu'as-tu trouvé ? demande Cyrus.

5 — Regardez, là, un cocon.

— Probablement un papillon de nuit qui a réussi à s'infiltrer jusqu'ici.

— Regardez comme la chenille semble bien à l'abri. Tonton, comment est fait un cocon ?

10 — C'est une sorte d'enveloppe, tu as remarqué ?

— Oui. Un peu comme les enveloppes de plastique dans lesquelles ma mère range les manteaux d'hiver.

— Ton image est juste. Pourquoi Cyclamène fait-elle cela, dis-moi ?

15 — Euh… Pour les mettre à l'abri.

— La chenille fait la même chose : elle se met à l'abri.

— Pourquoi ? Elle a peur d'être bouffée par les mites ?

— Elle se met, en effet, à l'abri des prédateurs[1], répond Cyrus sans réagir à l'humour un peu douteux de son neveu.

20 — Comment ?

— C'est la chenille qui produit elle-même le fil de soie qui lui sert à tisser son cocon. La soie est une substance à base de protéines que sécrètent[2] les araignées et certains insectes. Elle passe par de petits tubes avant d'être expulsée[3] sous forme de filaments.
25 L'animal sécrète de deux à six fils à la fois. Ils se soudent ensemble et donnent un fil très solide. C'est lui qui sert à tisser toiles et cocons. Un tel fil peut avoir un kilomètre de long.

— Impressionnant !

— Ce que tu vois ici, c'est une chrysalide.

30 — C'est-à-dire ?

La chenille
dans son cocon.

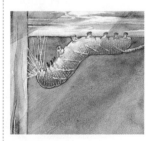

La chenille
fabrique son fil.

1. *prédateurs :*
animaux qui se
nourrissent de
proies.
2. *sécrètent :*
produisent.
3. *expulsée :*
chassée de
l'endroit
où elle était.

Le papillon
sort du cocon.

4. *se gaver :*
manger
abondamment.

— Une chenille dans un cocon, explique Cyrus.

— Et elle y restera longtemps, dans son cocon ?

— Jusqu'à ce qu'elle devienne adulte, répond Cyrus. […] Une fois devenu adulte, l'insecte brise le cocon et sort de son enveloppe.

35 — Et alors il commence sa nouvelle vie ?

— L'adulte va quitter son abri et chercher à se reproduire. Il donnera naissance à d'autres chenilles. Elles passeront l'été à se gaver[4] et, le temps venu, tisseront à leur tour un cocon.

— Et le cycle recommencera. Que fait-on de ce cocon, oncle 40 Cyrus ?

— Laisse-le où il est, va. Remontons, j'en ai assez, dit le savant.

Christiane Duchesne et Carmen Marois, *Cyrus,*
L'Encyclopédie qui raconte, Éditions Québec/Amérique Jeunesse,
coll. Kid/Quid, 1996.

❶ Que font les deux personnages de cette histoire dans la cave ?

❷ Qui est Cyclamène ? Que fait-elle ?

❸ À quoi sert le cocon ?

❹ Comment la chenille fait-elle son cocon ?

Retrouve dans le texte le passage qui te donne l'ensemble des informations.

❺ Quel insecte va sortir de la chrysalide observée par Tibérius et Cyrus ? Les personnages le savent-ils à coup sûr ?

❻ Quel est le titre de cette unité ? Cherche la définition exacte de ce mot.

J'écris une légende

Observe ces trois dessins :

❶ Remets ces dessins dans l'ordre.

❷ Retrouve, dans le texte, les mots qui correspondent à chaque dessin.

❸ Choisis un dessin. Écris une légende pour donner une information précise sur ce dessin.

J'observe et je décris avec précision (1)

 Rédiger une légende qui informe et explique

J'observe

A.

Après 21 jours d'incubation, c'est l'éclosion de l'œuf.

B. Pour qu'un œuf de poule se transforme en poussin, il faut le maintenir à une température constante d'environ quarante degrés : c'est l'**incubation**.
Le 21ᵉ jour d'incubation, le poussin brise sa coquille : c'est l'**éclosion**.

Sciences et Technologie CM, Nouvelle collection Tavernier, © Bordas, Paris, 1995.

■ **Compare le document A (un dessin avec sa légende) et le texte B. Que remarques-tu ?**

Une légende est un message court qui informe et explique. Bien rédiger la légende d'un dessin ou d'une photo, c'est faire des choix pour attirer l'attention du lecteur sur ce qu'on veut lui faire comprendre.

Je m'exerce

■ **À partir de ce texte, rédige une légende qui informe et qui explique le dessin.**

Au cours de l'été, la couleuvre femelle dépose dans un trou une cinquantaine d'œufs à coquille molle, d'environ 25 mm de long. Elle les abandonne. À l'éclosion, qui a lieu à l'automne, les jeunes couleuvres mesurent de 16 à 19 cm de long.

Sciences et Technologie CM, © Nathan.

 Employer des mots précis

J'observe

■ **Lis ce texte :**

C'est la chenille qui produit elle-même le fil de soie qui lui sert à tisser son cocon. La soie est une substance à base de protéines que sécrètent les araignées et certains insectes. Elle passe par de petits tubes avant d'être expulsée sous forme de filaments.

■ **1. Quels sont les mots difficiles à comprendre lorsqu'on n'est pas spécialiste ?**

■ **2. Pourquoi l'auteur les a-t-il employés malgré tout ?**

Pour bien informer et expliquer, il faut employer des mots précis (par exemple, des termes scientifiques).

Je m'exerce

■ **Remplace les mots en italique dans le texte par le terme scientifique qui convient. Tu peux utiliser deux fois le même mot.**

Liste des mots : sécrète, cocon, prédateurs, fil de soie.

La chenille se met à l'abri dans une *enveloppe* pour se protéger de ses *ennemis*. Pour tisser son *enveloppe*, elle *fabrique* du *fil* très solide et très long.

La naissance des insectes

PAPILLONS ET COCCINELLES

Les insectes pondent en grande quantité des œufs minuscules. Des larves naissent de ces œufs : dans la majorité des cas, elles sont très différentes des adultes, comme chez les coccinelles ou les papillons.

> Œuf de papillon :
> 1,5 mm de diamètre.
> Œuf de coccinelle :
> 2 mm de long.

Les larves se nourrissent des plantes.

1er jour

Le machaon pond ses œufs un par un sur des plantes.

La larve, appelée chenille, commence à apparaître.

10e jour 5 h

Avec ses mâchoires, la chenille perce l'œuf.

10e jour 7 h

La chenille sort de l'œuf, son corps grossit.

Les couleurs vives signalent qu'il y a du poison.

18e jour

La chenille se nourrit de feuilles et grandit.

Les œufs sont pondus en petits paquets de quinze à vingt.

1er jour

La coccinelle pond souvent ses œufs sous une feuille.

Les œufs sont devenus bruns.

6e jour

Juste avant l'éclosion, les œufs changent de couleur.

7e jour

Les œufs éclosent ensemble ; les larves changent d'endroit.

La larve n'a pas d'ailes.

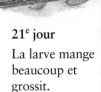

21e jour

La larve mange beaucoup et grossit.

❶ Quels sont les insectes présentés dans ce document ? Pourquoi peut-on comparer leurs transformations ?

❷ Que devient la chenille dans la chrysalide ?

❸ Entre le 35e jour et le 36e jour, que devient la coccinelle ?

❹ Pourquoi certaines indications de temps sont-elles mises en couleur dans ce document ?

Puis les larves deviennent des nymphes qui se mettent au repos.
À l'état de nymphe, l'insecte se change en adulte : des ailes apparaissent
et son corps se transforme pour devenir un insecte parfait.
À la fin, sa vieille peau se craquelle et l'adulte émerge, comme s'il sortait
d'un œuf.

Le machaon

La chrysalide est fixée à la plante par un fil de soie.

35ᵉ jour
La chenille se transforme peu à peu en chrysalide.

50ᵉ jour
Le papillon adulte sort de la chrysalide.

Ses ailes sont ouvertes, sèches et très colorées.

La coccinelle

Ancienne enveloppe de la nymphe.

Au début de sa vie, la coccinelle est jaune.

28ᵉ jour
La larve se change lentement en nymphe.

35ᵉ jour
De l'enveloppe de la nymphe sort la coccinelle adulte.

36ᵉ jour
Il faut 24 heures à la coccinelle pour devenir rouge.

Devenue adulte, elle pondra dans quelques semaines.

5 Selon toi, quelle partie du document peut-on mettre en relation avec le texte page 223 ?

6 Quelle vignette correspond le plus au cocon trouvé par Tibérius dans la cave ?

7 Pour présenter la métamorphose de la chenille en papillon, que préfères-tu : le texte (p. 223) ou le document ci-dessus ?

8 Trouves-tu les mêmes informations dans les deux ?

1 Place quelques graines de lentilles ou de cresson sur un coton imbibé d'eau. Tu vas pouvoir facilement observer leur croissance.

2 Écris un compte rendu simple de tes observations. Tu peux faire ce travail en groupe.

3 Réalise ensuite quelques illustrations avec leur légende pour accompagner le compte rendu.

Des mots pour mieux écrire

Voici une liste de mots :
une feuille, une plante, la germination, une enveloppe, la racine, une tige, pousser, planter, semer, un cotylédon, fleurir, sortir de, se développer, la croissance, une fleur, un bourgeon, un germe.

1 Recherche dans un dictionnaire la définition des mots que tu ne connais pas.

2 Classe ces mots en deux groupes :
a) ceux qui permettent de nommer précisément des éléments ;
b) ceux qui décrivent l'évolution des éléments observés.

Pistes de lecture

Si tu as envie de découvrir la magie du monde des insectes : leurs amours, leur travail et leurs luttes…

Toute la famille Burkett partage la passion des animaux. As-tu envie de lire certaines de leurs expériences ?

Claude Nuridsany et Marie Perennou, *Microcosmos, le peuple de l'herbe*, Éditions de La Martinière.

Molly Burkett, *Blaireaux, grives et compagnie*, Castor Poche Flammarion.

Copain des bois, Milan.

Un magazine : *Wapiti.*

La Vie des plantes, coll. « Jeunes Découvreurs », Larousse.

La Hulotte, n° 53 : *Le Crapaud accoucheur.*

J'observe et je décris avec précision (2)

 Mettre en ordre une description

J'observe

A. 35ᵉ jour
De l'enveloppe de la nymphe sort la coccinelle adulte.

B. 36ᵉ jour
Il faut 24 heures à la coccinelle pour devenir rouge.

C. 28ᵉ jour
La larve se change lentement en nymphe.

■ **1. Retrouve quelle légende correspond à chaque dessin.**

■ **2. Pourquoi les illustrations sont-elles dans cet ordre ?**

Pour décrire un événement ou un phénomène, on doit respecter un ordre logique ou chronologique (l'ordre du temps qui passe).

Je m'exerce

■ **Trouve l'ordre dans lequel tu dois recopier ces légendes pour qu'elles correspondent aux dessins.**

A. La larve mange beaucoup et grossit.

B. Juste avant l'éclosion, les œufs changent de couleur.

C. Les œufs de la coccinelle éclosent ensemble.

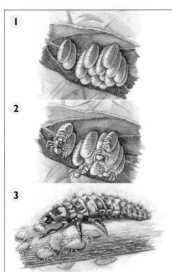

 Indiquer le moment : les étapes

J'observe

■ **Relève les indications de temps qui figurent dans ces légendes.**

A. La graine de pois est mise à germer le 10 janvier.

B. Deux jours plus tard, la racine commence à pousser.

C. Le 14 janvier, après l'enracinement, la tige apparaît.

Lorsqu'on fait une observation scientifique, on peut indiquer le temps qui s'écoule de deux façons : soit en indiquant la date et l'heure (par exemple : « 10ᵉ jour, 7 heures »), soit en situant une observation par rapport à une autre (« après l'enracinement… »).

Je m'exerce

■ **Remets dans l'ordre ces différentes étapes de la naissance des renardeaux et complète avec les bonnes dates :**

14 mars, 5 h – 20 mars – 1ᵉʳ avril – 15 avril.

… : Première sortie des renardeaux. Oreilles dressées, ils réagissent au moindre frémissement de la nature.

… : Les petits passent leur temps à dormir et à téter.

… : Non, ce n'est pas un poisson d'avril ! Ils ont ouvert les yeux.

… : La renarde que nous observons depuis le mois de janvier a mis au monde cinq petits. Leur nez est aplati et leurs oreilles sont tombantes.

1 Compare ton compte rendu d'observation (voir p. 228) avec ceux de tes camarades. Avez-vous bien expliqué toutes les étapes de la croissance de la plante ?

2 Avant de recopier ton travail au propre, vérifie que tu as bien respecté les éléments de cette grille de réécriture.

1. J'ai employé des mots précis.
2. J'ai respecté l'ordre chronologique (l'ordre du temps qui passe).
3. Les légendes qui accompagnent mes dessins sont courtes.
4. J'ai donné des indications de temps (dates, étapes…).

Récréation

Le crapaud

Né d'une pierre, il vit sous une pierre et s'y creusera un tombeau.
Je le visite fréquemment, et chaque fois que je lève sa pierre, j'ai peur de le retrouver et peur qu'il n'y soit plus.
Il y est.
Caché dans ce gîte sec, propre, étroit, bien à lui, il l'occupe pleinement, gonflé comme une bourse d'avare. Qu'une pluie le fasse sortir, il vient au-devant de moi. Quelques sauts lourds, et il me regarde de ses yeux rougis.
Si le monde injuste le traite en lépreux, je ne crains pas de m'accroupir près de lui et d'approcher du sien mon visage d'homme.
Puis je dompterai un reste de dégoût, et je te caresserai de ma main, crapaud !
On en avale dans la vie qui font plus mal au cœur.
Pourtant, hier, j'ai manqué de tact. Il fermentait et suintait, toutes ses verrues crevées.

— Mon pauvre ami, lui dis-je, je ne veux pas te faire de peine, mais, Dieu ! que tu es laid !
Il ouvrit sa bouche puérile et sans dents, à l'haleine chaude, et me répondit avec un léger accent anglais :
— Et toi ?

Jules Renard, *Histoires naturelles*.

Les moutons n'ont pas froid

Au début de l'hiver, on range ses vêtements d'été en coton pour sortir ses lainages. **Mais est-ce bien vrai que la laine protège du froid mieux que les autres tissus ? Si oui, pourquoi ?**

Pour répondre à ces questions, vous allez faire deux expériences.

5 **Matériel :**
  – Deux pots munis de couvercles.
  – De l'eau chaude.
  – Une chaussette de laine.
  – Une chaussette de coton.
  – Un chiffon de lainage.
  – Un chiffon de coton.
  – Un plat rempli d'eau.

10 ■ Versez la même quantité d'eau chaude dans chacun des pots, puis fermez-les hermétiquement.

■ Mettez un des pots dans la chaussette de laine et l'autre dans la chaussette de coton.

■ Placez les pots au froid, puis attendez une demi-heure.

15 ■ Sortez alors vos pots et voyez si l'eau de l'un des pots est plus chaude que celle de l'autre.

Pourquoi la laine conserve-t-elle la chaleur mieux que le coton ? Pour le découvrir, vous allez faire une autre expérience en comparant le comportement de ces deux tissus en présence de l'eau.

20 ■ Procurez-vous un petit chiffon de coton et un de lainage (ne les découpez pas dans vos vêtements, vous allez vous faire attraper !).

■ Déposez le chiffon de coton dans un
25 plat rempli d'eau ; il coule au fond. Par contre le morceau de lainage flotte !

■ Si vous calez le chiffon de lainage au fond du plat, vous pouvez observer de petites bulles d'air s'échapper de la laine.

Voilà la différence ! La laine emprisonne l'air pour former un
30 coussin qui vous protège du froid. C'est le même principe que les
doubles-fenêtres. Au lieu d'avoir une fenêtre fabriquée d'un verre
deux fois plus épais, on pose en hiver une autre fenêtre en laissant
une couche d'air entre les deux. L'air sert d'isolant !

Professeur Scientifix, *Les petits débrouillards*, tome II, © Belin.

1 Fais les deux expériences proposées et vérifie que les résultats de ces expériences sont bien ceux rapportés dans le texte.

2 Qu'observes-tu dans la première expérience ?

3 À quoi sert cette expérience ?

4 Quelle information te donne la seconde expérience ?

5 Pourquoi la laine nous protège-t-elle mieux du froid que le coton ? Retrouve dans le texte les deux phrases qui l'expliquent.

6 En tenant compte de ce que tu as appris dans ce texte, imagine le fonctionnement d'un sac isotherme (sac qui conserve le chaud ou le froid).

7 À quel mode sont les verbes des lignes 10 à 16 ?

Fabrique une stalactite

Pour cette expérience, il te faut :
– Une casserole.
– Du sel fin.
– Une cuillère à soupe.
5 – Deux pots à confiture vides.
– Une cordelette tressée de 40 cm de long.
– Deux écrous.
– Un plateau.
– Une soucoupe.
– Un morceau de pâte à modeler.
– Un mouchoir en papier.

1. Remplis la casserole avec un litre d'eau très chaude. Mets quinze cuillerées à soupe de sel. Remue pendant une dizaine de minutes. Verse un demi-litre de ton mélange dans chaque pot. Place les pots sur le plateau.

15 **2.** Fixe un écrou à chaque extrémité de la cordelette. Place un écrou dans chaque pot. Écarte les pots de 16 cm. Appuie doucement sur la cordelette, entre les pots, pour former un léger creux.

3. La courbe de ta cordelette doit permettre à une goutte d'apparaître environ toutes les quatre minutes. Si les gouttes apparaissent trop vite, la 20 courbe est trop prononcée. Remonte la cordelette avec ton doigt.

4. Mets le bout de pâte à modeler dans la soucoupe et recouvre-le avec le mouchoir en papier. Place la soucoupe sous la cordelette. Pose le plateau dans un endroit isolé pendant une dizaine de jours.

25 **5.** Le premier jour, la goutte d'eau commence à perler au centre de la cordelette.

6. Au bout de cinq heures, un début de stalactite se forme au centre de la cordelette.

7. Le septième jour, la stalactite est formée et une stalagmite
30 s'élève sur le mouchoir.

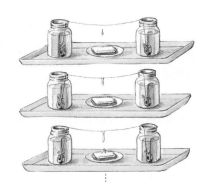

Que s'est-il passé dans l'expérience ?

Le sel correspond au calcaire contenu dans l'eau souterraine. La cordelette correspond à la voûte d'une grotte. L'eau qui humidifie la cordelette correspond à l'eau souterraine qui suinte[1] au
35 plafond d'une grotte.

© Texte : Marc Beynié, *Images Doc*, n° 112, avril 1998,
© Bayard Presse Jeune.

1. suinte : s'écoule goutte à goutte.

1 Qu'est-ce qu'une stalactite ? et une stalagmite ? Où peux-tu en voir ?

2 Quel est le but de cette expérience ?

3 Compare ce texte avec le précédent. Sont-ils organisés de la même façon ?

J'écris **le déroulement d'une expérience et sa conclusion**

Voici les trois étapes d'une expérience sur l'air.

Matériel nécessaire :
– 3 bougies chauffe-plats.
– Des allumettes.
– 4 boîtes de pellicule photo.
– 3 pots à confiture vides (2 identiques et 1 plus petit).
– 3 assiettes.

1 Rédige les légendes des dessins ci-contre. Tu peux t'inspirer des deux expériences, pp. 231 à 232.

2 Rédige la conclusion que tu peux tirer de cette expérience.

J'explique des faits et des phénomènes (1)

Chercher les causes d'un phénomène

J'observe

■ **1. Reprends les expériences de la page 231.**

Le pot d'eau chaude entouré de laine se refroidit plus lentement que le pot entouré de coton. Comment cela se fait-il ? Eh bien, la laine emprisonne l'air pour former un coussin isolant qui protège du froid.

■ **On a observé un phénomène : un pot entouré de coton se refroidit plus vite qu'un pot entouré de laine.**
Comment explique-t-on ce phénomène ?

■ **2. Voici une autre observation.**

Dans tout bon western, il y a un Indien capable d'identifier, en collant son oreille contre le sol, le nombre de chevaux qui arrivent au galop et même de dire à quelle distance ils sont.
Ce vieux truc de Sioux a son fondement scientifique.
Déposez votre montre sur une table et placez-vous à la distance limite où vous entendez le tic-tac de la montre. Ensuite, collez votre oreille sur la table à cette même distance. Le son de la montre est amplifié.
Comme le montre cette expérience, le son se propage mieux dans les solides (par exemple le bois de la table ou le sol) que dans l'air.

D'après le Professeur Scientifix,
Les petits débrouillards, tome I, © Belin.

■ **Qu'a-t-on observé ici ?**

■ **Quelle est la cause du phénomène observé ?**

⋮ *Quand on rapporte une expérience ou qu'on fait une observation, on présente d'abord les faits observés, puis on cherche les causes.*

Je m'exerce

■ **a) Reprends la seconde expérience de la page 231.**

Procurez-vous un petit chiffon de coton et un de lainage […].
Déposez le chiffon de coton dans un plat rempli d'eau ; il coule au fond. Par contre, le morceau de lainage flotte !

■ **Que constate-t-on ?**

■ **Comment explique-t-on ce qui se passe ? Formule cette explication avec tes propres mots.**

■ **b) Voici une autre expérience.**

Prenez deux verres en carton. Peignez l'un des deux verres en noir. Mettez dans chaque verre la même quantité d'eau, à la même température. Placez-les au soleil, au moins une demi-heure. Puis vérifiez la température de l'eau : vous constaterez que dans le verre noir l'eau est plus chaude.
Les couleurs foncées absorbent la lumière et ainsi elles emmagasinent la chaleur des rayons solaires. Les couleurs pâles, au contraire, font rebondir la lumière.

D'après le Professeur Scientifix,
Les petits débrouillards, tome II, © Belin.

■ **Quel est le fait observé ?**

■ **Quelle en est la cause ?**

Pollution atmosphérique au dioxyde de soufre, Étang de Berre, 1998.

AU SECOURS, ON ÉTOUFFE !

Les villes françaises ont été très polluées cet été. Y compris Paris qui était pourtant bien vide. On a aussi noté des pics de pollution dans des forêts. C'est à n'y rien comprendre. En tout cas, il est temps d'agir…

Qu'est-ce qui pollue l'air ?

Aujourd'hui, les principaux responsables de la pollution de l'air sont les voitures et les poids lourds, notamment les véhicules utilisant du diesel et du gasoil.

Mais ils ne sont pas les seuls : le chauffage et les usines participent aussi à la pollution. Il y a quelques années, les usines étaient même les principales causes de la pollution de l'air. Depuis, elles ont pris des mesures pour « cracher » plus propre.

La pollution peut aussi être provoquée par des phénomènes naturels, comme des émissions radioactives ou des éruptions volcaniques. Cette pollution est très minime par rapport à celle d'origine humaine.

Pourquoi la pollution est-elle liée au temps qu'il fait ?

Les rayons du soleil déclenchent des réactions chimiques : sous leur effet, les hydrocarbures sortant des pots d'échappement fabriquent du mauvais ozone.

Autres effets du climat sur la pollution. Quand il fait beau et que les masses d'air sont stables, la couche de

PFFF ! CE FILTRE A AIR ! IL VA FALLOIR ROULER UN PEU PLUS A LA CAMPAGNE !

RADIOLOGIE

Les sources de pollution

PRODUCTION D'ÉLECTRICITÉ THERMIQUE
SO_2, PS, NOx
• Centrales thermiques

AGRICULTURE - NATURE
COV, PS
• Élevage, cultures

DIVERS
COV, PS, NOx, SO_2
• Incinération de déchets
• Dépôts de déchets
• Stockage et distribution
de combustibles liquides
• Épandage de boue

TRANSPORTS
CO, NOx, Pb, COV, PS, SO_2
• Trafic routier (véhicules particuliers,
utilitaires, motocyclettes, autobus)
• Trafic aérien, ferroviaire (diesel), fluvial

CO = Monoxyde de Carbone   COV = Composés Organiques Volatils   NOx = Oxydes d'Azote

pollution stagne comme un couvercle au-dessus de nos têtes. Par temps glacial, le froid coince les polluants au niveau du sol.

En fait, le temps idéal pour ne pas étouffer, c'est la pluie qui dissout certains polluants, ou le vent (sauf pour les voisins qui reçoivent toutes nos saletés !).

La pollution est-elle locale ou mondiale ?

On retrouve certains polluants dans les neiges du pôle Nord. Ils ont été apportés par le vent depuis les pays industriels.

Ainsi, les substances polluantes parcourent parfois des milliers de kilomètres. Les zones rurales peuvent donc être aussi

polluées : le 19 août, en forêt de Rambouillet (Yvelines), la pollution était deux fois plus importante qu'à Paris.

Pourquoi n'est-il pas simple de résoudre les problèmes de pollution ?

Si nous limitions le nombre de voitures particulières, cela pour-

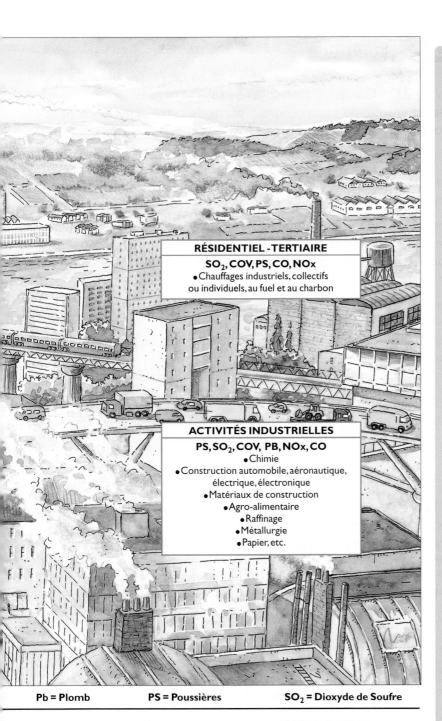

RÉSIDENTIEL - TERTIAIRE

SO$_2$, COV, PS, CO, NOx
- Chauffages industriels, collectifs ou individuels, au fuel et au charbon

ACTIVITÉS INDUSTRIELLES

PS, SO$_2$, COV, PB, NOx, CO
- Chimie
- Construction automobile, aéronautique, électrique, électronique
- Matériaux de construction
- Agro-alimentaire
- Raffinage
- Métallurgie
- Papier, etc.

Pb = Plomb   PS = Poussières   SO$_2$ = Dioxyde de Soufre

rait poser de gros problèmes de chômage dans l'industrie automobile. Or, ce secteur fait vivre des millions de personnes en France.

On ne sait pas précisément comment s'y prendre pour que personne ne soit lésé. C'est peut-être pour cela que le gouvernement ne lance pas de vraies grandes campagnes d'affiches et de slogans pour que la population se mobilise.

Catherine Firmin-Didot,
L'Hebdo des Juniors, n° 213,
sept. 1997.

❶ D'où est tiré ce texte ? Indique ce qui te permet de répondre.

❷ Avant d'avoir lu tout l'article, comment sais-tu de quoi il parle ? Y a-t-il un endroit où l'on trouve un résumé ?

❸ Quelles sont les principales causes de la pollution de l'air ? Dans quelles parties du document trouve-t-on ces informations ?

❹ L'air est-il plus pollué lorsqu'il fait beau ou lorsqu'il pleut ?

❺ Deux graves conséquences de la pollution sont évoquées. Lesquelles ?

❻ L'air est-il plus pur à la campagne ? Quelle phrase te permet de répondre ?

❼ Selon toi, que pourrait-on faire pour avoir un air moins pollué ? Avec tes camarades, fais une liste de mesures possibles.

J'écris — un article de journal

1 Reprends la conclusion que tu as tirée de l'expérience sur l'air (voir p. 233). Compare avec un(e) de tes camarades.
Essayez ensuite de comprendre, à partir de cette expérience, pourquoi les incendies sont favorisés par le vent.

2 Voici le début d'un article de journal :
Plusieurs milliers d'hectares de pinède et de garrigue ont été ravagés par le feu, hier, en Provence, près de la côte.

Continue l'article en indiquant les causes de ce désastre et ses conséquences sur les habitants. Pour la présentation, tu peux prendre modèle sur *Au secours, on étouffe !*, pp. 235-237.

Des mots pour mieux écrire

Pour introduire une cause ou une conséquence, on peut utiliser des mots comme :

parce que - par conséquent - car - finalement -
en effet - c'est pourquoi - donc...

1 Classe ces mots dans un tableau :

Mots introduisant une cause	Mots introduisant une conséquence
……	……

2 Réécris ces deux phrases en marquant la relation de cause à effet.
Les éléphants sont menacés de disparition.
Des braconniers chassent les éléphants pour vendre l'ivoire de leurs défenses.

3 Invente à ton tour des phrases sur le même modèle.

Pistes de lecture

Si tu veux comprendre les phénomènes comme les tornades, les moussons et les arcs-en-ciel, tu peux lire ce livre.

Françoise Fauchet,
La météorologie,
Les clés de la connaissance,
Nathan.

Si tu veux apprendre tout en t'amusant, ces 50 expériences t'aideront à mieux connaître ton environnement.

Les secrets de l'air,
L'encyclopédie pratique
Les petits débrouillards,
Albin Michel Jeunesse.

Mitsumasa et Masaichiro Anno,
Le pot magique, une aventure mathématique,
Père Castor, Flammarion.

Les nombres, La lumière, Les cinq sens, Le mouvement, La météo,
Le petit chercheur, Bordas.

J'explique des faits et des phénomènes (2)

Questionner sur les causes

J'observe

■ **Lis ces extraits relatifs aux deux expériences de la page 231.**

A. Pourquoi la laine conserve-t-elle la chaleur mieux que le coton ? Pour le découvrir, vous allez faire une autre expérience en comparant le comportement de ces deux tissus en présence de l'eau.

B. Le pot d'eau chaude entouré de laine se refroidit plus lentement que le pot entouré de coton. Comment cela se fait-il ? Eh bien, la laine emprisonne l'air pour former un coussin isolant qui protège du froid.

■ **Quels sont les mots ou les expressions qui servent à questionner ?**

> *Avant de donner une explication, on peut poser une question, comme si on parlait au lecteur. On emploie alors le mot interrogatif «pourquoi ?» ou bien des expressions comme «comment cela se fait-il ? d'où cela vient-il ? à quoi est-ce dû ?...»*

Je m'exerce

■ **Tu interviewes un spécialiste des dinosaures. Voici les réponses du savant. Retrouve les questions.**

a) Les dinosaures ont dominé la Terre pendant 150 millions d'années. Ils comportaient de nombreuses espèces. Ils ont disparu il y a environ 60 millions d'années.

b) Certains savants ont pensé à un changement de climat et de végétation.

c) Cette modification pourrait provenir de la chute d'une météorite géante, et de la catastrophe écologique qui l'aurait suivie.

d) Ce n'est pas sûr. L'extinction des dinosaures reste une énigme.

Exposer les conséquences

J'observe

■ **Lis cet extrait d'article de journal.**

Après les nitrates, les pesticides ! Et, là encore, la Bretagne reste à la hauteur de sa triste réputation de laboratoire de la pollution des eaux par les sols. Les pesticides, une fois les mauvaises herbes et les insectes éradiqués, poursuivent leur offensive en s'attaquant à l'environnement. Au plan national, ce phénomène est très préoccupant pour les rivières, et un peu moins pour les eaux souterraines. Une chose est sûre : si rien n'est fait, les pesticides rendront, à terme, l'eau non potable.

D'après M. Écoiffier, *Libération*, 9 novembre 1998.

■ **1. De quel phénomène parle-t-on dans cet article ?**

■ **2. Quelle est la cause de ce phénomène ?**

■ **3. Quelles sont ses conséquences sur l'environnement ?**

> *Lorsque l'on a observé un phénomène, on cherche sa(ses) cause(s) et on expose les conséquences que ce phénomène peut avoir sur le monde qui nous entoure.*

Je m'exerce

■ **Voici des titres d'articles de journaux. Essaie d'imaginer quelles pourraient être les conséquences des phénomènes cités sur la population et sur l'environnement.**

– Fortes chaleurs dans les jours à venir : la canicule s'installe en France !

– Venise sous l'eau : les canaux ont encore débordé.

– Nucléaire : traces de contamination à La Hague, sur la côte normande.

Reprends l'article que tu as écrit (voir p. 238) et relis-le.
Pour améliorer ton texte, vérifie que tu n'as rien oublié à l'aide de cette grille.

1. J'ai imaginé les causes de l'incendie et je les ai indiquées dans mon article.
2. J'ai exposé les conséquences du désastre sur la population et sur l'environnement.
3. J'ai donné des exemples.
4. J'ai utilisé des expressions et des mots précis pour introduire les causes et les conséquences du phénomène.
5. J'ai présenté mon texte comme un véritable article de journal (titre, sous-titres, résumé - appelé « chapeau » - au début de l'article...).

Récréation

Pourquoi les vieilles vaches ont-elles des cornes ?

J'ai beaucoup étudié les vaches normandes, et je me suis souvent posé la question suivante :

— Pourquoi les vieilles vaches ont-elles des cornes ?...

Leur grand âge les dispense d'avoir à se battre entre elles ; dans une région où il n'y a pas plus de loups que de crocodiles. Elles n'ont donc rien à craindre entre les quatre haies de leurs champs de pissenlits et de marguerites.

J'ai passé des journées à les explobserver, ces vieilles vaches, et j'ai fini par surprendre leur secret.

Il leur arrive de dévisser une de leurs cornes puis de la retourner et de se l'enfiler dans l'oreille.

La réponse à ma grande interrogation était dès lors toute trouvée : les vaches, en vieillissant, deviennent un peu sourdes. Alors, pour combattre cette infirmité, elles se servent d'une de leurs cornes comme d'un écouteur pour amplifier les sons.

Pef, *Réponses bêtes à des questions idiotes*,
© Éd. Gallimard.

240

Pour lire des textes documentaires

Les textes documentaires t'apportent des informations et des connaissances sur toutes sortes de sujets.
Ils expliquent, parfois ils disent comment agir. Et toi, que cherches-tu lorsque tu lis un documentaire ?

A Aller à l'essentiel

● **Tu vas examiner de deux façons ce texte sur les villes au Moyen Âge.**

1. D'abord, sans le lire complètement, essaie d'y découvrir très rapidement les réponses aux questions suivantes.

– Où se tiennent les foires les plus célèbres ?

– La ville de Rouen a-t-elle été détruite par le feu à cette époque ?

– Qu'est-ce qu'une commune ?

Les villes au XIIIe siècle

À *l'époque de Saint Louis les villes sont de plus en plus peuplées et actives.*

Les artisans et les marchands, dont l'activité ne servait autrefois qu'à l'approvisionnement des châteaux et des monastères, travaillent désormais au centre des villes. Les populations urbaines*, toujours plus nombreuses, s'installent dans les nouveaux fau-
5 bourgs qui se sont formés hors des anciens remparts.

La plupart des maisons sont construites en bois, mais de belles demeures en pierre commencent à être élevées par de riches bourgeois. Les rues sont très étroites. Le sol, rarement pavé, reçoit dans un caniveau central les eaux usées que chacun déverse
10 sans se soucier de l'odeur nauséabonde. Les fontaines sont rares,

*des villes

l'eau est le plus souvent prise à la rivière et des porteurs la distribuent aux habitants en variant leurs tarifs selon l'étage où ils doivent livrer leur fardeau.

Le principal danger qui menace la ville est l'incendie qui la
15 ravage périodiquement. Les maisons de bois s'embrasent d'autant plus aisément qu'elles sont serrées les unes contre les autres. Les flammes qui s'échappent d'une maison se communiquent à tout un quartier et le détruisent en quelques minutes. Les habitants, s'ils parviennent à fuir le feu, se retrouvent totalement ruinés. Entre
20 1200 et 1225, la ville de Rouen ne brûle pas moins de six fois…

LES ARTISANS

La ville est le lieu du commerce et de l'artisanat. Les maisons s'ouvrent sur la rue par des échoppes surmontées d'une enseigne. L'échoppe est à la fois l'atelier et la boutique de l'artisan qui l'occupe. Tous les travaux y sont réalisés à la main et le client peut
25 assister à la fabrication de l'objet qu'il veut acheter.

Ces métiers réunis dans certains quartiers donnent leurs noms à la rue qu'ils occupent : rue de la Boucherie, rue des Drapiers… Les activités à l'intérieur de la ville sont soumises à de sévères règlements. Ne tient pas boutique qui veut !

30 Tailleurs, gantiers, charpentiers, marchands de draps ou de vin, tous sont regroupés dans des associations. Leurs membres ont obtenu du seigneur de la ville le droit d'être les seuls à exercer leur profession. Leur but avoué est d'assurer la qualité du travail et des produits, des prix justes et des salaires équitables pour les ouvriers.
35 Mais en réalité, ces « métiers » protègent leurs chefs, les « maîtres », contre la concurrence.

Chaque maître doit s'engager à n'employer qu'un nombre déterminé d'« apprentis » et de « compagnons ». Le « chef-

d'œuvre » que le compagnon doit réaliser pour devenir maître ne
40 demande pas seulement une grande habileté, il doit être fabriqué
dans des matériaux précieux. Seuls les fils et les gendres de
maîtres installés ont les moyens de se les procurer.

MARCHANDS ET CHANGEURS

Les villes sont avant tout des marchés ; à date fixe, chacune
tient sa foire. Dans les petites villes, les paysans des campagnes
45 environnantes viennent échanger leurs produits contre les outils de
fer qu'ils ne peuvent fabriquer. En Champagne, Lagny, Bar-sur-
Aube, Provins et Troyes rassemblent les plus grands commerçants
d'Europe. Épices d'Asie et d'Afrique, bijoux, armes et surtout tissus, draps de Flandre et d'Angleterre, velours d'Italie, soieries
50 d'Orient s'accumulent sur les tréteaux dressés aux portes de la ville.

Chaque grande ville possède la monnaie que son seigneur fait
frapper. Pour payer leurs achats, les marchands utilisent diverses
monnaies : livre de Paris et de Tours, florin de Florence, ducat de
Venise, esterlin de Londres, besant de Constantinople. Ils doivent
55 faire appel aux changeurs qui connaissent le poids d'or ou d'argent contenu dans chacune. Ceux-ci les pèsent avant de remettre
à leur client une somme équivalente dans la monnaie locale qui
seule peut être utilisée sur le champ de foire. […]

LES COMMUNES

Les marchands et les maîtres des métiers supportaient mal de
60 devoir payer des taxes, des redevances et des péages au seigneur de
la ville qui exerçait sur eux son droit de justice. Dès le XIᵉ siècle, ils
forment des associations, dont chaque membre prête serment de
fidélité aux intérêts de la communauté. Ces « communes », par des
révoltes mais le plus souvent après de longs marchandages, obtien-
65 nent du seigneur qu'il renonce à ses anciens droits et reconnaisse à

la ville des libertés dont la liste est dressée dans un document officiel : la charte de franchise. Désormais, pour diriger les affaires de la ville, les habitants désignent un conseil. Parce qu'ils sont les plus instruits et les plus puissants, les marchands se trouvent presque toujours à sa tête. Ils portent le titre d'échevin au nord de la France, de consul ou de capitoul dans le Midi.

Ils veillent surtout à assurer la paix dans leur ville, organisant la police et jugeant des petits litiges entre les habitants, le seigneur se réservant encore le droit de condamner les criminels. Ils surveillent scrupuleusement le coffre dans lequel se trouvent entreposés les archives et le trésor de la ville.

Noël Bosetti, *Le siècle de Saint Louis*, © Casterman.

● **Comment t'y es-tu pris pour trouver les informations recherchées sans avoir besoin de lire intégralement le texte ?**

2. À présent, lis tout le texte, dans le but de comprendre et de retenir ce qu'il nous apprend à propos des villes à l'époque de Saint Louis.

● **Voici des sous-titres pour chacun des trois premiers paragraphes. Ils sont en désordre. À toi de rétablir le bon ordre.**

Les incendies

La population des villes augmente

Les rues et les maisons

● **Trouve toi-même des sous-titres pour les autres paragraphes.**

● **Dessine une illustration pour l'un des paragraphes de ce texte.**

● **Complète les phrases suivantes en t'aidant de ce que tu as retenu sur les villes au Moyen Âge.**

– Les rues sentent mauvais parce que …

– Les incendies ravagent souvent les villes parce que …

– Seuls les fils et les gendres de maîtres artisans peuvent à leur tour devenir maître : en effet …

– Les marchands se trouvent souvent à la tête des communes parce que …

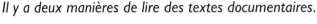

Il y a deux manières de lire des textes documentaires.

1. Ou bien tu cherches une information précise et tu dois rapidement savoir si elle est présente dans le texte et à quel endroit.

2. Ou bien tu veux connaître tout le contenu du texte, le comprendre et le retenir.

Tu sais maintenant trouver l'information que tu cherches dans un texte court, en t'aidant des images ou des titres, ou bien en lisant rapidement les premiers mots de chaque paragraphe.

Mais comment, dans un livre entier, trouver la page où figure ce que tu cherches ?

● Voici le sommaire du livre *Le siècle de Saint Louis* (dont tu as lu un extrait).

Extrait de : Noël Bosetti, *Le siècle de Saint Louis*, © Casterman S. A.

● **À quelle page dois-tu aller si tu t'intéresses :**

– à la mort du roi Saint Louis ?

– aux artisans ?

– aux étudiants ?

– à la vie dans les campagnes ?

– aux guerres menées par Saint Louis ?

Un sommaire donne la liste des titres de chapitres (et souvent des sous-titres), dans l'ordre où on les trouve dans le livre.

● Voici un extrait de l'index d'une encyclopédie, *L'Histoire du monde* (Larousse).

● **Où se trouve l'index dans un ouvrage ? À quoi sert-il ?**

● **Observe l'extrait de l'index de *L'Histoire du monde* (ci-dessus). Dans quel ordre les mots sont-ils classés ?**

● **À quelles pages de *L'Histoire du monde* trouve-t-on des informations sur :**

l'Australie ? les chevaliers ? la guerre de Cent Ans ?

 À la fin d'une encyclopédie ou d'un livre documentaire, l'index donne la liste alphabétique des sujets traités dans le livre et les pages où ces sujets sont abordés.

Voyage aux limites de l'univers

C'est lui qui prend les photos

Hubble est un gros télescope avec un miroir de 2,4 m de diamètre, qui tourne autour de la Terre à 600 km d'altitude. Comme il est au-dessus de l'atmosphère, les nuages ne l'empêchent jamais d'observer les planètes, les étoiles ou les galaxies, de jour comme de nuit. Toutes les photos sont prises par Hubble.

Grâce au supertélescope Hubble, tu vas observer les planètes, les étoiles et les galaxies comme si tu pouvais les toucher...

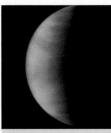

Vénus se cache sous d'épais nuages de gaz carbonique et d'azote.

Sur l'énorme Jupiter, les tempêtes dessinent des bandes ocre et rouges.

Saturne est couronnée de ses anneaux…

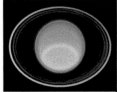

… tout comme Uranus, colorée en bleu-vert par des gaz (notamment du méthane).

Le télescope Hubble va t'emmener de plus en plus loin dans l'espace…

1ère escale
A l'affut des planètes
Distance : 100 millions à 6 milliards de km

Le télescope Hubble est aux premières loges pour observer toutes les planètes qui accompagnent la Terre autour du Soleil. La vie n'existe aujourd'hui sur aucune autre planète que la Terre, mais les astronomes se demandent si une vie très primitive ne s'est pas développée sur Mars voilà 3 ou 4 milliards d'années avant de disparaître. Colorée de rouge par l'oxyde de fer (de la rouille) contenu dans son sol, Mars (grande photo) porte la trace d'anciens fleuves. On peut voir aussi (en blanc) la banquise qui recouvre le pôle nord de la planète, comme sur Terre. Il fait froid sur Mars, -60 °C en moyenne. De fins nuages blancs composés de cristaux de glace balayent la plaine de Syrtis Major, à gauche de la photo, où des volcans dépassent 20 km d'altitude.

Neuf planètes autour du Soleil

Vénus · 665 millions de km · Hubble · Terre · Mercure · Mars · Jupiter · Saturne · Uranus · Neptune · Pluto

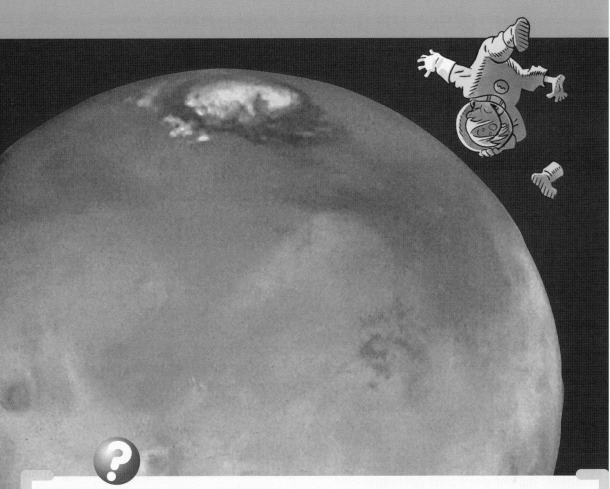

Trouve très rapidement les réponses aux questions suivantes.

a) Quelle est la plus grosse planète du système solaire?

b) Pourquoi appelle-t-on Mars la planète rouge?

c) Dans l'ordre des planètes par rapport au Soleil, quelle est la place de la Terre?

d) Une vie s'est-elle développée autrefois sur Mars?

e) Avec quel instrument observe-t-on les planètes?

f) Par quels moyens les photographies de ce dossier ont-elles été prises?

J'écris / **le commentaire d'une photographie**

Pour réaliser la double page d'un dossier sur Vénus ou sur Jupiter, on place au centre une photographie de Vénus ou de Jupiter.

Sur le modèle de la page 248, commente la photographie.

Voici quelques informations supplémentaires pour t'aider.

● **Vénus :** on ne voit pas le sol (couche très épaisse de nuages); pas de vie (atmosphère de gaz carbonique, énorme chaleur).

● **Jupiter :** une grosse planète presque entièrement constituée de gaz (à l'exception d'un cœur de roche).

J'organise un dossier documentaire

Faire le plan du dossier

J'observe

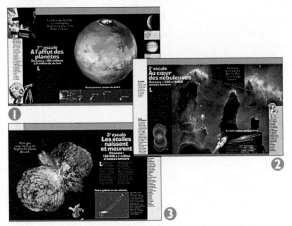

■ 1. À quoi correspondent ces trois vignettes (voir p. 248 à 253) ?

■ 2. Pourquoi sont-elles dans cet ordre ?

Un dossier documentaire est composé de plusieurs parties. Chaque partie regroupe des éléments qui ont des points communs. Une idée principale organise l'ensemble : par exemple, ici, la distance par rapport au Soleil.

Je m'exerce

■ Voici, en désordre, un ensemble d'informations tirées d'un dossier sur les grottes.

Sur son parcours, l'eau est devenue calcaire.
Leur accumulation forme une stalactite.
L'eau acide ronge la roche. En effet, elle dissout le calcaire, un peu comme l'eau fait fondre un sucre !
Elle arrive parfois au plafond d'une grotte.
Chaque goutte qui tombe libère un peu de gaz carbonique et dépose de minuscules cristaux de calcaire.
Les crevasses s'élargissent et se transforment en galeries.

D'après M. Beynié, *Images Doc*, n° 112, avril 1998,
© Bayard Presse Jeune.

■ a) Regroupe ce qui a un rapport.

■ b) Trouve ainsi un plan.

Utiliser l'image

J'observe

■ 1. Observe les photographies et les dessins du dossier p. 247 à 249. Est-ce que les photographies et les dessins jouent le même rôle ? Explique leur rôle respectif.

■ 2. À ton avis, pourquoi accorde-t-on une grande place à l'image dans le dossier ?

C'est souvent à partir des images qu'on organise un dossier documentaire. Le texte explique ou complète ce qu'on voit sur l'image. La photo montre la réalité. Le dessin permet d'illustrer des choses difficiles à voir. On trouve aussi parfois des dessins humoristiques pour apporter une détente.

Je m'exerce

■ Ces photographies représentent des galaxies. D'après toi, quelle photographie conviendrait le mieux au texte suivant ?

Entre les galaxies, des collisions gigantesques sont monnaie courante. Cette couronne d'étoiles géantes et bleues est née d'un choc entre deux galaxies.

2ᵉ escale
Au cœur des nébuleuses
Distance : 1 000 à 10 000 années-lumière

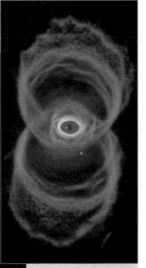

Les nébuleuses photographiées par Hubble à travers notre galaxie, la Voie lactée, ressemblent à des tableaux abstraits. Ce sont des nuages de gaz et de poussière. Certaines « petites » nébuleuses (quelques dizaines de milliards de kilomètres) sont créées par des étoiles mourantes. D'autres sont d'immenses nuages de gaz où naissent des milliers, voire des millions d'étoiles comme notre Soleil.
Dans la nébuleuse de l'Aigle (photo), à 7 000 années-lumière de nous, des étoiles viennent de naître. Elles sont encore cachées dans cet énorme nuage d'hydrogène (le gaz qui compose les étoiles). Mais les rayons ultraviolets crachés par ces étoiles poussent le gaz en d'immenses colonnes, longues de une à deux années-lumière !

▲ L'œil du Sablier

Au cœur de la nébuleuse du Sablier, à 8 000 années-lumière de nous, un vieux soleil termine sa vie, longue de dix milliards d'années. Il a éjecté d'énormes quantités de gaz (en rouge) et n'est plus qu'une minuscule étoile blanche. Elle tourne autour d'une autre étoile, invisible, ce qui donne sa forme de sablier à la nébuleuse.

A savoir

Une année-lumière = 10 000 milliards de km. C'est une unité de longueur qui correspond à la distance que parcourt la lumière en un an.

La Voie lactée, notre galaxie

100 000 années-lumière

Le Soleil est une étoile parmi cent milliards d'autres au sein de notre galaxie. Cette galaxie s'appelle la Voie lactée. C'est une énorme galette large de 100 000 années-lumière. Les nébuleuses qu'observe Hubble sont à seulement quelques milliers d'années-lumière de nous.

Dire que cette étoile a été la plus brillante du ciel…

1 À l'aide de l'article, explique ce que sont :
a) une nébuleuse, **b)** la Voie lactée,
c) une galaxie, **d)** une supernova.

2 Quelle est l'unité utilisée pour indiquer les distances ?

Pourquoi ne compte-t-on pas les distances en kilomètres ?

3 Qu'entoure le petit cadre jaune dans les photographies « La Voie lactée », p. 251, et « Notre galaxie », p. 253 ?

3e escale
Les étoiles naissent et meurent
Distance : 100 000 à 1 million d'années-lumière

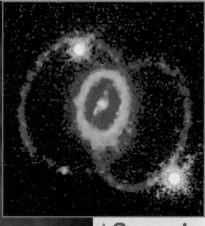

« Voyage aux limites de l'univers », © Texte : B. Garriguet, Illust. : L. Cornillon, Infographie : H. Bareau, *Okapi*, n° 622, 7 février 1998, Bayard Presse Jeune.

Les étoiles ne sont pas éternelles ! Dans toutes les galaxies, c'est la même histoire : elles naissent par dizaines de milliers dans des amas stellaires. Puis les petites étoiles comme notre Soleil mènent ensuite une existence tranquille, alors que les plus grosses ont une vie très turbulente et une mort flamboyante. Ainsi, l'étoile Eta de la Carène intrigue les astronomes depuis 1843.

Cette année-là, son éclat augmenta tant qu'elle devint pour quelques mois l'étoile la plus brillante du ciel. Les énormes protubérances de gaz qui encadrent l'étoile ont été expulsées. Eta de la Carène est l'étoile la plus lourde connue dans la Voie lactée : cent fois plus que le Soleil, et les astronomes ne savent toujours pas si elle commence ou si elle finit sa vie !

▲ Souvenir d'une explosion

En février 1987 une étoile se met soudain à briller très fort dans le Grand Nuage de Magellan, une galaxie voisine de la nôtre (à 170 000 années- lumière). Les astronomes jubilent : c'est une supernova ! Une étoile vingt fois plus grosse que le Soleil a fini sa vie dans une gigantesque explosion. Ses couches externes, projetées à 10 000 kilomètres par seconde, forment aujourd'hui deux anneaux.

Notre galaxie et ses voisines

un million d'années-lumière

La Voie lactée n'est pas isolée : elle fait partie de l'amas local, un groupe d'une trentaine de galaxies qui sont à moins de cinq millions d'années-lumière de nous. Chacune comporte des dizaines, voire des centaines de milliards d'étoiles. Le télescope Hubble permet de comparer les étoiles de notre Voie lactée à celle des galaxies voisines, comme le Grand Nuage de Magellan.

Tu vas réaliser avec deux ou trois camarades un dossier documentaire pour un journal.

1 Choisissez le sujet de votre dossier : une visite de musée, une sortie, une enquête chez un artisan, un thème travaillé en sciences…

2 Rassemblez des photographies ou des dessins pour documenter et organiser votre dossier.

3 Trouvez le plan du dossier. Prévoyez la mise en page : emplacement des articles, disposition des photographies.

4 Réalisez le dossier. Dans les textes, employez des mots précis.

Des mots pour mieux écrire

Voici quelques mots sur le thème de l'astronomie :

planète - galaxie - années-lumière - hydrogène.

1 Continue cette liste en relevant dans le dossier (pp. 248 à 249 et 251 à 253) les mots qui appartiennent au vocabulaire de l'astronomie. Classe ensuite ces mots : ceux qui désignent des astres, ceux qui désignent des substances chimiques. Tu peux trouver d'autres catégories.

2 Pour parler précisément du sujet que tu abordes dans ton dossier documentaire, cherche le vocabulaire dans ton dictionnaire.

Pistes de lecture

Si tu veux en savoir plus sur l'univers, ce dossier te présente les grandes découvertes, des plus anciennes aux plus récentes.

Ce livre t'invite au voyage. En sa compagnie, tu vas explorer l'univers, de l'infiniment grand à l'infiniment petit.

Embarque pour une mission dans la station orbitale Mir avec les plus grands cosmonautes.

Christian Grenier
et Guillaume Cannat,
L'espace infini,
Mégascope, Nathan.

Trevor Day
et Nicholas Harris,
Au cœur de l'atome et *Aux limites de l'univers*, Voyage extraordinaire, Casterman.

Okapi,
n° 632, 25 juillet 1998,
Bayard Presse Jeune.

Je présente un dossier documentaire

Rédiger des titres et des chapeaux

J'observe

■ **1. Dans le dossier pp. 248 à 249 et 251 à 253,** relève les titres, les sous-titres et les « chapeaux ». Les journalistes appellent ces éléments la « titraille ».

■ **2. Pourrait-on se passer de la « titraille » ?** Quel rôle joue-t-elle ?

La « titraille » a plusieurs fonctions dans un article : inciter le lecteur à lire l'article en éveillant sa curiosité ; aérer la présentation ; aider à la lecture en annonçant le contenu de ce qui suit.

Je m'exerce

■ **a) Trouve un titre et un « chapeau » pour** ce court article.

■ **b) Recopie ensuite l'article en le présen-** tant comme dans un journal.

Il n'y a pas qu'avec le lin ou le coton qu'on peut fabriquer du tissu. Jusqu'au XIXe siècle, on a aussi utilisé l'ortie pour faire des étoffes fines et douces comme de la soie. On vient de retrouver en Suisse la tombe d'une petite fille enterrée au Moyen Âge qui portait une blouse en tissu d'ortie.

DR.

Rédiger des encadrés

J'observe

■ **Observe les éléments du dossier situés** p. 253 (« Notre galaxie et ses voisines » et « Souvenir d'une explosion »).

■ **1. Ces éléments font-ils partie de l'article** principal ?

■ **2. Ont-ils un rapport avec le sujet de la** double page dans laquelle ils sont placés ?

■ **3. Qu'apportent-ils de plus par rapport à** l'article principal ?

■ **4. Ces éléments s'appellent des encadrés.** Selon toi, d'où vient ce nom ?

Un encadré est un petit article dans lequel l'auteur développe un aspect seulement effleuré dans l'article principal. L'encadré peut aussi aborder le même sujet, mais sous un autre angle.

Je m'exerce

■ **a) Sélectionne dans le texte suivant une** information qui pourrait être développée dans un encadré.

■ **b) Rédige l'encadré.**

Bienvenue à la Cité des Étoiles, le centre d'entraînement des cosmonautes russes. Tu vas partir en mission à bord de la station orbitale Mir. Premier conseil : surveille ta santé. Tu dois être en grande forme. Parce que tu vas voir, une expédition dans l'espace, ça secoue ! Tu vas subir une longue série de tests médicaux. Pour vérifier que tu supporteras la prodigieuse accélération de la fusée, la vie en apesanteur, la perte de tes repères, tu vas passer, à la Cité des Étoiles, une série d'épreuves qui vont faire de toi un cosmonaute.

D'après P. Kohler, *Okapi*, n° 632, 25 juillet 1998, © Bayard Presse Jeune.

Reprends le dossier documentaire que tu as réalisé avec tes camarades (voir p. 254) et vérifie les points suivants.

1. Tout ce qui est dans mon dossier concerne le sujet que j'ai choisi.

2. Chaque page aborde un aspect différent du sujet, avec un article sur cet aspect. Le vocabulaire utilisé est précis.

3. J'ai disposé des photographies et des dessins qui illustrent le sujet du dossier.

4. J'ai présenté mon article comme dans un journal (titre, « chapeau », sous-titres).

5. J'ai mis dans des encadrés des articles plus courts permettant de voir les choses sous un angle différent ou de « zoomer » sur un aspect particulier.

Récréation

La fille des étoiles

Elle était d'Orkadia, la planète aux sirènes,
Fille du roi Arghyl, valeureux conquérant,
Qui sur les neuf planètes a étendu son règne
Et dort dans un tombeau d'acier et de diamant.

Son profil était pur, et ses cheveux mouvants
Avaient chez les rois d'Ys allumé tant de fièvre,
Que les trésors cachés dans les caves d'argent
Avaient été offerts pour un mot de ses lèvres.

Elle est loin maintenant, et mes trois cœurs sont las.
Je suis le barde obscur qui pleure l'inhumaine,
Mais l'heure est arrivée, je rejoindrai là-bas,
Ayant vomi l'espoir, celle qui fut ma reine.

Jacques Laroque, DR.

Rencontre avec...

Renaud : moi, j'aime les chauves-souris !

Renaud a 12 ans. Il adore observer les chauves-souris et en soigne même certaines avec ses parents. Pour lui, ces animaux ne sont ni laids ni méchants, mais doux et mignons.

Les Clés Junior : Pourquoi t'intéresses-tu aux chauves-souris ?

Renaud : Parce que ce sont des animaux étranges. Ce sont les seuls mammifères qui volent. Ils émettent aussi des ultrasons qui leur permettent de se diriger. Mais les chauves-souris ont malheureusement une mauvaise réputation. Par exemple, elles sont parfois accusées de mordre les gens pour sucer leur sang ou de s'accrocher à leurs cheveux… En fait, j'ai déjà tenu des chauves-souris dans mes bras : elles sont très douces, très mignonnes.

Les Clés Junior : Comment les observes-tu ?

Renaud : La nuit, dans le jardin, avec mes parents, on utilise un « bat détecteur » (en anglais, bat signifie chauve-souris). Cet appareil capte les ultrasons des chauves-souris et permet de reconnaître les différentes espèces. Nous allons aussi dans les grottes. Mais il faut être discret et ne pas déranger les chauves-souris en les éblouissant avec une lampe.

Les Clés Junior : Ce sont des animaux fragiles ?

Renaud : Oui, avec mes parents, nous soignons de temps en temps des chauves-souris affaiblies. Pendant le jour, on les laisse dormir ; le soir, on les nourrit avec des insectes, des grillons par exemple. Peu à peu, elles recom-

Guy Philippart de Foy

mencent à voler dans la pièce. Puis on les relâche.

Les Clés Junior : Quelle est ton espèce préférée ?

Renaud : L'oreillard. Les oreilles de cette chauve-souris sont si grandes qu'en hiver elle les replie sous ses bras pour les protéger du froid.

Propos recueillis
par Frédéric Fontaine.

1 Comment appelle-t-on ce genre d'article ? D'où est-il tiré ?

2 Comment s'appelle la partie écrite en plus gros caractères au-dessous du titre de l'article ? Quel est, selon toi, son rôle ?

3 Où trouve-t-on le nom du journaliste qui a réalisé l'interview ?

4 Le nom de ce journaliste apparaît-il devant chaque question ? Que trouve-t-on à la place ?

5 Grâce à cette interview, qu'as-tu appris de nouveau sur les chauves-souris ?

6 Aimes-tu les chauves-souris ? Pourrais-tu, comme Renaud, les soigner ?

Katia Moreno Bormann, 16 ans, fil-de-fériste

La Vie sur un fil !

Katia, 16 ans, danse sur un fil de fer à presque deux mètres du sol ! Cette enfant de la balle[1] exécute des numéros très périlleux, toujours avec le sourire !

M.-P. O. : Comment t'est venue l'envie de faire de la danse sur fil de fer ?
Katia : Artistes de cirque, mes parents ont fait tous les deux des acrobaties sur fil de fer. À 5 ans, je faisais déjà du trapèze et j'ai eu envie de monter sur le fil pour faire comme les grands. Mes parents m'ont alors installé un fil très bas. Ils ne m'ont jamais forcée.

À 12 ans, je présentais mon premier numéro sur fil de fer.
Comment prépares-tu tes numéros ?
C'est moi qui les crée même si ma mère me donne beaucoup de conseils. Il faut environ deux ans pour monter un numéro entier.
En représentation, je n'hésite pas à enlever un morceau si je ne le sens pas bien ou au contraire à

improviser si je suis sûre de moi.
L'entraînement est-il difficile ?
Je m'entraîne tous les jours une heure environ, plutôt l'après-midi, car je suis mieux réveillée. Je réalise des exercices toujours plus compliqués que ceux que je montre au public. Ça me permet d'être plus à l'aise lors des spectacles. Le plus

difficile est d'avoir l'air détendue et de sourire alors qu'il faut en même temps être très concentrée. Pour ne pas tomber, je regarde un point fixe à l'autre bout du fil, et surtout pas mes pieds.

As-tu peur lorsque tu es sur un fil ?

J'ai peur quand je fais du monocycle car il faut avoir un équilibre parfait, et aussi quand je mets les chaus- sons de pointes. Ce sont des chaussons taillés exprès pour s'encastrer dans le fil comme sur un rail. Mais la fente est si petite qu'on n'a pas le droit de viser à côté. Je suis la seule en France à faire ce numéro. Sur le fil, le plus gros risque est de déraper en courant. Depuis que j'ai commencé, j'ai fait deux grosses chutes et je m'en souviendrai toute ma vie.

Quels conseils donnerais-tu à ceux qui voudraient monter sur un fil ?

Il y a des écoles de cirque pour apprendre. On peut aussi se préparer en faisant de la gymnastique ou de la danse. L'idéal est de commencer quand on est jeune et d'être surtout très motivé.

Propos recueillis par Marie-Pierre Olphard. D.R.

Où voir Katia ?

Katia Moreno Bormann, Cirque Diana Moreno Bormann, Grande pelouse au Jardin d'Acclimatation, 75016 Paris. Chaque semaine le mercredi à 15 h, le samedi à 14 h 30 et 17 h, et le dimanche à 15 h.

---

1. enfant de la balle : artiste élevé dans le métier de ses parents.

❓

1 Comment s'appelle la journaliste qui a réalisé cette interview ?

2 À ton avis, pourquoi a-t-elle cherché à rencontrer Katia ?

3 Pourquoi peut-on dire de Katia que c'est « une enfant de la balle » ? Où as-tu trouvé cette information ?

4 Aimerais-tu vivre comme Katia ?

Je prépare une interview

Tu vas réaliser une interview d'un(e) camarade de ta classe.

1 Interroge-toi d'abord : a-t-il (elle) une passion ou, plus simplement, une activité préférée sur laquelle tu pourrais l'interviewer (sport, musique, danse, théâtre…) ?

2 Prépare quatre ou cinq questions : elles vont permettre de bien comprendre à qui tu t'adresses et ce que tu veux qu'il (elle) te dise (le temps consacré à son activité, les difficultés rencontrées, ses projets…). Utilise un magnétophone ou prends des notes.

Je réalise une interview

 ## Questionner la personne

J'observe

■ **1. Voici les questions qu'un journaliste pose à la championne Laurence Modaine, chef de file de l'équipe de France de fleuret féminin, dans un journal pour enfants.**

— À quel âge avez-vous débuté l'escrime ?

— Que vous a apporté l'escrime, en dehors des résultats sportifs ?

— Pourquoi compare-t-on souvent l'escrime aux échecs ?

— Quels sont vos projets ?

■ **2. Ces questions te donnent-elles une idée de la composition de l'interview ? Compare-les avec celles des interviews de Renaud (p. 257) et de Katia (pp. 258-259). Que remarques-tu ?**

Les questions que l'on pose à une personne dépendent du sujet de l'interview. Mais, en général, un journaliste construit son interview à partir des questions : qui, quoi, où, quand, comment, pourquoi.

Je m'exerce

■ **Voici quelques réponses de Nicolas Capdeville, champion de bodyboard, interviewé pour un magazine de la presse jeunesse. Retrouve les questions posées par le journaliste lors de son interview.**

— À l'âge de 13 ans, je faisais beaucoup de tennis. Mais j'ai eu un accident de moto. J'ai fait de la rééducation en piscine. J'avais un copain qui avait un bodyboard. Palmer derrière cette planche, c'était très bon pour mes genoux.

— J'aime me retrouver dans l'océan avec les vagues. J'ai l'impression de ne faire qu'un avec la nature. Quand je prends une vague, j'oublie tout.

— L'épreuve dure vingt minutes en général. On a le droit de prendre dix vagues au maximum et les juges comptabilisent les trois meilleures.

 ## Présenter une interview

J'observe

■ **Voici une interview de Sophie, 14 ans, finaliste du championnat de France de hockey, pour le journal *Mon quotidien*.**

À quel âge as-tu commencé le hockey ? J'ai commencé à patiner à 3 ans et à jouer au hockey vers 6 ans. Comment as-tu connu ce sport ? Mon frère en faisait. Ça m'a donné envie. À Lyon, comme dans l'équipe de France, tu es plus jeune que les autres joueuses. N'est-ce pas, parfois, un peu difficile à vivre ? Non, ça se passe bien. Je connais la plupart des joueuses depuis plusieurs années.

D'après *Mon quotidien*, 11 avril 1998, « le seul quotidien d'actualité des 10-14 ans, tél. 01 53 01 23 60 ou www.monquotidien.com »

■ **Peux-tu lire facilement cet article ? Comment faudrait-il le présenter pour une meilleure lecture ?**

Pour que l'interview soit compréhensible par le lecteur, il faut clairement indiquer qui est interviewé et mettre en évidence les questions posées. Les questions se détachent souvent des réponses par des changements de typographie.

Je m'exerce

■ **Recopie l'article ci-dessus en lui donnant une présentation qui facilite sa lecture.**

Danseurs étoiles
une interview de Patrick Dupond

Danseur étoile de la plus fameuse compagnie de ballet du monde, celle de l'Opéra de Paris, à 21 ans. Le plus jeune directeur de la Danse de cet opéra, à 31 ans… Patrick Dupond est un géant de la danse, applaudi triomphalement sur les plus grandes scènes du monde. Il vous parle de la passion de sa vie.

Lebedinsky/Stills

Okapi : *Pour vous, la danse est-elle un sport ou un spectacle ?*

Patrick Dupond : Ni l'un ni l'autre. La danse est un art, un art de vivre. Un moyen universel de raconter des histoires compréhensibles dans le monde entier, car il ne fait pas usage de la parole. C'est le langage de l'âme. La danse est aussi un formidable moyen d'équilibre entre le corps, les émotions, la pensée. C'est l'apprentissage du contrôle. Elle fait travailler les muscles, de la racine des cheveux à la plante des pieds. Bien connaître et contrôler son corps est un atout pour la vie.

Okapi : *Comment est née votre passion pour la danse ?*

Patrick Dupond : Par hasard. J'étais un enfant plein d'énergie, vif, rapide dans sa tête. Je dormais 4 à 5 heures par nuit, ce qui était assez éprouvant pour mes parents. Il fallait canaliser cette énergie qui devenait source de problèmes. Mes parents m'ont fait essayer le judo, le basket, le foot… Ça m'amusait, mais ne me contentait pas. Un jour, à l'école, j'ai entendu de la musique derrière la porte du préau. Je l'ai poussée, et je suis tombé sur un cours de danse. Et là, j'ai été fasciné. Pourtant, ce n'était pas un cours phénoménal : 4 ou 5 filles, le professeur, pas de barres. Un disque tournait sur un pick-up. Je me

souviens encore de la musique : le pianiste Arthur Rubinstein jouait Chopin. J'ai alors découvert la relation qui existait entre la musique et le mouvement. Ce fut un moment magique.

Okapi : *Le moment qui a tout déclenché ?*

Patrick Dupond : J'ai demandé alors à ma mère si l'on pouvait vivre de ça. «Oui, si tu es le meilleur… » « Qu'à cela ne tienne ! », me suis-je promis. J'avais 8 ans et demi. Du jour où j'ai commencé à danser, je suis devenu quelqu'un de différent. Finies les bêtises : j'avais un but. Je suis très têtu, et ma mère savait que je n'abandonnerais pas.

Okapi : *Estimiez-vous avoir des capacités ?*

Patrick Dupond : Je ne le savais pas. Je ressentais uniquement un désir intense de danser. Les cours avaient lieu une fois par semaine, le dimanche matin. Au bout d'un an, mon professeur a senti que j'avais un potentiel qu'elle n'arrivait pas à définir, et qu'il fallait me trouver un autre professeur. Le hasard a voulu que j'entre dans la classe de Max Bozzoni, un grand maître à danser, qui m'a présenté à l'école du ballet de l'Opéra de Paris. J'ai été engagé, avec quelques réticences, par la directrice de l'époque. Elle trouvait que j'étais trop gros et que j'avais les pieds plats...

Okapi : *Vous êtes maintenant danseur étoile ; cela signifie donc que l'on peut travailler son corps ?*

Patrick Dupond : Nous en sommes tous la preuve vivante. Entre 9 et 17 ans, le corps se forme. C'est la période à laquelle vous devez en prendre le contrôle, et apprendre à le connaître.

Okapi : *Ce travail vous a-t-il demandé des sacrifices ?*

Patrick Dupond : Énormément. Je ne pouvais pas manger ce que je voulais. Les sorties, c'était seulement de temps en temps. Et puis, j'ai dû renoncer à ma passion pour la moto. Il était hors de question de mettre en danger ma carrière à cause d'une mauvaise chute.

En revanche, les émotions éprouvées sur scène, le plaisir de travailler un pas pendant deux mois et de brusquement pouvoir l'exécuter, valaient toutes les motos du monde. Je ressentais déjà ce pouvoir que les danseurs ont sur le public, cette capacité de le faire rire, pleurer ou rêver ; d'arrêter le temps.

Okapi : *Lorsque vous dansez, à quoi pensez-vous ?*

Patrick Dupond : Je suis le personnage que je dois interpréter. J'utilise mon corps au maximum de ses possibilités, j'atteins un point de dépassement. Mais je ne pense pas. Je suis dans un état de concentration qui dépasse le mode

A. Pacciani/C. Masson

de pensée habituel. Mes perceptions sont multipliées par dix. Je vois tout, très précisément, jusqu'au grain de poussière qui passe devant un projecteur, jusqu'au cil tombé sur la joue de ma partenaire.

Lors d'une répétition générale à Moscou, un décor s'est écroulé. Le temps qu'il s'effondre, j'ai eu le temps de tirer ma partenaire sur le côté, de

pousser des affaires, et de m'écarter pour me protéger. J'ai eu l'impression de voir la scène au ralenti alors qu'elle avait duré trois secondes.

Okapi : *Vous avez parlé d'un point de dépassement...*

Patrick Dupond : C'est un moment magique, la musique, la lumière, la respiration, l'attention du public...
Le temps s'arrête.

Mon corps fait exactement ce que je lui ordonne. J'éprouve alors un sentiment d'aboutissement, de perfection. Je suis dans un état second. D'ailleurs, il me faut bien trois quarts d'heure en fin de représentation pour retrouver le calme. [...]

Okapi : *Quels conseils donneriez-vous à un jeune qui souhaite devenir danseur ?*

Patrick Dupond : La qualité principale à mes yeux, c'est l'équilibre personnel. Quelqu'un d'harmonieux intérieurement danse magnifiquement bien. Être danseur, c'est posséder un sens musical. Mais c'est aussi lire des livres d'histoire, des journaux, développer son ouverture d'esprit et sa mémoire.

Okapi : *Pourquoi sa mémoire ?*

Patrick Dupond : Rendez-vous compte : un chorégraphe vous montre les pas de son nouveau ballet, et en deux minutes vous devez les avoir analysés, appris et mémorisés.

Okapi : *Vous êtes quelqu'un de très rapide. Vous vous exprimez vite. Vos passions sont-elles liées à la vitesse ?*

Patrick Dupond : Pas particulièrement. J'aime la nature, la mer, je suis un passionné de botanique et de cuisine. Sans doute un contrepoint à mon métier qui me fait vivre à 100 à l'heure.

Okapi : *Votre emploi du temps est-il très chargé ?*

Patrick Dupond : En période de tournée, c'est fou. Je passe une semaine au Japon, deux jours à Paris. Puis je m'envole pour New York avant de filer vers Berlin. C'est une vie passionnante : je pense avoir fait six ou sept fois le tour du monde, j'ai rencontré des centaines de gens, mais malheureusement, c'est un peu stérile. Je me fais des amis, mais je les vois rarement. Heureusement, il y a le clan Dupond : cinq amis de l'école du ballet. Depuis vingt-quatre ans, nous ne nous sommes jamais perdus de vue.

Propos recueillis par Marc Beynié.

A. Pacciani/C. Masson

Okapi n° 531, 15 janvier 1993, © Bayard Presse Jeune.

1 Qu'apprend-on dans le chapeau de cette interview ? Donne-t-il envie d'en savoir plus ?

2 Qui est l'auteur de cet article ?

3 Cet article est illustré. Qu'a-t-on choisi de mettre en évidence ?

4 À quel âge Patrick Dupond a-t-il découvert la danse ? Avait-il des aptitudes particulières ? Lesquelles ?

5 Selon Patrick Dupond, que peut apporter la danse ?

6 La danse demande-t-elle des sacrifices pour ceux qui la pratiquent à un haut niveau ? Lesquels ?

7 Retrouve dans le texte une question pour faire préciser la réponse précédente.

8 En quoi la vie d'un danseur peut-elle être passionnante ?

J'écris une interview

1 Avec ta classe, en petits groupes, vous allez réaliser l'interview d'une personnalité locale (artisan, commerçant, artiste, sportif, écrivain…). Vous pouvez interroger cette personne sur ses activités professionnelles, ses passions personnelles ou encore sur ses souvenirs si celle-ci a été témoin d'événements historiques importants.
Préparez les questions que vous souhaitez lui poser.

2 Réalisez votre interview (prévoyez un magnétophone et un carnet pour prendre des notes).

3 Dans chaque groupe, partagez-vous la transcription de l'interview et donnez-lui l'allure d'un article de journal.

Des mots pour mieux écrire

1 Voici une liste de mots que l'on peut rencontrer dans des interviews. Essaie de les classer selon l'activité à laquelle ils se rapportent.

match - concert - exposition - entraînement - répétition - galerie - stade - épreuve - audition - compétition - chef d'orchestre - sportif - partition - artisan - jury - prix - coupe - concerto - concours - ébauche - joueur - concertiste.

sport	musique	artisanat
……	……	……

2 Pour ton interview, essaie de te documenter et recherche la définition des termes techniques que tu ne connais pas.

Pistes de lecture

Des magazines et des journaux dans lesquels tu trouveras souvent des interviews :

Mon quotidien	Le Journal des enfants	Les Clés de l'Actualité Junior	Images Doc

Je rédige une interview

Transcrire une interview

J'observe

■ **Voici le début d'une interview enregistrée au magnétophone :**

— Depuis quand es-tu éclaireur ?

Romain : Euh… Je crois que ça fait deux ans… non, trois ans, j'ai commencé à 12 ans, quand je… C'est un copain, Cédric, qui m'a emmené à un week-end, quand j'étais en 5ᵉ, parce que… euh… Les éclaireurs, on commence à 12 ans, avant c'est les louveteaux.

■ **Une transcription en a été faite pour le journal de l'école :**

Depuis trois ans. J'avais douze ans, j'étais en 5ᵉ. C'est mon copain Cédric qui m'a emmené à un week-end. J'avais bien douze ans, parce qu'avant ce n'est pas les éclaireurs, c'est les louveteaux.

■ **Compare les paroles prononcées par l'interviewé et la manière dont le « journaliste » les a transcrites.**

Lorsqu'on transcrit les paroles d'une personne interviewée pour un journal, il faut supprimer les petits mots caractéristiques de l'oral (euh, ben…) et construire des phrases complètes. On doit veiller aussi à ce que les questions et les réponses s'enchaînent logiquement.

Je m'exerce

■ **Voici la suite de l'interview de Romain. Adapte ses paroles pour qu'elles puissent être publiées dans un journal.**

— Qu'est-ce qui te plaît aux éclaireurs ?

Romain : Ben, euh… la nature, les jeux en plein air, parce que, moi, ma passion, c'est la nature… partir dans les bois, on campe, on fait du feu, c'est super comme impression !… on fait nos installations… et puis il y a la liberté, enfin… je veux dire, y a pas toujours quelqu'un derrière nous…

Trouver un titre

J'observe

■ **1. Lis ces titres d'interviews parues dans la presse enfantine.**

Renaud : moi, j'aime les chauves-souris !

Rencontre avec Jonathan, 9 ans, la tête dans les étoiles

Olivier Panis, dur dur d'être pilote !

Rencontre : une grande pianiste de 11 ans !

Frissons dans la vague

Sophie, 14 ans, finaliste du championnat de France de hockey

Lucky Luke a 50 ans…

Rencontre avec une amie de Ramsès II

■ **2. Classe ces titres : d'un côté, ceux qui donnent l'information essentielle de l'article ; de l'autre, ceux qui éveillent la curiosité du lecteur.**

Le titre est important dans une interview : c'est lui qui permet aux lecteurs d'entrer dans l'article. On peut choisir un titre plutôt informatif qui va donner une idée du contenu de l'interview ou un titre plus surprenant pour susciter la curiosité du lecteur.

Je m'exerce

■ **Relis les interviews de Renaud et de Patrick Dupond et essaie de leur trouver un titre qui éveille davantage la curiosité du futur lecteur.**

1 Relis l'interview que tu as réalisée (voir p. 264). Rappelle-toi ce que tu as appris sur la transcription, la présentation, la structure de l'interview.

2 Essaie d'améliorer ton texte en utilisant des noms précis, comme ceux que tu as rencontrés dans la rubrique « Des mots pour mieux écrire ». Puis corrige-le à l'aide de la grille de réécriture suivante.

1. J'ai bien distingué les questions posées et les réponses de la personne interviewée.
2. Les questions sont posées dans un ordre logique.
3. J'ai transcrit les paroles de l'interviewé en faisant des phrases courtes et bien construites.
4. J'ai choisi un titre à mon interview pour « accrocher » le lecteur.

Récréation

Une vocation de journaliste

« Qu'est-ce que c'est, un journaliste ? » L'autre pivota sur ses talons.

« Regarde ! Un journaliste est un homme qui va voir tout ce qui se passe, fourre son nez partout, pose des questions à tout le monde et accessoirement écrit dans un journal. »

Rouletabosse ne connaissait pas le mot *accessoirement,* mais il savait ce qu'était un journal. Il ne lui était jamais venu à l'idée qu'on pût y écrire dedans. Il trouvait même qu'un journal, c'était assez incommode pour écrire, parce que les marges sont trop étroites.

« Vous allez écrire tout ça dans le journal ?

— Tout ça quoi ? »

D'un geste, Rouletabosse montra le camion, la devanture défoncée, les badauds, les gendarmes, les marques des pneus sur le sol.

« Tout ça. »

La moustache du journaliste se fit plus triste encore. Il poussa un soupir.

« Ah ! moi, je l'écrirais bien, mais le rédacteur en chef ne me laissera pas faire.

— Qu'est-ce que c'est, le rédacteur en chef ?

— C'est une espèce d'ogre qui tient un crayon rouge d'une main et une grande paire de ciseaux de l'autre. Avec le crayon il barre, avec les ciseaux il coupe.

— Pourquoi il fait ça ?

— Parce qu'il dit qu'il n'y a pas assez de place dans le journal et que j'en ai toujours trop à écrire. »

Robert Escarpit,
Les Reportages de Rouletabosse,
© Magnard.

Autoportrait, Vincent Van Gogh, 1889.

Vincent Van Gogh

Vincent Van Gogh naît en Hollande en 1853. Il reçoit une éducation sévère et marquée par la foi de son père, qui est pasteur. Il vit à la campagne, dans les paysages de plaines balayées par le vent du nord. Lui aussi aimerait prêcher l'Évangile. Il rêve
5 d'enseigner et d'aider les pauvres gens. Il descend au fond des mines, visite les malades. Pendant plus d'un an, il suit des études difficiles pour entrer au séminaire et devenir pasteur, mais il n'est pas reçu. Seul, sans s'inscrire dans aucune école ou aucun atelier, il se met à dessiner furieusement. Avec toute sa passion, il peint la
10 vie des paysans ; ses couleurs sont tristes et terreuses.

En 1885, il s'installe à Anvers où il passe beaucoup de temps dans les musées et s'enthousiasme pour les œuvres de Rembrandt et de Rubens. Son frère Théo, qui l'aide et le conseille, est à Paris : il va le retrouver.

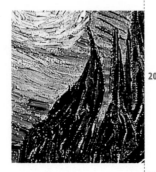

15   Théo est le seul à croire en lui et à l'encourager à peindre. Vincent découvre les peintres impressionnistes ; il est fasciné par leurs audaces : la joie de vivre qui éclate sur les toiles, les couleurs claires et gaies. Il voit aussi pour la première fois des estampes japonaises, qui ne ressemblent pas aux images qu'il a pu
20 connaître.

    En 1888, Vincent Van Gogh part pour Arles, dans le sud de la France. Il est ébloui par la lumière chaude du Midi. Il peint la nature, « les champs de blé grands comme la mer ». Il mélange de moins en moins ses couleurs : elles sont pures et d'autant plus
25 fortes qu'elles s'entrechoquent par contraste. Vincent Van Gogh se sent toujours très seul. Le peintre Gauguin vient travailler avec lui ; ensemble ils échangent passionnément des idées, mais ils ne sont pas toujours d'accord : lors d'une dispute, après avoir tenté de blesser son ami, Van Gogh se coupe lui-même l'oreille.

30   En 1889, tourmenté par des accès de folie, il est envoyé à l'hôpital de Saint-Rémy-de-Provence. Seule la peinture l'apaise : il se fait apporter sa palette et des toiles pour travailler. Il s'installe ensuite à Auvers-sur-Oise.

La Nuit étoilée, de Vincent Van Gogh, 1889.

Le Dr Gachet, ami de plusieurs peintres impressionnistes,
35 s'occupe de lui ; Van Gogh en laisse un émouvant portrait. Mais
la maladie l'emporte et le peintre se suicide en juillet 1890.

Aujourd'hui, ses peintures sont connues dans le monde
entier. Toi aussi, lorsque tu verras un tournesol ou un cyprès, tu
penseras à lui.

D'après Mila Boutan, *Vincent Van Gogh pour les enfants,*
© Mila éditions / Albin Michel jeunesse.

Van Gogh Vincent (1853-1890)
Peintre néerlandais. Il passa les dernières années de sa vie en France, à Paris
et en Provence. Il fut influencé par
les peintres impressionnistes (Monet,
Cézanne, etc.), mais son style est très
original. Pour exprimer la force de ses
sentiments, il utilisait des couleurs très
vives et déformait violemment les choses qu'il représentait. Inconnu de son
vivant, misérable et solitaire, parfois
atteint de crises de folie, il finit par se
suicider. Il a profondément influencé
l'art moderne.

Autoportrait,
Vincent Van Gogh, 1889.

Dictionnaire
Super Major CM1-CM2-6ᵉ,
© Larousse, 1994.

À l'aide de ces deux textes, réponds aux questions suivantes :

1 Dans quel pays Vincent Van Gogh est-il né ?

2 Quel métier exerçait son père ?

3 Où Van Gogh a-t-il découvert la force de la lumière ?

4 De quelle façon utilise-t-il la couleur ?

5 Relève le nom des peintres qu'il a aimés et admirés.

6 Retrouve le cheminement précis de Van Gogh en complétant ce tableau.

date	lieu
1853	naissance en Hollande
......	......

J'écris **une biographie**

Choisis un personnage célèbre dont la vie t'intéresse beaucoup.

En quelques lignes, rédige un court article de dictionnaire pour raconter les moments importants de sa vie dont tu te souviens.

Je rédige une biographie

Organiser selon l'ordre chronologique

J'observe

■ **I. Dans cette biographie, relève les informations concernant les lieux et les dates.**

Molière (1622-1673), auteur dramatique français. Il créa l'Illustre-Théâtre en 1643, puis dirigea pendant 15 ans une troupe de comédiens ambulants qui interpréta ses premières comédies en province. En 1659, il s'installa à Paris. Acteur, auteur et directeur de troupe, il créa de nombreuses comédies : *Le Bourgeois gentilhomme* (1670), *Les Femmes savantes* (1672)… Il mourut en 1673, lors de la quatrième représentation du *Malade imaginaire*.

■ **2. Dans quel ordre sont racontés les moments de la vie de Molière ?**

> *Pour écrire une biographie, il faut disposer de différentes informations : les activités marquantes du personnage, des dates, des lieux. On organise ensuite ces informations dans l'ordre chronologique.*

Je m'exerce

■ **Remets cette biographie de Mozart dans l'ordre chronologique.**

Mozart (Wolfgang Amadeus, compositeur autrichien, 1756-1791).
• De 1762 à 1767, poussé par son père, il se produit dans toute l'Europe.
• Mozart connaît triomphe et disgrâce : on l'enterre de manière misérable, à Vienne en 1791.
• Mozart naît en 1756 à Salzbourg.
• De 1769 à 1773, il effectue trois voyages en Italie et se consacre à la composition.
• À six ans, il compose ses premières pièces musicales.
• Son père, Leopold, violoniste, le met au clavecin dès l'âge de quatre ans.

Choisir le temps des verbes

J'observe

■ **I. Relis ces deux passages sur Van Gogh.**

A. Il descend au fond des mines, visite les malades. Pendant plus d'un an, il suit des études difficiles pour entrer au séminaire et devenir pasteur, mais il n'est pas reçu.

B. Il passa les dernières années de sa vie en France, à Paris et en Provence. Il fut influencé par les peintres impressionnistes.

■ **2. À quel temps est écrite la biographie dans le texte A ? dans le texte B ? Quel autre temps du passé pourrais-tu utiliser ?**

> *Pour écrire la biographie de quelqu'un, on peut utiliser soit les temps du passé, soit le présent pour faire comme si l'on revivait les moments de sa vie.*

Je m'exerce

■ **I. Réécris cette biographie au présent.**

Artagnan (seigneur d', 1611-1673)
Fils de la petite noblesse du Gers, Charles de Montesquiou se fit appeler « d'Artagnan », du nom d'une terre que sa famille possédait. Sous le règne de Louis XIV, il fut nommé lieutenant de la première compagnie des mousquetaires en 1667, puis maréchal de camp en 1672. Il fut tué au siège de Maastricht en 1673.

■ **2. Réécris le début de cette biographie en utilisant le passé.**

Jules Romains ne s'appelle pas Jules Romains. Son vrai nom est Louis Farigoule. Il naît le 25 août 1885. Le père du petit Louis est instituteur et Jules suit ses traces : nommé professeur en 1909, à Brest, puis à Paris, il quitte l'enseignement en 1919. Il se consacre alors au théâtre.

Jean-François Champollion et les hiéroglyphes

Champollion Jean-François (1790-1832)
Archéologue français qui réussit à déchiffrer les hiéroglyphes. Spécialiste de l'Égypte, Champollion a longtemps étudié les inscriptions gravées sur une pierre découverte par les Français en 1799 dans la ville égyptienne de Rosette. Sur cette plaque de marbre noir, le même texte était écrit en trois écritures : l'écriture grecque, l'écriture égyptienne, avec des lettres liées, et les hiéroglyphes.

Jean-François Champollion

Dictionnaire *Super Major CM1-CM2-6ᵉ*,
© Larousse, 1994.

« J'ai trouvé ! »

En 1822, Jean-François Champollion, installé chez son frère à Paris, poursuit ses travaux sur la pierre de Rosette et émet l'hypothèse que l'écriture égyptienne comporte des signes qui représentent directement des idées et des choses, mais aussi d'autres
5 signes traduisant sans doute des sons.

La pierre de Rosette

En 1799, lors de la campagne de Bonaparte en Égypte, un fragment de pierre gravée est découvert, près du Nil, dans un lieu appelé Rosette. Vieille de 2 000 ans, cette pierre comporte le même texte gravé en trois écritures différentes. L'une d'elles est bien connue : il s'agit du grec ancien. Mais une autre est à cette époque totalement inconnue, et constitue l'un des grands mystères de l'archéologie : ce sont les hiéroglyphes, écriture des anciens Égyptiens.

S'il commence à bien comprendre la deuxième écriture qui figure sur la pierre (l'écriture simplifiée de l'égyptien, appelée **démotique**), il n'a toujours pas la clé pour lire les **hiéroglyphes** (ce mot veut dire « écriture sacrée »).

10 Champollion s'obstine, reçoit d'un voyageur l'inscription d'un obélisque sur lequel on voit, en grec et en hiéroglyphes, les noms de Cléopâtre et de Ptolémée, et parvient à trouver les équivalences de tous les signes. Enfin, le 14 septembre, il se penche sur un récent envoi de l'architecte Nicolas Huyot, qui a relevé avec
15 soin le dessin de deux cartouches[1] royaux provenant des temples d'Abou-Simbel.

Jean-François écarquille les yeux. L'esprit tendu dans un suprême effort d'analyse et de comparaison, il remarque que chacun de ces noms est écrit avec trois signes, que ces deux noms
20 sont terminés par deux signes identiques, alors que le premier est différent et donne le nom de dieux déjà connus. Les deux mots ont donc une construction semblable. En fait, il s'agit des noms des pharaons Ramsès et Thoutmosis qui vécurent entre 1500 et 1200 av. J.-C. !

RA   ms   s   s
« Râ l'a enfanté »
(Râ est le dieu du Soleil.)

THOT   ms   s
« Thot l'a enfanté »
(Thot est le dieu de l'Écriture et de la Sagesse.)

(Les Égyptiens ne notaient que les consonnes.)

25 Autrement dit, le système de notation est triple : les signes peuvent être à la fois et alternativement des sons et des idées et, de plus, certains sont muets.

La surprise est immense : ses travaux s'appliquent donc aux inscriptions les plus anciennes, puisqu'il se trouve devant les noms de deux pharaons glorieux de l'Égypte antique ! Avec fièvre, il vérifie et revérifie encore la découverte fabuleuse qu'il vient de faire et qui couronne ses longues années de travail. Il est désormais sûr de pouvoir lire, sinon traduire, bien des mots. Il n'y tient plus, se précipite chez son frère et crie, hors de lui : « J'ai trouvé ! », puis, terrassé par l'effort surhumain qu'il vient de fournir, s'effondre anéanti. Les deux frères rédigent ensemble la communication qu'il fera devant les Académiciens, le 27 septembre, face à une salle comble.

D'après Monique Kanawaty, *Jean-François Champollion et les hiéroglyphes*, coll. Eurêka, © Éditions du Sorbier.

❶ Quelles sont les trois écritures qui figurent sur la pierre de Rosette ?

❷ Quelle période de la vie de Jean-François Champollion est racontée par le second texte ? Quel âge Champollion a-t-il à ce moment-là ?

❸ Quelle journée est décrite avec le plus de détails ?
À ton avis, pourquoi ?

❹ Indique la bonne réponse.
Rosette est le nom :
a) de la fiancée de Champollion ;
b) d'un lieu près du Nil ;
c) d'une des inscriptions sur la pierre.

❺ À partir de quelles inscriptions Champollion finit-il par découvrir comment déchiffrer les hiéroglyphes ?

❻ Aurais-tu aimé faire cette découverte ?

1 Imagine que l'un(e) de tes camarades est devenu(e) un personnage célèbre. Rédige une courte biographie, comme l'une de celles que l'on trouve dans les dictionnaires. Fais attention aux temps utilisés et à l'ordre des informations.

2 Fais ensuite un « zoom » sur le moment important de la vie de ce personnage qui permet de mieux comprendre pourquoi et comment (il ou elle) est devenu(e) célèbre. Raconte ce moment en détail.

Des mots pour lire et pour écrire

1 Champollion avait un métier curieux : il était archéologue, c'est-à-dire qu'il faisait des recherches sur les civilisations et les monuments anciens (ici, l'Égypte).
Certains personnages célèbres ont aussi des métiers au nom étrange :

paléontologue - volcanologue - spéléologue - musicologue...

Recherche dans un dictionnaire à quoi correspondent ces métiers.

2 Voici des verbes ou expressions qui évoquent souvent les activités de personnages célèbres. Retrouve ceux qui sont synonymes.

créer - inventer - trouver - découvrir - concevoir - imaginer - construire - explorer - fabriquer - rédiger - battre le record - composer - écrire - se dépasser - améliorer ses performances.

Pistes de lecture

Si tu veux tout connaître
sur l'histoire de l'écriture et l'Égypte...

Pour savoir ce qui a rendu célèbres ces personnages,
découvre l'univers des biographies.

✳ ✳ ✳ Jackie Landreaux-Valabrègue,
Molière ou l'éternel baladin,
coll. Le livre de poche jeunesse, Hachette.

Anita Caneri,
L'Égypte au temps des pharaons,
coll. Miroirs de la connaissance, Nathan.

✳ ✳ ✳ *Le monde des alphabets*,
coll. Aux couleurs du monde, Circonflexe.

Et aussi...

✳ ✳ ✳ *Les Frères Lumière et le cinéma*,
coll. Eurêka, Éditions du Sorbier.

✳ ✳ ✳ *Louis Pasteur et les microbes*,
coll. Eurêka, Éditions du Sorbier.

Je décris un moment de la vie d'un personnage

 ## Donner des précisions sur le temps et les lieux

J'observe

■ **1. Relis ces quelques phrases extraites du texte *J'ai trouvé !* (pp. 271-273).**

En 1822, Champollion, installé chez son frère à Paris, poursuit ses travaux. [...] Enfin, le 14 septembre, il se penche sur un récent envoi de l'architecte Nicolas Huyot [...].
Il s'agit des noms des pharaons Ramsès et Thoutmosis qui vécurent entre 1500 et 1200 av. J.-C. !
[...] Il fera sa communication devant les Académiciens, le 27 septembre, face à une salle comble.

■ **2. Quels renseignements fournissent ces phrases ? Pourquoi sont-elles importantes pour le lecteur ?**

Dans une biographie, si l'on veut raconter en détail un moment de la vie d'un personnage, il faut donner des indications précises de lieu et de temps (en particulier des dates). Ces précisions permettent au lecteur de « suivre » le personnage dans un cadre précis, d'avoir des repères.

Je m'exerce

■ **Complète chacune des phrases suivantes à l'aide des informations de la liste :**

à Figeac - Le 23 décembre 1790 - Dom Calmels - dans le Quercy - À l'âge de quatorze ans - de Grenoble - En 1799.

★, Jean-François Champollion naît ★, ★, deuxième et dernier garçon d'une famille de sept enfants. ★, on confie Jean-François à un prêtre, ★, qui découvre ses dons pour l'étude des langues anciennes. Il l'initie au latin, au grec et déjà à l'hébreu. ★, Jean-François est reçu comme boursier au lycée ★.

 ## Décrire les actions et les réactions du personnage

J'observe

■ **1. Relis ces phrases et expressions extraites du texte *J'ai trouvé !* (pp. 271-273).**

Il se penche sur un récent envoi [...]. Jean-François écarquille les yeux. L'esprit tendu dans un suprême effort [...]. La surprise est immense. Avec fièvre, il vérifie et revérifie encore [...]. Il n'y tient plus, se précipite chez son frère et crie, hors de lui : « J'ai trouvé ! », puis, terrassé par l'effort surhumain qu'il vient de fournir, s'effondre anéanti.

■ **2. Quels sont les mots qui nous font comprendre l'activité de Jean-François ? Quelles sont les expressions qui soulignent ses réactions et l'état dans lequel il se trouve ?**

Dans une biographie, il ne suffit pas d'indiquer les actions successives du personnage. Il faut aussi montrer ses réactions, l'état dans lequel il se trouve, ce qu'il ressent : « avec fièvre…, il se précipite…, il écarquille les yeux… ».

Je m'exerce

■ **Complète cet extrait de biographie de Jules Verne en imaginant et en décrivant précisément l'activité et les réactions du personnage après ce premier succès.**

En 1862, Jules Verne présente son manuscrit de *Cinq Semaines en ballon* au célèbre éditeur Hetzel. Celui-ci a compris que le grand public commence à se passionner pour les découvertes scientifiques et il signe tout de suite un contrat avec l'auteur. L'ouvrage paraît en 1863 et le succès est immédiat. À partir de ce premier succès, Jules Verne s'enferme pour lire des revues scientifiques…

Reprends la biographie que tu as inventée (voir p. 274).
Vérifie que ton texte répond bien aux critères suivants.

1 Pour la biographie courte de mon (ma) camarade :

I. J'ai placé son nom et son prénom en tête d'article.

2. J'ai donné sa date de naissance.

3. J'ai, en quelques mots, résumé l'activité ou l'événement qui l'a rendu(e) célèbre.

4. J'ai donné les informations dans l'ordre chronologique.

2 Pour le « zoom » sur un moment important de sa vie :

I. J'ai bien raconté un moment précis de sa vie.

2. J'ai choisi un moment qui fait comprendre comment et pourquoi il ou elle est devenu(e) célèbre.

3. J'ai donné des détails et des précisions de temps et de lieu.

4. J'ai raconté de façon vivante la scène en choisissant bien les verbes qui décrivent ses actions.

5. J'ai essayé de montrer ses réactions, ses émotions.

Un tableau inoubliable

J'ai peint dans le bois, cette semaine, quelques études assez grandes. [...]
Celle qui, à mon sens, est le mieux réussie, n'est rien d'autre qu'un lopin de terre bêchée, du sable blanc, noir et brun après une pluie battante. Si bien que les mottes de terre prennent feu de-ci de-là et parlent mieux.

Après avoir dessiné pendant quelque temps ce lopin de terre, il y eut un orage avec une formidable pluie battante, qui a bien duré une heure. Mais j'avais tellement pris goût à la chose que je suis resté à mon poste et que j'ai cherché tant bien que mal un abri derrière un gros arbre. Quand l'orage avait passé, et que les corneilles s'étaient remises à voler, je ne regrettai pas d'avoir attendu à cause de l'admirable ton sombre que le sol du bois avait pris après la pluie.

Comme j'avais commencé sur mes genoux, avant l'orage, avec un horizon bas, j'ai dû m'agenouiller dans la boue, et c'est à cause de pareilles aventures, qui se produisent souvent sous formes diverses, qu'il n'est pas superflu à mon sens de porter des vêtements d'ouvrier auxquels il n'y a rien à gâter.

Vincent Van Gogh,
Lettres à son frère Théo,
coll. Les cahiers rouges, © Grasset.

5. Les poésies et les fables

De la page 277 à la page 310

Pour lire des poésies et des fables

Les hommes ont inventé mille façons de s'exprimer : raconter des histoires, peindre des tableaux, sculpter, chanter, danser... Langage des yeux, langage de la voix, des gestes et du corps sont pleins de trésors.
Le langage de la poésie est au carrefour de tous ceux-ci : il permet de jouer avec la voix, avec les mots, les images et les rythmes ; de jouer aussi avec le silence pour dire les secrets, les impressions, les sentiments qu'on ne dit pas avec les mots de tous les jours.

1 Ping-pong

Balle dure
La main sûre
L'œil véloce

Et plic et ploc
du tac au tac
tric et choc

Grêle oblique
en zig-zag
Quel trafic !

Rac et traque
Ric à rac
Ploc plic plaque

La main vive
les raquettes
qui voltigent

Pong et ping
On réplique
Ping-pong.

J. Gaucheron, DR,
extrait de J. Charpentreau,
Luttes et luths,
© Le Livre de Poche Jeunesse.

2 Le livre

Le livre est un oiseau
il fait son nid
dans le cœur des hommes

et ses petits
sont ces mots
que je nomme

Joël Sadeler,
Poèmes Poivre et Ciel.

3 Quand

Quand gronde l'orage
vers le soir
c'est que le menuisier du ciel
un peu las
rabote trop durement
ses nuages

Joël Sadeler,
dans J. Charpentreau,
Les éléments des poètes,
© Le Livre de Poche Jeunesse.

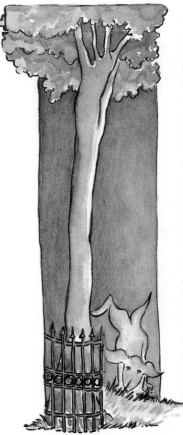

4 L'arbre qui pense

L'arbre qui pense
les pieds dans sa grille
à quoi pense-t-il
oh ça oh mais ça oh mais ça à quoi pense-t-il

Le chien qui pense
la patte en l'air
que pense-t-il
oh ça oh mais ça oh mais ça à quoi pense-t-il

Le pavé qui pense
le ventre poli de pas
que pense-t-il
oh ça oh mais ça oh mais ça à quoi pense-t-il

Ciel toits et nuages
voyez-moi
là tout en bas
qui marche
et qui pense à l'arbre qui pense
au chien au pavé
oh ça oh mais à quoi pensent-ils donc
à quoi pensent-ils donc

Raymond Queneau, *Le chien à la mandoline*,
in *L'arbre en Poésie*, © Gallimard.

5 Petite gardienne

Au commencement elle est là
petite gardienne en galoches
à califourchon sur sa branche
châtaignes chaudes dans les poches

Elle parle aux écureuils
elle tutoie le soleil
toujours à marauder dit-elle
dans l'ombre du royaume
avec tous ses yeux jaunes

Ici c'est ma forêt dit-elle
on n'entre pas sans mot de passe
mes secrets veillent sous l'écorce
dans ma clairière dort l'œil de la tempête

Elle dit et ses yeux verts
retiennent la lumière

J. Saint Jean,
Entre Lune et loup,
© Livre de Poche Jeunesse,
« Fleurs d'encre », DR.

6 Ma bohème

(Fantaisie)

Je m'en allais, les poings dans mes poches crevées ;
Mon paletot aussi devenait idéal ;
J'allais sous le ciel, Muse ! et j'étais ton féal ;
Oh ! là là ! que d'amours splendides j'ai rêvées !

Mon unique culotte avait un large trou.
– Petit-Poucet rêveur, j'égrenais dans ma course
Des rimes. Mon auberge était à la Grande-Ourse.
– Mes étoiles au ciel avaient un doux frou-frou.

Et je les écoutais, assis au bord des routes,
Ces bons soirs de septembre où je sentais des gouttes
De rosée à mon front, comme un vin de vigueur ;

Où, rimant au milieu des ombres fantastiques,
Comme des lyres, je tirais les élastiques
De mes souliers blessés, un pied contre mon cœur !

Arthur Rimbaud

● Jouer avec les sons et les rythmes.

Lis *Ping-pong* (n° 1, p. 279).
Quelles sonorités évoquent le bruit de la balle sur la raquette ? la dureté de la raquette ?
Comment est traduit le rythme de l'échange des balles ?

Lis le début du poème suivant.

> Il l'emparouille et l'endosque contre terre ;
> Il le rague et le roupète jusqu'à son drâle ;
> Il le pratèle et le libucque et lui barufle les ouillais ;
> Il le tocarde et le marmine,
> Le manage rape à ri et ripe à ra.
> Enfin il l'écorcobalisse…
>
> Henri Michaux, *Le Grand Combat*.

Ce poème comporte des mots qui existent et des mots inventés. Pourquoi ?
Que vois-tu à travers ces mots ?
Est-il plus facile de l'expliquer avec des mots ou avec des gestes ?

● Jouer avec l'espace de la page.

Observe ce calligramme d'Apollinaire.
Peut-on le lire tout de suite ?
Que comprend-on de sa signification en le regardant simplement ?

Guillaume Apollinaire,
Calligrammes, « Ondes », © Gallimard.

Regarde ce calligramme.
Quel mot reconnais-tu ?
À ton avis, pourquoi le poète a-t-il disposé les lettres de cette façon ?

Michel Leiris, « Amour »,
Mots sans mémoire, © Gallimard.

Les rencontres entre les sons, entre les mots et l'espace de la page, entre les sons et les rythmes, permettent de faire ressentir des impressions, des sentiments.
Même si le poème ne peut pas être « raconté », même si l'on ne peut pas toujours dire « de quoi il parle », il nous parle, à chacun de nous, mystérieusement.

B Dire autrement

On peut créer des images pour dire autrement comment on voit le monde, les autres, et soi-même.

● Lis *Le livre* (n° 2, p. 279).
Trouve tous les mots qui rapprochent le livre et un oiseau.
Quelle impression donne l'image « il fait son nid dans le cœur des hommes » ?
Que signifie, pour toi, ce poème ?

● Lis maintenant *Quand* (n° 3, p. 280).
« Le menuisier du ciel… rabote… ses nuages » : dans la réalité, un tel personnage existe-t-il ?
Dans l'imagination, peut-on se le représenter ?

● Lis *L'arbre qui pense* (n° 4, p. 280).
Qui pense dans la réalité ? L'arbre, le chien, le pavé sont comparés à des êtres humains. Ils sont personnifiés.

● Joue à retrouver ces différents procédés dans *Petite gardienne* (n° 5, p. 281).

Pour mieux suggérer des idées, des impressions, des sentiments, le poète crée et nous communique toutes sortes d'images qui transforment la réalité et que nous aussi nous pouvons modifier à l'intérieur de nous.

C Rythmes et refrains : créer la musique des poèmes

● Dans *L'arbre qui pense* (n° 4, p. 280), relève toutes les expressions qui reviennent souvent et le refrain. À quoi ressemble alors le poème ?

Lis ce début de poème.

> Iles
> Iles
> Iles où l'on ne prendra jamais terre
> Iles où l'on ne descendra jamais
> Iles couvertes de végétations [...]

Blaise Cendrars, « Feuilles de route »,
Du monde entier, © Éditions Denoël, 1944.

● Quel rythme la répétition du mot « Iles » crée-t-elle ?
Devinette : quel est le titre de ce poème ?

Lis *Ma bohême* (n° 6, p. 281)
1. Compte le nombre de vers de chaque strophe.
2. Compte le nombre de syllabes de chaque vers.
3. Numérote les derniers sons de chaque vers en employant le même chiffre lorsque tu retrouves un même son.
Fais le bilan : tu as trouvé les grandes règles d'écriture du sonnet !

Dans les poèmes, on trouve souvent des régularités dans le rythme et dans l'emploi des sonorités, des répétitions, des refrains.
On trouve des formes régulières et des formes libres ; tous ces jeux de contraintes rapprochent la poésie de la musique et de la chanson.

Intermède

Une barque s'en va sur l'eau
　　　　　　sur l'eau
Comme fait la feuille du saule
Comme ta joue à mon épaule
5　Comme la paupière à l'œil clos
Une barque s'en va sur l'eau
　　　　　　sur l'eau
Comme fait la feuille du saule

Elle fend sans heurt[1] et sans bruit
10　　　　　　sans bruit
La rivière profonde et noire
Qui tant ressemble la mémoire
Et comme la mémoire fuit
Elle fend sans heurt et sans bruit
15　　　　　　sans bruit
La rivière profonde et noire [...]

Louis Aragon, extrait de « Intermède », *Les Poètes*, © Gallimard.

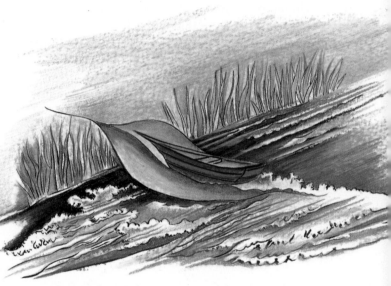

1. **heurt** : *choc, coup.*

❶ Ferme les yeux et écoute ce poème. Quelles images t'apparaissent ?

❷ Lis-le à ton tour silencieusement. Quels sont les mots répétés plusieurs fois ? Aimes-tu ces répétitions ?

❸ Qu'est-ce qu'un « intermède » ? En quoi ce titre convient-il au poème ?

❹ À quoi est comparée la barque dans la première strophe ?

❺ Dans la seconde strophe, que représente « elle » (vers 9 et 14) ?

❻ À quoi est comparée la rivière ? Qu'est-ce qui, dans le poème, « fuit comme la mémoire » (vers 13) ?

La nuit il y a des arbres

La nuit
Il y a des arbres
Où le vent s'arrête
Sans bruit se déshabille

5 Et au matin les gens de la vallée
Disent avec un sourire
Cette nuit le vent s'est calmé

Paul Vincensini, *Qu'est-ce qu'il y a ?*,
© Le Cherche Midi Éditeur.

Je fis un feu...

Je fis un feu, l'azur m'ayant abandonné,
Un feu pour être son ami,
Un feu pour m'introduire dans la nuit d'hiver,
Un feu pour vivre mieux. […]
5 Je vécus au seul bruit des flammes crépitantes,
Au seul parfum de leur chaleur […]

Paul Eluard, extrait de « Pour vivre ici »,
Le Livre ouvert, © Gallimard.

❶ Choisis un poème et entraîne-toi à le dire. Quand tu le connais bien, cherche avec tes camarades une façon d'en communiquer l'atmosphère :

a) « Je fis un feu… » : en essayant de faire entendre les flammes, avec mélancolie ou avec espoir…

b) « La nuit il y a des arbres » : chuchoté ou dit sur le ton de la conversation…

❷ Propose d'autres manières de dire ces textes et essaie-les.

❸ Le poète est-il présent de la même façon dans les deux textes ?

J'écris **un poème avec des répétitions**

Choisis un mot ou un groupe de mots répété dans les poèmes que tu as lus (« Comme », « Un feu pour », etc.) ou un mot que tu aimes.

❶ Recopie les mots plusieurs fois, les uns au-dessous des autres : tu as le début de tes vers.

❷ Invente ensuite la fin de chacun de ces vers, puis le premier et le dernier vers, si tu souhaites qu'ils soient différents.

J'écris un poème (1)

Donner un rythme

J'observe

■ **Lis le poème suivant.**

Pan ! Pan ! Pan ! Qui frappe à ma porte ?
Pan ! Pan ! Pan ! C'est un jeune faon
Pan ! Pan ! Pan ! Ouvre-moi ta porte
Pan ! Pan ! Pan ! Je t'apporte un paon
Pan ! Pan ! Pan ! Ouvre-moi ta porte
Pan ! Pan ! Pan ! J'arrive de Laon
Pan ! Pan ! Pan ! Mon père est un gnou
Né on ne sait où,
Un gnou à queue blanche
Qui demain dimanche,
Te fera les cornes,
Sur les bords de l'Orne.

Robert Desnos, « Le Gnou », Chantefables
et Chantefleurs, Contes et fables de toujours,
© Librairie Gründ, Paris.

■ **Compte les syllabes de chaque vers. Que constates-tu ?**
(Remarque que, le plus souvent, le « e » à la fin de certains mots se prononce à l'intérieur des vers mais pas à la fin des vers.)

Dans la plupart des poèmes, il y a des régularités dans la longueur des vers. C'est ce qui crée le rythme, lorsque l'on dit le poème.

Je m'exerce

■ **a) Entraîne-toi à dire « Le Gnou » en marquant bien le rythme. Aide-toi en frappant dans tes mains.**

■ **b) Cherche d'autres poèmes très rythmés et dis-les en les « scandant ». Par exemple, ce passage de Victor Hugo :**

La forêt, comme agrandie
Par les feux et les zéphyrs,
Avait l'air d'un incendie
De rubis et de saphirs.

Victor Hugo, Chansons des rues et des bois.

Disposer en strophes

J'observe

■ **1. Observe « Intermède » (p. 285) et dis combien le poème comporte de vers.**

■ **2. Observe la disposition des trois poèmes (pp. 285-286). Un poème est écrit d'un seul bloc, les autres pas. Lesquels ? Comment sont-ils organisés sur l'espace de la page ?**

Un poème est souvent divisé en strophes. Une strophe est un ensemble de vers avec la même disposition. Chaque strophe est séparée des autres par un espace.

Je m'exerce

■ **a) Indique le début de chaque strophe du poème suivant :**

Laisse-moi jouer
encore… encore…
surprendre le soleil
agrandir les trous
entre les feuilles.
Laisse-moi jouer
encore… encore…
autoriser la pluie
à me décorer de l'Ordre
de la Goutte au Nez.
Laisse-moi jouer
encore… encore…
admirer la nuit
emplir les ombres
sans en renverser.
Laisse-moi jouer
encore… encore…
avec mes cheveux blancs
accourus en silence
me regarder rentrer.

Pef, « Laisse-moi jouer… », Attrapoèmes, © Gallimard.

■ **b) Lis d'autres poèmes. Recopie les passages que tu aimes en respectant leur présentation en vers et en strophes.**

Au bord de l'eau verte

Au bord de l'eau verte, les sauterelles
   sautent ou se traînent,
ou bien sur les fleurs des carottes frêles[1]
   grimpent avec peine.

5 Dans l'eau tiède filent les poissons blancs
   auprès d'arbres noirs
dont l'ombre sur l'eau tremble doucement
   au soleil du soir.

Deux pies qui crient s'envolent loin, très loin,
10   loin de la prairie,
et vont se poser sur des tas de foin
   pleins d'herbes fleuries.

Trois paysans assis lisent un journal
   en gardant les bœufs
15 près des râteaux aux manches luisants que
   touchent leurs doigts calleux[2].

Les moucherons minces volent sur l'eau,
   sans changer de place.
En se croisant ils passent puis repassent,
20   vont de bas en haut.

Je tape les herbes avec une gaule[3]
   en réfléchissant
et le duvet des pissenlits s'envole
   en suivant le vent.

       Francis Jammes,
   De l'Angélus de l'aube à l'Angélus du soir.

1. **frêles :** *fragiles.*
2. **calleux :**
durs et épais.
3. **gaule :**
longue perche.

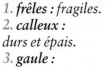

❶ Dis tout ce que tu as envie de dire sur ce poème : ce que tu imagines, ce que tu vois, ce que tu ressens…

❷ Où est le poète ?
Qu'est-il peut-être en train de faire ? Relève les mots qui peuvent l'indiquer.

❸ Relève dans les huit premiers vers les mots qui te font penser à la lumière et ceux qui évoquent plutôt l'ombre.

❹ Chaque strophe présente un nouvel aspect du paysage. Résume chacune d'elles d'un mot ou d'un groupe de mots.

Il était une feuille

Il était une feuille avec ses lignes
Ligne de vie
Ligne de chance
Ligne de cœur
5 Il était une branche au bout de la feuille
Ligne fourchue signe de vie
Signe de chance
Signe de cœur
Il était un arbre au bout de la branche
10 Un arbre digne de vie
Digne de chance
Digne de cœur
Cœur gravé, percé, transpercé,
Un arbre que nul jamais ne vit.
15 Il était des racines au bout de l'arbre
Racines dignes de vie
Vignes de chance
Vignes de cœur
Au bout des racines il était la terre
20 La terre tout court
La terre toute ronde
La terre toute seule au travers du ciel
La terre.

Robert Desnos, *Fortunes*, © Gallimard.

❶ Dis tout ce que tu as envie de dire sur la façon dont est écrit ce poème.

❷ « Ligne de vie, ligne de chance, ligne de cœur » : ces expressions appartiennent au vocabulaire des voyantes qui lisent l'avenir dans les lignes de la main. Cherche ce que sont les lignes de vie, de chance, de cœur.

❸ Ce poème pourrait-il être divisé en strophes ? Quelles seraient les limites des différentes strophes ? Pourquoi ?

❹ De quoi le cœur transpercé, sculpté dans le tronc d'un arbre (vers 13), est-il le symbole ?

❺ Par quel élément de la nature ce texte nous mène-t-il du ciel à la terre ?

❻ L'imagination est souvent mise en mouvement par le spectacle des éléments : l'eau, le feu, la terre, l'air…
Cherche, dans chacun des poèmes de cette unité, l'élément naturel qui a inspiré l'auteur.

1 Choisis un des poèmes que tu as lus. Recopie chaque mot du poème sur un petit carton (ou recopie le poème et découpe-le en étiquettes). Mélange les cartons et utilise-les pour écrire un nouveau texte. Tu peux laisser des mots de côté, en ajouter comme tu le souhaites… Écris d'abord au brouillon.

2 Lis le début d'« Intermède » à voix haute en marquant bien le rythme. Scande le rythme en frappant doucement sur ta table. Scande ensuite le même rythme en remplaçant les paroles par des « la la la ».

> *Une barque s'en va sur l'eau, sur l'eau*
> *Comme fait la feuille du saule…*

Lorsque tu as bien le rythme dans l'oreille, essaie de mettre tes propres paroles sur ce rythme. Écris les petits poèmes ainsi inventés.

Des mots pour mieux écrire

1 Le ciel, en poésie, c'est souvent « l'azur » (relis par exemple le premier vers de « Je fis un feu… »). C'est aussi « le firmament, l'horizon, l'espace infini, la voûte céleste, le royaume des astres… »
Cherche de même des synonymes poétiques du feu et de l'eau.

2 Si tu veux compléter ta recherche, voici des mots qui décrivent le feu. Classe-les en trois catégories : les différents aspects du feu, les appareils à feu, les effets du feu.
la flamme, la flambée, l'étincelle, le fourneau, la lampe, l'incendie, le tison, les cendres, la lumière, le poêle, les braises, les crépitements, le phare, le flambeau, la chaleur, la fumée, la brûlure.

Pistes de lecture

Des poèmes et des documents pour t'expliquer comment la nature se transforme au printemps.

▸Laurence Ottenheimer,
Le Livre du printemps,
Découverte cadet Gallimard.

Si tu as envie de découvrir d'autres poèmes sur les formes de l'eau : les nuages, les lacs, la pluie …

▸▸▸*L'Eau en poésie,*
Folio junior en poésie, Gallimard.

▸Laurence Ottenheimer,
Le Livre de l'été,
Découverte cadet Gallimard.

▸▸Jacques Charpentreau,
Poèmes d'aujourd'hui
pour les enfants de maintenant,
Les Éditions ouvrières.

▸▸▸*L'Arbre en poésie,*
Folio junior en poésie, Gallimard.

J'écris un poème (2)

Comparer, utiliser des images

J'observe

■ Voici les deux premiers vers d'un poème que tu connais bien maintenant.

Une barque s'en va sur l'eau
        sur l'eau
Comme fait la feuille du saule

■ **1. Il y a ici une comparaison : quels sont les objets comparés ?**

■ **2. Quels sont les points communs qui permettent de comparer ces objets?**

■ **3. À quoi cette comparaison te fait-elle penser ?**

: *La poésie utilise volontiers les comparaisons :
: on établit un rapport entre un objet et un
: autre, et souvent on fait apparaître ainsi un
: aspect caché des choses. (Par exemple, la
: barque est aussi légère, fragile et silencieuse
: qu'une feuille sur l'eau…)*

Je m'exerce

■ **a) Cherche toutes les comparaisons dans « Intermède » (p. 285). Dis à chaque fois ce qui est comparé et quel mot indique qu'il y a comparaison.**

■ **b) Parfois, il peut aussi y avoir comparaison sans qu'aucun mot ne l'annonce : à quoi la feuille est-elle ici comparée ?**

Il était une feuille
avec ses lignes
Ligne de vie
Ligne de chance
Ligne de cœur.

Faire voir, faire entendre

J'observe

■ Voici la deuxième et la troisième strophe de « Au bord de l'eau verte ». Relis-les.

Dans l'eau tiède filent les poissons blancs
        auprès d'arbres noirs
dont l'ombre sur l'eau tremble doucement
        au soleil du soir.

Deux pies qui crient s'envolent loin, très loin,
        loin de la prairie,
et vont se poser sur des tas de foin
        pleins d'herbes fleuries.

■ **1. Dans quelle strophe le promeneur voit-il quelque chose ? Que voit-il ?**

■ **2. Dans quelle strophe entend-il quelque chose ? Qu'entend-il ?**

: *Écrire un poème, ce peut être communiquer
: au lecteur des sensations, des impressions :
: ce qu'on voit, ce qu'on entend, un détail
: auquel on a été sensible…*

Je m'exerce

■ **a) Observe (p. 286) la structure du poème « La nuit il y a… ».**

■ **b) Sur ce modèle, invente un poème qui commencera par « Le matin il y a… » ou « Dans ce pays il y a… ».**

N'oublie pas de faire voir le paysage et entendre ce que disent les gens.

La nuit
Il y a …
…
…

Et au matin les gens …
Disent …
…

1 Parmi les petits poèmes que tu as écrits (voir p. 290), choisis-en un. Modifie-le ou étoffe-le en utilisant les ressources de la fiche « Des mots pour mieux écrire » (voir p. 290).

2 Maintenant, relis ton poème en t'aidant de la grille suivante. Améliore-le au fur et à mesure que tu découvres des points qui ne sont pas satisfaisants.

1. J'ai utilisé des comparaisons, des images.

2. J'ai fait voir ou entendre mes sensations.

3. J'ai disposé mon poème en vers, et si nécessaire en strophes.

4. Les vers sont réguliers, avec un rythme qui revient de la même façon plusieurs fois.

5. J'ai mis une majuscule au début de chaque vers.

Récréation

▶ **Aimes-tu ce petit poème ? À quoi te fait-il penser ?**
Cherche d'autres photos ou images pour l'illustrer.

Pourquoi je vis

Pour toucher le sable.
Voir le fond de l'eau.
Parce que c'est joli.

Boris Vian, D.R.

Chez les Indiens Crees du Canada, avant de nommer les enfants, on attend qu'ils manifestent un trait de caractère, une particularité les distinguant des autres. On raconte, au cours d'une cérémonie, comment ils ont mérité le nom qu'ils vont porter. Ce récit, sorte de « poème-nom », reste dans la mémoire de la communauté.

Silencieuse-Jusqu'au-Dégel

Son nom raconte comment cela se passait avec elle.

La vérité est qu'elle ne parlait pas
en hiver.
Chacun avait appris à ne pas lui poser de questions en hiver
5   une fois connu ce qu'il en était.

Le premier hiver où cela arriva
nous avons regardé dans sa bouche pour voir
si quelque chose y était gelé. Sa langue
peut-être, ou quelque chose d'autre au-dedans.

10   Mais après le dégel elle se remit à parler
et nous dit que c'était merveilleux ainsi pour elle.

Aussi, à chaque printemps
nous attendions, impatiemment.

Entendait-les-Écureuils

Il s'interrompait aussitôt au milieu
d'une phrase, s'il entendait
des bruits d'écureuil.

Et il savait sous quel arbre attendre
5   les écureuils. Même s'il sortait
dans l'obscurité
il savait quel arbre se ferait entendre
avant que les écureuils y soient arrivés !

Je me souviendrai toujours de cela, incompréhensible
10 aussi aux autres : il s'arrêtait de pagayer
presque au centre d'un lac à poissons
pour écouter. En silence. Il ne parlait pas du tout
simplement il se rongeait les doigts
avec ses dents
15 pour me prévenir qu'il avait entendu un écureuil.

Je savais qu'il souhaitait que les os de ses doigts
fussent des noisettes !

À cette distance dans le lac je pouvais bien entendre
s'égoutter les pagaies
20 mais nul bruit d'écureuil.

Cependant je voyais un écureuil s'éveiller
dans son visage, chaque fois que cela arrivait.

Jacques Roubaud et Florence Delay,
Poèmes et chants des Indiens d'Amérique du Nord, © Le Seuil.

1 Que signifie le mot « dégel » ? Le dégel a-t-il lieu plutôt en hiver ou au printemps ?

2 À quoi renvoie le titre du premier poème ? Celle qui est désignée comme « elle » te semble-t-elle bien nommée ?

3 Que penses-tu de l'attitude des adultes face à ce silence ?

4 Entendait-les-Écureuils a un don. Lequel ?

5 Selon toi, qui dit « nous » dans le premier texte et « je » dans le second ? Les parents, les frères et sœurs ou la tribu entière ?

6 Compare les deux poèmes. Se ressemblent-ils ? En quoi ces textes sont-ils à la fois des récits et des poèmes ?

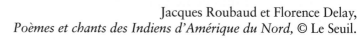

J'écris **à partir de mon prénom**

1 Cherche les mots cachés que contient ton prénom.
Voici un exemple avec le prénom Éliane : on peut y trouver cachés les mots *liane, elle, île, âne…*
Pour trouver ces mots, tu peux :
- utiliser deux fois la même lettre ;
- remplacer des lettres par d'autres lettres correspondant au même son (par exemple, avec le prénom Vincent, $[\tilde{\varepsilon}]$ = in, ein ou ain ; [s] = s, c, ç, ss ou t, etc.) ;
- jouer sur les sonorités de ton prénom en l'associant à des mots proches qui te viennent à l'esprit.

2 À partir de ces mots, invente-toi un nom indien adapté à ta personnalité.

Je joue avec les noms

Créer des anagrammes

J'observe

■ **Observe attentivement cet extrait de poème :**

A. Marie, qui voudrait votre nom retourner,
Il trouverait Aimer : aimez-moi donc, Marie.

> Pierre de Ronsard, *Continuation des amours.*

■ **1. Comment passe-t-on de « Marie » à « Aimer » ?**

■ **2. Compare cet extrait au jeu sur les lettres de ton prénom (p. 294). Quel point commun y a-t-il ?**

B. L'écrivain Boris Vian aimait se surnommer « Bison ravi ».

■ **À ton avis, comment avait-il formé ce surnom ?**

Faire une anagramme consiste à changer l'ordre des lettres d'un mot pour en obtenir un autre. Par exemple, « aimer » est l'anagramme de « Marie ». Et l'anagramme « aimer » permet de donner un nouveau sens au prénom Marie.

Je m'exerce

■ **1. Exerce-toi à chercher des anagrammes à partir de cette liste de mots :**
monde - écran - amer - gare - vandale.

■ **2. Voici des noms d'écrivains et de peintres et les anagrammes célèbres de leur nom. Retrouve ce qui va ensemble.**

1. Salvador Dali   a. Alcofribas Nasier
2. François Rabelais   b. Pauvre Lelian
3. Paul Verlaine   c. Avida Dollars

Évoquer avec des noms

J'observe

■ **À quoi fait penser un nom ? On peut le dire en un poème-nom, comme dans *Silencieuse-Jusqu'au-Dégel,* ou bien en un seul vers comme dans cet extrait :**

Ève dans un paradis
Jeannette avec sa bannière
Colette chez les récollettes
Sophie chez les philosophes
Charlotte et les sans-culottes
Marianne en république
Bertha qui tire le canon
Perpétue qui continue
Estelle qui dit que c'est elle […]

> H. Pichette, *La Lune et autres enfantines,* D.R.

■ **1. Par quoi commence chacun des vers du poème ?**
Par quel type d'association d'idées chaque prénom fait-il penser à ce qui est écrit ensuite ? (Sonorités, images qu'on a en tête, sens premier du prénom…)

■ **2. Parmi les mots suivants, associe ceux qui conviennent d'une part au poème d'Henri Pichette, d'autre part aux poèmes-noms indiens.**

récit - énumération - liste - phrases - répétition - litanie.

La poésie utilise souvent le pouvoir évocateur des mots. Par exemple, certains noms propres font spontanément surgir des images dans l'esprit du lecteur. D'autres se prêtent plus volontiers à des jeux sur les sonorités…

Je m'exerce

■ **Compose un bref poème à la manière d'Henri Pichette. Utilise des prénoms de personnes que tu connais (élèves de ta classe, parents, amis, etc.).**

Petit-Lynx

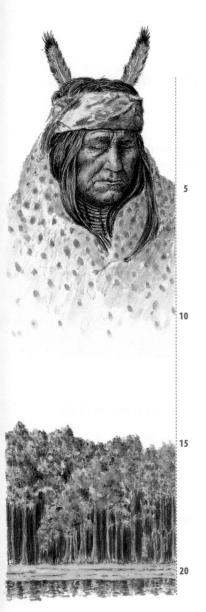

Un petit lynx
perdit sa famille.
Il s'en alla tout seul
et commença à apprendre
les choses.
5   Il se mit en route.

Un printemps il vit
arriver des oiseaux
qui venaient du sud.
Il en goûta quelques-uns.
10 Il en apprit le goût.

Un été il faillit
se noyer, mais il vit son visage
un long moment
dans ce lac.
15 Il apprit alors son visage.

Un automne il fut aussi grand
que ses parents
et cela le fit penser
à eux.
20 C'est ainsi qu'il apprit
à se souvenir.

Un jour, dans le froid de
l'hiver,
il trouva un oiseau gelé
qui ne bougeait pas.
25 C'est ainsi qu'il apprit les
larmes
qui de son visage tombaient
sur cet oiseau.
Il resta penché sur lui
un long moment.

Je sais son histoire,
30 ce qu'il apprit.
Je le sais.
Je vous le dis.
Toutes ces choses !
Je pleure quand je les dis.
35 Je suis Petit-Lynx.

Jacques Roubaud et Florence Delay,
*Poèmes et chants des Indiens
d'Amérique du Nord*, © Le Seuil.

❶ Le poème-nom « Petit-Lynx » ne ressemble pas tout à fait aux deux précédents. Qu'est-ce qui est surprenant dans la dernière strophe de ce poème ? Qui raconte, cette fois, l'histoire de Petit-Lynx ?

❷ Chaque strophe raconte un moment différent de l'apprentissage de Petit-Lynx.

Sait-on combien de temps dure cet apprentissage ?

❸ Relève les différentes étapes de cet apprentissage.

❹ Quels passages de ces trois poèmes-noms aimes-tu particulièrement ?

Ode[1] au Saint-Laurent

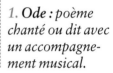

Ma langue est d'Amérique
Je suis né de ce paysage
J'ai pris souffle dans le limon du fleuve
Je suis la terre et je suis la parole
5 Le soleil se lève à la plante de mes pieds
Le soleil s'endort sous ma tête
Mes bras sont deux océans le long de mon corps
Le monde entier vient frapper à mes flancs […]

Gatien Lapointe, « Ode au Saint-Laurent »,
© Écrits des Forges Inc.

1. *Ode : poème chanté ou dit avec un accompagnement musical.*

1 Que veut dire l'auteur, selon toi, quand il écrit « Ma langue est d'Amérique » ?

2 De quelle façon le poète s'identifie-t-il à son pays tout au long de ces vers ?

3 Quels sont les mots qui permettent de se représenter le paysage ?

4 Qu'est-ce qui, dans ce poème, donne le sentiment d'immensité ?

Comme un arbre dans la ville

Comme un arbre dans la ville
Je suis né dans le béton
Coincé entre deux maisons
Sans abri, sans domicile
5 Comme un arbre dans la ville

Comme un arbre dans la ville
J'ai grandi dans les futaies
Où mes frères des forêts
Ont fondé une famille
10 Comme un arbre dans la ville
[…]

Comme un arbre dans la ville
J'ai la fumée des usines
Pour prison, et mes racines
On les recouvre de grilles
15 Comme un arbre dans la ville
[…]

Paroles :
Catherine et Maxime Le Forestier,
musique : M. Le Forestier,
© Éditions Coïncidence.

1 Relève les mots qui renvoient à la ville et ceux qui évoquent la nature.

2 Quels points communs vois-tu entre les trois textes proposés ?

1 Avec des camarades, tu vas chercher des moyens de créer des images.

Mettez-vous par groupes de trois. L'un d'entre vous recherche des noms d'éléments et ce qu'ils évoquent (par exemple, pour soleil : **rayons**, **éclat**… ; pour arbre : **forêt**, **écorce**…) et les note sur une feuille ; un autre écrit des noms de parties du corps humain ; le dernier cherche et inscrit des verbes liés à des actions quotidiennes.

À partir de ces mots, cherchez des associations surprenantes.

Exemples : *L'arbre s'étire comme un bras.*
L'éclat de ta bouche chante en moi.

2 Parmi ces propositions, retiens quelques images qui te plaisent et utilise-les dans un court poème. Signe ton poème de la façon qui te plaît : avec un prénom « déguisé » ou une anagramme.

Des mots pour mieux écrire

1 Relève dans les poèmes précédents les mots qui évoquent la nature. Classe-les dans le tableau selon le modèle ci-dessous.

les mots pour parler des saisons	……
les mots pour parler des animaux	……
les mots qui évoquent l'eau	……
les mots qui évoquent les plantes	……

2 Cherche dans un dictionnaire des mots ou des expressions pour comparer. Continue la liste : *comme, pareil(le) à…, tel, etc.*

Pistes de lecture

Des jeux avec les voyelles, les consonnes, les sons et le mode d'emploi. Un livre renversant !

Si tu aimes les formulettes à prononcer le plus vite possible sans s'emmêler, savoure ce petit trésor.

Philippe Dumas,
Jeux de mots et difficultés de prononciation,
Flammarion.

Joël Martin, Rémi Le Goistre,
Contrepétarades,
coll. Petit Point Jeu, Le Seuil.

Jean-Hugues Malineau, Pef,
Dix Dodus Dindons,
Albin Michel Jeunesse.

Le Québec en poésie,
Folio junior en poésie,
Gallimard.

298

J'utilise des comparaisons et des métaphores

 ## Comparer

J'observe

■ **Lis cette strophe d'un poème d'Henri Pichette :**

La lune
comme un hublot
comme l'œil d'un vaisseau
comme une perle dans les flots…

> H. Pichette, « La lune, la lune »,
> *La lune et autres enfantines*, D.R.

■ **1. À quoi est comparée la lune ?**

■ **2. Quel est le point commun entre la lune et les objets auxquels on la compare ?**

■ **3. Quel est le mot qui indique que l'on compare ?**

: *Pour faire naître des images dans l'esprit du lecteur ou de l'auditeur, on utilise souvent des comparaisons. « Comme » permet de rapprocher deux éléments qui ont un point commun pour les comparer. Par exemple, dans « la lune est comme un hublot », le point commun est la forme ronde.*

Je m'exerce

■ **Voici des éléments pour créer un poème. Essaie de voir des images dans ta tête et associe comme tu le veux les mots et les comparaisons.**

l'amour - l'amitié - ton visage - un rêve - la colère - la nuit.

……
comme un grand feu brûlant
……
comme un oiseau blessé
……
comme un parfum d'été
……
comme un océan de verdure
……
comme une parole étouffée

 ## Créer des métaphores

J'observe

A. Mes bras sont deux océans le long de mon corps.

> Gatien Lapointe, « Ode au Saint-Laurent ».

B. Chauve-souris, masque de l'ombre.

> R. Desnos, *Chantefables et chantefleurs*, © Gründ.

■ **1. À quoi sont comparés les bras dans le premier extrait ? la chauve-souris dans le second extrait ?**
Un mot indique-t-il que l'on compare ?

■ **2. Pour chaque métaphore, retrouve le point commun qui explique l'image.**

: *Une métaphore est une comparaison qui n'utilise pas le mot « comme ». Dans « mes bras sont deux océans », les deux termes comparés sont reliés par « sont » ; dans « chauve-souris, masque de l'ombre », les deux termes comparés sont mis en relation par une virgule.*

Je m'exerce

■ **1. Repère les métaphores et essaie de les classer dans le tableau.**

A. Oiseau, tu n'es que la virgule
d'une phrase en plein ciel.

> Alain Bosquet, cité dans *Les Oiseaux en poésie*,
> Folio junior, © Gallimard.

B. J'ai vu ses yeux de fougère s'ouvrir le matin.

> A. Breton, *Nadja*, © Gallimard.

C. Ma jeunesse ne fut qu'un ténébreux orage, traversé çà et là par de brillants soleils.

> Charles Baudelaire, *Les Fleurs du mal*.

Ce qui est comparé	À quoi c'est comparé	Le point commun qui permet de comparer
…………	…………	…………

■ **2. Crée toi-même des métaphores.**

1 Reprends le poème que tu as composé (voir p. 298). Lis-le à voix haute à ton voisin ou à ta voisine, et sers-toi de ses réactions pour améliorer ton texte.

2 Relis maintenant ton poème en utilisant la grille de réécriture suivante.

1. Dans mon poème, j'ai utilisé des images pour permettre au lecteur de se représenter quelqu'un ou quelque chose.

2. J'ai utilisé des comparaisons avec « comme » ou des métaphores.

3. J'ai joué avec les sonorités des mots.

4. J'ai terminé mon poème par une signature : mon nom, un nom « déguisé » ou l'anagramme de mon nom.

Récréation

Les corridors où dort Anne qu'on adore

La petite Anne, quand elle dort,
où s'en va-t-elle ?
Est-elle dedans, est-elle dehors,
et que fait-elle ?

Pendant la récré du sommeil,
à pas de loup,
entre la terre et le soleil
Anne est partout.

Les pieds nus et à tire-d'aile
Anna va faire
les quatre cents coups dans le ciel.
Anne s'affaire.

La petite Anne, quand elle dort,
Qui donc est-elle ?
Qui dort ? Qui court par-dessus bord ?
Une autre, et elle.

L'autre dort et l'une a des ailes,
Anne dans son lit, Anne dans le ciel.

Claude Roy, « Nouvelles enfantasques »,
dans *Claude Roy un poète*,
coll. Folio junior, © Gallimard.

27 Sagesse des animaux

Voici quelques fables venues d'époques et de pays différents. Une fable est un petit récit en prose ou en vers d'où l'on tire une morale ou une leçon. Les fables mettent souvent en scène des animaux pour pouvoir mieux parler des hommes.

Renard et la Panthère

Renard chassait dans la forêt lorsqu'il tomba nez à nez avec la Panthère.

— Que fais-tu donc sur mon territoire ? demanda-t-elle.

— C'est simple, répondit Renard. Je suis venu ici pour que tu
5 me manges.

La Panthère trouva la réponse fort drôle et déclara :

— Tu as de l'humour ! Aussi vais-je te donner une chance de t'en tirer. Tu auras la vie sauve si tu peux me dire deux vérités vraies.

10 — Rien de plus simple, dit Renard. Voici la première : tu n'as pas très faim aujourd'hui, sinon tu m'aurais mangé sans attendre.

— Exact ! répondit-elle.

— Voici maintenant la seconde vérité vraie : nul ne me croira si je raconte que j'ai rencontré la Panthère et qu'elle ne m'a pas
15 mangé.

— Cela aussi est exact, déclara la Panthère. Va ! et que je ne te reprenne plus dans les parages.

Fable du Gabon. Jean Muzi, *19 fables de Renard*,
Castor Poche, © Flammarion.

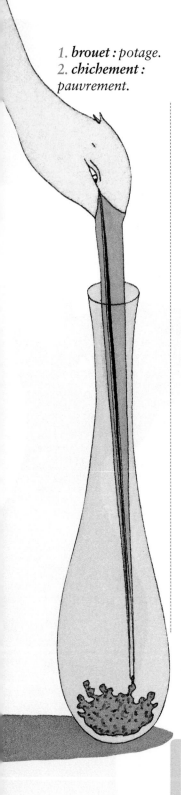

1. *brouet* : *potage.*
2. *chichement* : *pauvrement.*

Le renard et la cigogne

Compère le renard se mit un jour en frais,
Et retint à dîner commère la cigogne.
Le régal fut petit et sans beaucoup d'apprêts :
    Le galand, pour toute besogne,
5 Avait un brouet[1] clair ; il vivait chichement[2].
Ce brouet fut par lui servi sur une assiette :
La cigogne au long bec n'en put attraper miette,
Et le drôle eut lapé le tout en un moment.
    Pour se venger de cette tromperie,
10 À quelque temps de là, la cigogne le prie.
  « Volontiers, lui dit-il ; car avec mes amis
    Je ne fais point cérémonie. »
    À l'heure dite, il courut au logis
    De la cigogne son hôtesse ;
15   Loua très fort sa politesse ;
    Trouva le dîner cuit à point :
Bon appétit surtout ; renards n'en manquent point.
Il se réjouissait à l'odeur de la viande
Mise en menus morceaux, et qu'il croyait friande.
20   On servit, pour l'embarrasser,
En un vase à long col et d'étroite embouchure.
Le bec de la cigogne y pouvait bien passer ;
Mais le museau du sire était d'autre mesure.
Il lui fallut à jeun retourner au logis,
25 Honteux comme un renard qu'une poule aurait pris,
   Serrant la queue, et portant bas l'oreille.

    Trompeurs, c'est pour vous que j'écris :
    Attendez-vous à la pareille.
        Jean de La Fontaine, *Fables*, I, 18.

❶ Quel animal retrouves-tu dans ces deux textes ?
Que lui arrive-t-il à chaque fois ?

❷ Le renard rencontre des animaux très différents dans ces deux textes. Comment se comporte-t-il avec chacun d'eux ?

❸ Quelles qualités ou quels défauts sont attribués au renard ?

La fourmi et la colombe

Une fourmi assoiffée était descendue à une source. Mais le courant l'emporta et elle allait se noyer quand une colombe l'aperçut. L'oiseau arracha une brindille à un arbre et la jeta dans la source : la fourmi y grimpa et fut sauvée. Peu après, survint un
5 oiseleur[1] : il disposait ses gluaux[2] pour attraper la colombe. La fourmi, le voyant faire, le mordit au pied. Saisi de douleur, l'oiseleur laissa tomber ses gluaux et fit aussitôt s'envoler la colombe.

Imitons la fourmi, sachons rendre un bienfait.

Ésope, *Fables*, trad. C. Terreaux, © Éd. Arléa, 1994.

1. *oiseleur :* personne dont le métier est d'attraper des oiseaux.
2. *gluaux :* branches enduites de glu.

L'exploit

« Rien qu'avec mes mandibules[1] »,
Dit la fourmi toisant[2] Hercule,
« Je déplace vingt fois
Mon poids !

5 Et, c'est Toi !
Qui te dis le Roi ! »

Andrée Chédid, *Fêtes et lubies*, © Flammarion.

1. *mandibules :* mâchoires.
2. *toisant :* regardant avec mépris.

❶ Quel animal retrouves-tu dans ces deux textes ?

❷ Pour chaque texte, définis les qualités et les défauts attribués à cet animal.

❸ Dans certaines de ces fables, les animaux parlent. Lesquelles ? À quels moments ?

❹ Pour chaque fable, dis si elle comporte une « morale » où l'auteur donne son avis. Explique le message de l'auteur.

J'écris une fable (1)

Tu vas écrire le début d'une petite fable où les héros sont des animaux.

❶ Choisis deux animaux en leur attribuant une qualité ou un défaut.

❷ Raconte les circonstances de leur rencontre et décris ce que le héros principal veut obtenir ou veut montrer à l'autre.

Je mets en scène des animaux dans une fable (1)

1 Imaginer des correspondances

J'observe

■ **Lis cet extrait de « La cigale et la fourmi ».**

La fourmi n'est pas prêteuse ;
C'est là son moindre défaut.
« Que faisiez-vous au temps chaud ? »
Dit-elle[1] à cette emprunteuse[2].

Jean de La Fontaine, Fables.

1. « *elle* » *désigne la fourmi.*
2. « *emprunteuse* » *désigne la cigale.*

■ **1. Quels sont les traits de caractère de la cigale et ceux de la fourmi ?**

■ **2. Ces traits de caractère sont-ils propres aux animaux ?**

■ **3. En imaginant des correspondances entre les animaux et les hommes, qu'est-ce que l'auteur cherche à faire ?**

> *Dans une fable, on attribue souvent aux animaux des qualités ou des défauts humains pour parler des hommes.*

Je m'exerce

■ **a) Choisis un animal (face à un autre si tu veux), puis un type de personne ainsi qu'une qualité ou un défaut que tu peux faire correspondre à cet animal.**

■ **b) Dresse au brouillon la liste de ce que tu pourrais lui faire dire ou lui faire faire pour illustrer son caractère.**

2 Choisir une situation qui révèle les caractères

J'observe

■ **Relis le début de *Renard et la Panthère*.**

Renard chassait dans la forêt lorsqu'il tomba nez à nez avec la Panthère.
— Que fais-tu donc sur mon territoire ? demanda-t-elle.
— C'est simple, répondit Renard. Je suis venu ici pour que tu me manges.
La Panthère trouva la réponse fort drôle et déclara :
— Tu as de l'humour ! Aussi vais-je te donner une chance de t'en tirer.

■ **1. Quelle est la situation au début de la fable ?**

■ **2. Qu'apprends-tu sur le caractère des deux personnages ?**

> *Lorsqu'on écrit une fable, on met les personnages dans une situation qui révèle leur caractère. Les actions et les paroles des personnages permettent de bien comprendre de quel genre de personnage, de quelle qualité ou de quel défaut on veut parler.*

Je m'exerce

■ **Imagine une situation de départ pour mettre en scène les animaux suivants.**

a) Le renard veut montrer au poisson qu'il nage plus vite que lui.
b) Le lion est certain de mieux chanter que le coq.
c) La girafe prétend être plus agile que le singe.

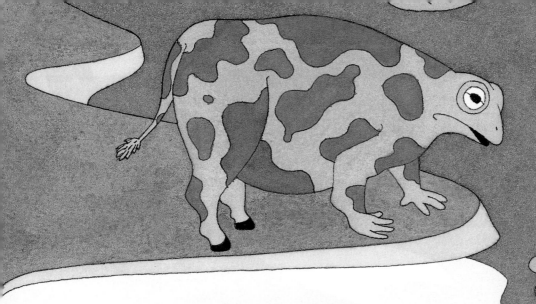

La grenouille
qui se veut faire aussi grosse
que le bœuf

Une grenouille vit un bœuf
Qui lui sembla de belle taille.
Elle qui n'était pas grosse en tout comme un œuf,
Envieuse s'étend, et s'enfle, et se travaille
5   Pour égaler l'animal en grosseur,
         Disant : « Regardez bien, ma sœur ;
Est-ce assez ? dites-moi : n'y suis-je point encore ?
— Nenni[1]. — M'y voici donc ? — Point du tout. — M'y voilà ?
— Vous n'en approchez point. » La chétive[2] pécore[3]
10   S'enfla si bien qu'elle creva.

Le monde est plein de gens qui ne sont pas plus sages :
Tout bourgeois veut bâtir comme les grands seigneurs ;
   Tout petit prince a des ambassadeurs ;
   Tout marquis veut avoir des pages[4].

Jean de La Fontaine, *Fables*, I, 3.

1. **Nenni :** *non.*
2. **chétive :** *peu robuste.*
3. **pécore :** *animal ou personne stupide et vaniteuse.*
4. **pages :** *jeunes nobles qui servent un seigneur.*

❶ Pourquoi la grenouille veut-elle grossir ? Que lui arrive-t-il ?

❷ Quels personnages parlent des vers 6 à 9 ? Retrouve ce que chacun dit.

❸ À quoi sert ce dialogue ?

❹ À qui La Fontaine compare-t-il la grenouille ? Es-tu d'accord avec ce que pense le poète ?

❺ Un des vers de la fable résume la « morale » de l'histoire de la grenouille. Quel est ce vers ?

Le Singe et le Bouc

Un Singe cherchait un associé. Le choix s'avérait difficile, car il ne souhaitait pas prendre n'importe quel équipier.

« Je pourrais faire tandem avec un de mes semblables, se dit-il, mais je dois me méfier, parce qu'il n'y a pas plus malin qu'un
5 Singe. »

Il renonça donc et décida de s'associer à un Renard qui occupait un terrier non loin de chez lui. Avant de lui faire la moindre proposition, il se mit à l'observer et comprit vite qu'il ne correspondait pas à celui qu'il cherchait.

10 « Le Renard est très sympathique, mais il est beaucoup trop rusé », conclut-il.

Le Singe envisagea aussi de faire équipe avec un Lion.

« Nous formerons un duo invincible[1], songea-t-il. Mais je n'aurai jamais le dessus sur le roi des animaux et en toute circons-
15 tance il se taillera la part du lion. »

Son choix se porta alors sur un vieux Bouc qui régnait sur un troupeau de Chèvres.

— Associons-nous, proposa le Singe. Je connais de nombreux champs où nous pourrons cueillir du maïs que nous écoulerons
20 sans difficulté à la ville.

Le Bouc accepta. Les deux compères partirent sans attendre. Au bout d'un moment, le Singe s'arrêta au bord du chemin.

1. *invincible :*
qu'on ne peut pas
vaincre.

306

— Je suis épuisé, dit-il.

— Nous n'avons pourtant pas marché longtemps, constata le
25 Bouc.

— Prends-moi sur ton dos, dit le Singe.

— Si tu veux…

Le Bouc porta le Singe jusqu'au champ.

— C'est moi qui cueillerai le maïs, décréta le Singe. Et toi, tu
30 le transporteras.

Après avoir rapporté le maïs, les deux associés commencèrent
le partage. Ils firent deux parts égales.

— Je prends la moitié me revenant, dit le Singe.

— Et moi, l'autre moitié, répondit le Bouc.

35 — Pas si vite ! l'interrompit le Singe. Il faut la partager en deux.

— Pourquoi ? s'étonna le Bouc.

— Parce que j'ai encore droit à une part pour avoir proposé
cette affaire. Et à une autre en dédommagement de mon travail,
puisque j'ai ramassé le maïs.

40 — Il ne va rien me rester, protesta le Bouc.

— Désolé.

— Tu exagères, dit le Bouc avec colère.

— Pas du tout ! répliqua le Singe. Je te rappelle que c'est moi
qui ai trouvé le champ et qu'en conséquence je mérite encore
45 quelque chose. Mais comme tu as transporté le maïs et que tu es
mon ami, je considère que tu ne me dois rien.

Le Bouc comprit que le Singe l'avait berné. Il s'éloigna sans
mot dire et jura de ne jamais plus s'associer avec personne.

Fable de Chine. Jean Muzi, *19 fables de singes*,
Castor Poche, © Flammarion.

❶ Quels animaux le singe rencontre-t-il ?
Avec qui dialogue-t-il ?

❷ Quelles sont les différentes étapes de
cette fable ? Donne un titre à chacune
d'elles.

❸ Quelle morale peux-tu tirer de cette
fable ?

❹ Observe le dialogue entre le singe et
le bouc des lignes 18 à 43.
Fais la liste des verbes qui indiquent qui
parle et comment ce personnage parle :
« le Singe proposa, le Bouc constata… ».

❺ Compare avec le dialogue entre la
grenouille et le bœuf (p. 305). Que
remarques-tu ?

J'écris une fable (2)

1 Reprends le début de fable que tu as écrit (voir p. 303). Imagine la suite. N'oublie pas de faire parler les personnages à certains moments clés.

2 Invente une fin à ta fable et termine par une morale.

Des mots pour mieux écrire

1 Dans les fables, les animaux s'échangent des paroles sur un ton souvent très vif. Voici quelques verbes « hauts en couleur » qui permettent de rapporter leurs paroles. Certains appartiennent au vocabulaire animal mais sont parfois utilisés pour les discours des humains :

> *vociférer - aboyer - hurler - meugler -*
> *mugir - claironner - se vanter…*

a) Précise le sens de chaque verbe. (Tu peux t'aider d'un dictionnaire.)
b) Continue la liste en cherchant des verbes propres à certains animaux et que tu pourrais utiliser dans une fable : « hululer » par exemple.

2 D'autres verbes servent plus particulièrement à marquer les échanges :

> *renchérir - ajouter - suggérer - proposer - couper - lancer…*

Trouves-en d'autres.

3 À l'oral, trouve des paroles simples. En choisissant bien le ton, fais deviner à tes camarades si tu les claironnes, les aboies, les meugles… !

Pistes de lecture

De tout petits poèmes où les animaux vivent une vraie vie d'animal. Découvre vite ces étranges créatures…

Si tu veux découvrir d'autres fables venues d'Afrique.

Alain Serres,
Le bestiaire des mots,
Cheyne éditeur.

Jan Knappert,
37 fables d'Afrique,
Castor Poche, Flammarion.

✦✦✦ Andrée Chédid,
Fêtes et lubies,
Flammarion.

✦✦✦ Jean de La Fontaine,
Fables.

Je mets en scène des animaux dans une fable (2)

Faire parler les animaux

J'observe

■ **1.** Relis le début de « La grenouille qui se veut faire aussi grosse que le bœuf », p. 305.

a) Pourquoi le dialogue apparaît-il au vers 6 ? Quelle opinion te donne-t-il sur la grenouille ?

b) Les phrases sont-elles longues ? À ton avis, pourquoi ?

■ **2.** Relis les paroles des animaux dans *Renard et la Panthère*, p. 301, et dans « L'exploit », p. 303.

Compte les phrases exclamatives et interrogatives. Compare-les au nombre de phrases déclaratives. Que remarques-tu ?

> *Dans une fable, pour rendre vivantes les paroles des personnages, on fait souvent parler les animaux comme des humains. Pour bien montrer leurs disputes, leurs désaccords, on emploie des phrases courtes, souvent exclamatives ou interrogatives. Les animaux se lancent des mots « comme on se lance une balle ».*

Je m'exerce

■ **Voici un poème. Modifie-le pour créer une petite fable en faisant parler les animaux à certains endroits.**

> Tarabustée
> par le cafard
> Julie l'Abeille
> s'est réfugiée
> Loin des soleils
> dans un tiroir
> Ailes repliées
> elle broie du noir.
>
> A. Chédid, DR.

Énoncer une morale ou la faire deviner

J'observe

■ **1.** Dans *Renard et la Panthère*, p. 301, et *Le Singe et le Bouc*, pp. 306-307, l'auteur énonce-t-il clairement la morale de l'histoire ?

■ **2. Voici deux morales. Rends à chaque fable celle qui pourrait lui correspondre.**

a) Qui se fait berner une fois se méfie par la suite.

b) L'humour sauve parfois la vie.

> *Dans une fable, on peut soit clairement énoncer une morale (elle est alors explicite), soit la faire deviner par les paroles ou les actions des personnages (elle est alors implicite).*

Je m'exerce

■ **Voici une courte fable qui n'est pas terminée. Choisis la morale qui convient.**

Le loup et la chèvre

Un loup vit une chèvre qui broutait au flanc d'un roc escarpé. Comme il ne pouvait pas venir jusqu'à elle, il l'invita à descendre : « Tu risques, disait-il, de tomber par mégarde ; d'ailleurs l'herbe est meilleure là où je suis, le gazon y est tout fleuri. » Mais la chèvre lui répondit : « Le festin où tu me pries serait ta panse* vide. »

Ésope, *Fables*, trad. C. Teneaux, © Éd. Arléa, 1994.

* panse : ventre.

Morales :

a) On peut faire confiance à quelqu'un qui nous veut du bien.

b) Il faut se méfier des propositions trop alléchantes.

c) Refuser l'invitation d'un proche est impoli.

Reprends la fable que tu as écrite (voir pp. 303-308) et améliore-la à l'aide de la grille de réécriture suivante.

1. J'ai choisi deux personnages-animaux opposés et je leur ai attribué des traits de caractère, des qualités ou des défauts humains.

2. J'ai imaginé une situation dans laquelle ils se rencontrent et qui révèle leur caractère.

3. J'ai fait parler mes personnages au bon moment.

4. J'ai varié les verbes pour introduire et rapporter leurs paroles.

5. Dans les dialogues, mes animaux échangent des paroles sur un ton vif : j'ai utilisé des phrases exclamatives et interrogatives.

6. J'ai énoncé ou fait deviner la morale de ma fable.

Récréation

La consultation du Kangourou

« Le sang plein de glou-glou
L'os en caoutchouc
Le cœur en saindoux,
Je me sens mou ! »
Dit le Kangourou.
« La langue sans goût
Le cerveau flou
L'œil hors des trous ! »

« Je vois je vois
Je connais Ça ! »
Fait le Docte Marabout,
« Voilà le contre-coup
Des coups, des à-coups
De la vie en remous ! »

« Viens, viens, sous mon joug
Viens, petit Kangourou ! »
Fait ce Docte Manitou.
« Couche-toi sur rendez-vous […] »

« Mais, quand tiendrai-je debout ? »,
Osa le Kangourou.

« Ça », dit le Manitou,
Ombrageux Marabout,
« C'est la question TABOU ! »

Andrée Chédid, *Fêtes et lubies*,
© Flammarion.

6. Le théâtre

De la page 311 à la page 348

Pour lire le théâtre

Il t'est déjà arrivé, lorsque tu te promènes, de surprendre des conversations… Rien qu'en entendant quelques mots échangés entre des personnes, tu as imaginé et peut-être compris ce qui se passait…

Quand tu lis un texte de théâtre, c'est un peu pareil ! Tu essaies de comprendre ce qui se passe entre les personnages, tu fais ta petite enquête, comme un détective !

Le retour d'Arnolphe *(extrait 1)*

ALAIN — Qui heurte* ?

ARNOLPHE — Ouvrez. On aura, que je pense,
Grande joie à me voir après dix jours d'absence.

ALAIN — Qui va là ?

5 ARNOLPHE — Moi.

ALAIN — Georgette ?

GEORGETTE — Hé bien ?

ALAIN — Ouvre là-bas.

GEORGETTE — Vas-y toi.

10 ALAIN — Vas-y toi.

GEORGETTE — Ma foi, je n'irai pas.

ALAIN — Je n'irai pas aussi.

ARNOLPHE — Belle cérémonie**,
Pour me laisser dehors ! Holà ho ! Je vous prie.

15 GEORGETTE — Qui frappe ?

* qui frappe ?
** manière

ARNOLPHE — Votre maître.

GEORGETTE — Alain ?

ALAIN — Quoi ?

GEORGETTE — C'est Monsieur. Ouvre vite.

20 ALAIN — Ouvre, toi.

GEORGETTE — Je souffle notre feu.

ALAIN — J'empêche, peur du chat, que mon moineau ne sorte.

ARNOLPHE — Quiconque de vous deux n'ouvrira pas la porte
N'aura point à manger de plus de quatre jours.
25 Ah !

Molière, *L'École des femmes*,
Acte I, scène 2.

A Que se passe-t-il ?

- **Quels sont les personnages que tu découvres dans cette scène ?**

- **Dans quel lieu se trouvent-ils ? Fais un plan des lieux.**

- **Relève les différentes étapes.**
Voici pour t'aider une liste que tu dois mettre dans l'ordre.

– Alain et Georgette donnent chacun une raison pour ne pas aller ouvrir.

– Georgette comprend que c'est leur maître qui frappe à la porte.

– Arnolphe frappe à la porte de sa maison.

– Arnolphe les menace s'ils ne se décident pas à lui ouvrir.

– Alain et Georgette, à tour de rôle, souhaitent que l'autre aille ouvrir.

 Pour bien comprendre une scène de théâtre, tu dois repérer qui sont les personnages, où ils se trouvent et ce qui leur arrive.

B Que va-t-il se passer ?

● **Dans cette petite scène, il y a un** *enjeu* **: Arnolphe veut rentrer chez lui, ses serviteurs ne lui ouvrent pas.**
Qui des deux va finir par le faire ?

● **La scène n'est, bien sûr, pas terminée... Que va-t-il se passer à la réplique suivante ? Essaye de deviner ou d'imaginer !**

 Pour bien comprendre une scène de théâtre, tu dois essayer de deviner ce qui va se passer entre les personnages...

C Attention aux coups... (de théâtre !)

Nous avons laissé Arnolphe à la porte de sa maison, et nous avons hâte de savoir lequel des deux serviteurs va ouvrir à son maître.
Voyons un peu la suite...

Le retour d'Arnolphe *(extrait 2)*

GEORGETTE — Ôte-toi donc de là.

ALAIN — Non, ôte-toi toi-même.

GEORGETTE — Je veux ouvrir la porte.

ALAIN — Et je veux l'ouvrir, moi.

5 GEORGETTE — Tu ne l'ouvriras pas.

ALAIN — Ni toi non plus.

GEORGETTE — Ni toi.

ARNOLPHE — Il faut que j'aie l'âme bien patiente* !

ALAIN — Au moins, c'est moi, Monsieur.

10 GEORGETTE — Je suis votre servante.
C'est moi.

ALAIN — Sans le respect de Monsieur que voilà,
Je te…

ARNOLPHE, *(recevant un coup d'Alain)*
15 — Peste !

ALAIN — Pardon.

ARNOLPHE — Voyez ce lourdaud-là !

ALAIN — C'est elle aussi, Monsieur…

ARNOLPHE — Que tous deux on se taise.

* On me fait beaucoup attendre !

Molière,
L'École des femmes,
Acte I, scène 2.

● **Souviens-toi du premier extrait : à ton avis, qu'est-ce qui a décidé Alain et Georgette à se battre pour aller ouvrir ?**

● **Qu'arrive-t-il à Arnolphe ? Comment en es-tu informé ?**

● **Es-tu surpris par la fin de cette petite scène ?**

Une scène est d'autant plus intéressante qu'il y a une tension, un changement et que la scène ne se termine pas tout à fait comme nous l'avions prévu !
C'est ce que l'on appelle un « retournement de situation » ou encore « le mouvement » d'une scène !

D *Mettre en œuvre la lecture d'un texte de théâtre*

Un texte de théâtre est écrit pour être lu à plusieurs à haute voix et pour être joué devant des spectateurs.
Nous comprenons mieux maintenant la scène écrite par Molière. Nous connaissons la situation et nous avons découvert certains personnages. Tu as certainement envie de leur donner vie !
Commençons par choisir la voix des personnages, et entraînons-nous un peu !

La lecture à plusieurs se prépare.

● **Vous formez des groupes de trois et vous vous répartissez les rôles.**

● **Tu repères les paroles du personnage que tu vas interpréter.**

● **Tu relis plusieurs fois tes répliques pour ne plus hésiter sur les mots.**

● **Tu vas maintenant t'entraîner à lire de différentes manières ton rôle, en faisant des variations de voix : voici quelques pistes pour t'aider.**

1. Le débit : rapidité ou lenteur

Tu donnes à ton personnage :
– une voix lente, traînante ;
– une voix rapide, très rapide ;
– une voix posée, qui détache chaque mot…

2. L'intensité : force de la voix

Tu t'entraînes à lire :
– d'une voix forte, très forte (comme si tu parlais à un sourd) ;
– tu chuchotes comme pour ne pas réveiller quelqu'un…

3. La hauteur de la voix

Tu choisis de donner à ton personnage :
– une voix grave, comme celle d'un ogre ;
– une petite voix très aiguë ;
– ta voix habituelle, bien posée…

4. La couleur de la voix

Tu imagines que ton personnage dit ses paroles avec émotion :
– il est très joyeux ;
– il est en colère ;
– il est triste…

Tu l'imagines dans un certain état :
– il est très fatigué ;
– il est en pleine forme ;
– il bâille et a envie d'aller dormir…

5. Les déformations de la voix

Tu choisis par exemple :
– de le faire « parler du nez » ;
– de faire comme s'il avait la langue très épaisse ;
– de le faire bégayer ou hésiter à chaque mot ;
– de le faire s'exprimer avec « un cheveu sur la langue »…

Il y a bien d'autres manières de lire !
À toi d'inventer avec tes camarades…

● **Vous indiquez deux ou trois choix dans le tableau suivant.**
Chaque personnage doit avoir « sa manière » de parler.
En vous écoutant, vos camarades devront retrouver de qui il s'agit.

Par exemple :

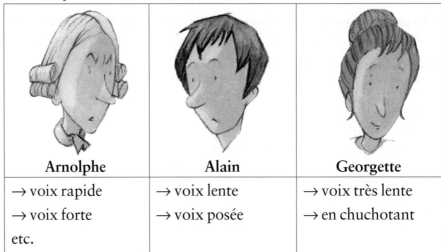

Arnolphe	Alain	Georgette
→ voix rapide	→ voix lente	→ voix très lente
→ voix forte	→ voix posée	→ en chuchotant
etc.		

La lecture à haute voix se prépare toujours.
Il n'y a jamais « un » ton à mettre, mais plusieurs manières de lire avec plaisir. Pour cela, tu essayes différentes possibilités et ensuite tu fais des choix.

E *Faire partager des émotions !*

Maintenant que vous vous êtes préparés, vous allez faire partager votre plaisir aux autres élèves de la classe.

● **Vous disposez trois chaises pour lire à votre aise, sans vous gêner.**

● **Vous attendez le silence complet pour commencer.**

● **Vous faites attention au rythme, à la respiration, aux choix que vous avez faits, sans vous déconcentrer.**

Réussir une belle lecture à haute voix, c'est communiquer aux autres les choix que l'on a faits, et s'arranger pour qu'ils entendent la voix de chaque personnage de façon impeccable.

Le texte de théâtre est comme une partition musicale, avec son rythme, sa respiration, sa mélodie, ses silences, ses temps forts…

Mon petit doigt m'a dit...

Argan a demandé à Louison de surveiller sa grande sœur et de venir lui rapporter tout ce qu'elle aura vu. Il fait venir Louison, mais la petite fille dit qu'elle n'a rien remarqué... Argan menace de la fouetter...

LOUISON — Au nom de Dieu ! mon papa, que je ne l'aye pas.

ARGAN *la prenant pour la fouetter* — Allons, allons.

LOUISON — Ah ! mon papa, vous m'avez blessée. Attendez : je suis morte. *(Elle contrefait la morte.)*

5 ARGAN — Holà ! Qu'est-ce là ? Louison, Louison. Ah, mon Dieu ! Louison. Ah ! ma fille ! Ah ! malheureux, ma pauvre fille est morte. Qu'ai-je fait, misérable ! [...]
Ah ! ma pauvre fille, ma pauvre petite Louison.

LOUISON — Là, là, mon papa, ne pleurez point tant, je ne suis
10 pas morte tout à fait.

ARGAN — Voyez la petite rusée ? Oh çà, çà ! Je vous pardonne pour cette fois-ci, pourvu que vous me disiez bien tout.

LOUISON — Ho ! oui, mon papa.

ARGAN — Prenez-y bien garde au moins, car voilà un petit
15 doigt qui sait tout, qui me dira si vous mentez.

LOUISON — Mais, mon papa, ne dites pas à ma sœur que je vous l'ai dit.

ARGAN — Non, non.

LOUISON — C'est, mon papa, qu'il est venu un homme dans
20 la chambre de ma sœur comme j'y étais.

ARGAN — Hé bien ?

LOUISON — Je lui ai demandé ce qu'il demandait, et il m'a dit qu'il était son maître à chanter.

ARGAN — Hon, hon. Voilà l'affaire. Hé bien ?

25 LOUISON — Ma sœur est venue après.

ARGAN — Hé bien ?

LOUISON — Et lui, il ne voulait pas sortir.

ARGAN — Qu'est-ce qu'il disait ?

LOUISON — Il lui disait je ne sais combien de choses.

30 ARGAN — Et quoi encore ?

LOUISON — Il lui disait tout ci, tout ça, qu'il l'aimait bien, et qu'elle était la plus belle du monde.

ARGAN — Et puis après ?

LOUISON — Et puis après, il se mettait à genoux devant elle.

35 ARGAN — Et puis après ?

LOUISON — Et puis après, il lui baisait les mains.

ARGAN — Et puis après ?

LOUISON — Et puis après, ma belle-maman est venue à la porte, et il s'est enfui.

40 ARGAN — Il n'y a point autre chose ?

LOUISON — Non, mon papa !

ARGAN — Voilà mon petit doigt pourtant qui gronde quelque chose. *(Il met son doigt à son oreille.)* Attendez. Eh ! ah ! ah ! oui ? Oh, oh ! voilà mon petit doigt qui me dit quelque chose que vous 45 avez vu, et que vous n'avez pas dit.

LOUISON — Ah ! mon papa, votre petit doigt est un menteur.

Molière, *Le Malade imaginaire*, Acte II, scène 8.

❓

❶ Pourquoi Louison joue-t-elle à faire « comme si elle était morte » ?

❷ Quelle est la réaction d'Argan ? Qu'en penses-tu ?

❸ Quelle réplique te montre qu'Argan se doutait que sa grande fille était courtisée ?

❹ Qu'est-ce qui te paraît le plus drôle dans cette scène ?

J'écris **un carnet de mise en scène**

❶ À quatre, vous préparez un jeu mimé pour représenter la petite scène de déclaration amoureuse que Louison a vue.

❷ Décrivez et dessinez les éléments du décor et les costumes. Indiquez les mouvements des personnages (arrêts, déplacements, rythmes de marche, etc.).

Je mets en scène un texte de théâtre

 **Je prépare la mise en scène**

J'observe

■ Pour jouer une scène, il faut d'abord définir l'espace de jeu : c'est le « cadrage ».

Tout ce qui est « dans le cadre » est destiné à être vu par les spectateurs.

Il faut donc choisir comment organiser l'espace de jeu.

À l'extérieur du « cadre » de jeu, on se prépare, on garde le silence, on se concentre. Dès que l'on pose le pied dans le cadre, on devient un personnage.

C'est « magique » !

Pour jouer une scène, on commence par se mettre bien d'accord sur la disposition de l'espace, pour savoir où l'on se trouve et comment se déplacer.

Je m'exerce

■ Construis l'espace de jeu pour jouer la scène de la déclaration amoureuse.

■ **a) Définis l'espace de jeu :**

– il est tout en longueur ou, au contraire, tu prévois de la profondeur ;

– il comporte un seul niveau de jeu ou, au contraire, tu prévois un espace bas et un espace en hauteur.

■ **b) Fais un plan de l'espace où se déroule la scène :**

– tu indiques les entrées, les portes, les fenêtres, etc. ;

– tu indiques les meubles ou les accessoires que tu imagines.

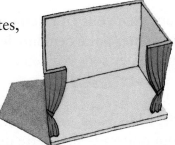

 **Je fais agir les personnages**

J'observe

■ Quand on met en scène, on doit choisir pour chaque personnage une activité qui l'occupe. Parfois l'auteur te l'indique, mais le plus souvent c'est à toi d'inventer !

■ **a) Il faut imaginer pour chaque personnage :**

• comment il parle (rapidité de la voix, intensité, hauteur, etc.) ;

• ce qu'il fait et dans quel état il est, par exemple pour Louison et son père :

  – Louison : toute douce, en train de jouer avec une poupée ;

  – Argan : très fatigué, avec un grand mal de dos, en train de ranger des livres.

■ **b) Il faut également préciser les déplacements des personnages.**

Chaque personnage doit se déplacer de façon précise et dessiner une figure au sol pendant la scène, par exemple :

– Louison est assise, joue avec sa poupée et ne bouge pas (elle est le point fixe) ;

– Argan dessine des cercles autour d'elle.

Du texte à la scène, tout est question de choix et d'imagination.
Chaque personnage doit avoir quelque chose à faire. Alors, ses paroles deviennent vivantes !

Je m'exerce

■ À toi d'inventer les actions et les déplacements des personnages de la petite scène de déclaration amoureuse dont Louison a été témoin. Décris-les dans ce tableau.

	Louison	Sœur de Louison	Jeune homme	Belle-maman
Action Déplacement Rythme				

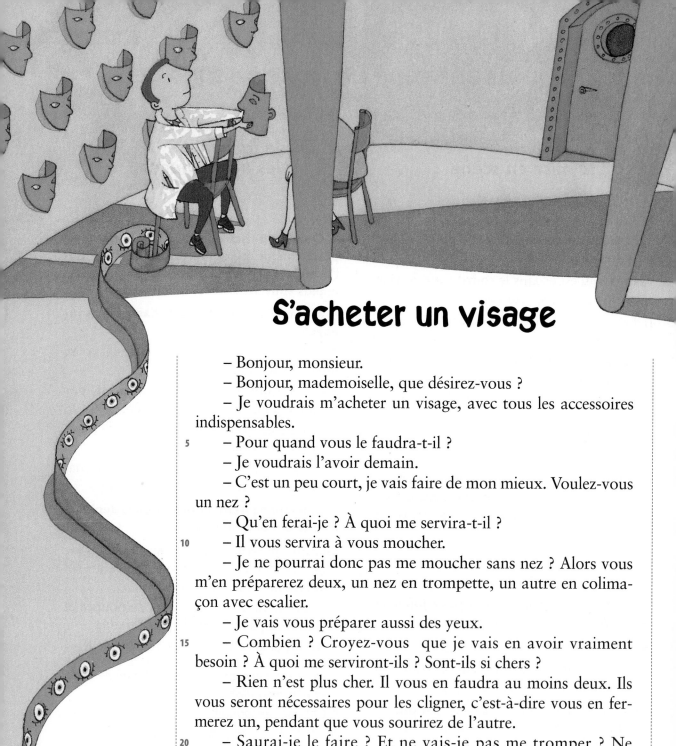

S'acheter un visage

– Bonjour, monsieur.

– Bonjour, mademoiselle, que désirez-vous ?

– Je voudrais m'acheter un visage, avec tous les accessoires indispensables.

5 – Pour quand vous le faudra-t-il ?

– Je voudrais l'avoir demain.

– C'est un peu court, je vais faire de mon mieux. Voulez-vous un nez ?

– Qu'en ferai-je ? À quoi me servira-t-il ?

10 – Il vous servira à vous moucher.

– Je ne pourrai donc pas me moucher sans nez ? Alors vous m'en préparerez deux, un nez en trompette, un autre en colima-çon avec escalier.

– Je vais vous préparer aussi des yeux.

15 – Combien ? Croyez-vous que je vais en avoir vraiment besoin ? À quoi me serviront-ils ? Sont-ils si chers ?

– Rien n'est plus cher. Il vous en faudra au moins deux. Ils vous seront nécessaires pour les cligner, c'est-à-dire vous en fer-merez un, pendant que vous sourirez de l'autre.

20 – Saurai-je le faire ? Et ne vais-je pas me tromper ? Ne confondrai-je pas un œil avec l'autre et vice versa ? Je me contenterai d'un seul œil, ainsi je ne vais pas le confondre avec l'autre.

– Si vous en perdez un, il ne vous en restera plus. Je vous en 25 préparerai deux, tout de même, pour demain. Je les mettrai de chaque côté du nez, ou, plutôt, ce sont vos deux nez qui encadre-ront vos yeux.

– Serai-je belle ainsi ?

– Vous serez très belle. Mais vous aurez aussi une bouche.

30 – Une bouche ? À quoi pourra-t-elle m'être utile ?

– Elle vous sera utile si vous savez vous en servir. Vous apprendrez. Avec la bouche vous parlerez, vous embrasserez, vous respirerez, vous mangerez, vous mâcherez, vous marcherez, vous casserez vos dents, vous écrirez, vous boucherez les trous.

35 – Je saurai faire tout cela ? Il me faudra beaucoup de temps avant que je connaisse le fonctionnement de la bouche. Donnez-moi plusieurs bouches, une bouche qui mangera, une bouche qui embrassera, une bouche qui mâchera, une bouche qui marchera, une bouche qui bouchera.

40 – Où les mettrez-vous ? Vous n'aurez pas de place sur le visage.

– Mon visage sera-t-il si petit que cela ?

– Oui, mademoiselle, une seule bouche vous suffira, car ce sera la bonne bouche que vous aurez. Quand vous aurez besoin 45 d'une seconde bouche, vous irez chez le boucher.

– Quand j'aurai ce visage, est-ce que je vais pouvoir me marier ?

– Pas encore. Il vous faudra aussi un menton, simple ou double, un front, deux oreilles pour dormir, un menton pour 50 mentir à votre mari.

Eugène Ionesco, *Théâtre V*, « Le futur », © Gallimard.

1 Le nom des personnages n'apparaît pas dans le dialogue. Combien sont-ils ?

2 Peux-tu inventer, pour chacun, un nom qui lui irait bien ?
Justifie tes choix.

3 Relève tous les accessoires de visage qu'il faut se procurer.
Indique en face de chaque accessoire :
– le nombre d'exemplaires que la cliente commande ;
– à quoi il sert selon le vendeur.

4 Lecture expressive
Avec un camarade, tu lis les huit premières répliques en faisant varier la voix des personnages.

Par exemple :
– le vendeur : sûr de lui – très poli – très peu aimable… ;
– la cliente : hésitante – très pressée – fatiguée – joyeuse…

5 Mettre en scène
Tu mets en scène avec un camarade les huit premières répliques.
Tu choisis parmi ces trois propositions :
– le vendeur est dans l'arrière-boutique, il répond de loin ;
– la cliente dérange le vendeur qui faisait autre chose, il est agacé ;
– le vendeur est très content d'avoir enfin une cliente, il l'accueille avec joie.
Vous faites bien attention à l'espace (extérieur et intérieur de la boutique).

1 Tu décides avec des camarades de jouer une petite scène de théâtre : *Le retour d'Arnolphe* (pp. 313-316), *Mon petit doigt m'a dit…* (pp. 319-320) ou *S'acheter un visage* (pp. 322-323).

2 Tu prépares une affiche pour annoncer ta représentation. Tu cherches avec ton maître et la classe des affiches de théâtre pour t'en inspirer.

3 Tu rédiges le programme pour informer ceux qui assistent à ta représentation.

Des mots pour parler la langue du théâtre

Voici des mots et des expressions, parfois amusantes, qui ont un sens bien précis au théâtre.

Si tu en connais le sens, utilise-les dans des phrases ; sinon, cherche avec tes camarades dans un dictionnaire.

– *Avoir le trac.*	– *Être cabotin.*	– *Faire la claque.*
– *Avoir un trou.*	– *Faire un four.*	– *Faire un tabac.*
– *Faire son entrée.*	– *Brûler les planches.*	

Pistes de lecture

Des **sketches et saynètes** à lire à haute voix.

Une pièce sur **le jeu et la différence**, avec deux sœurs jumelles.

Si tu veux découvrir les aventures de Cinth, **une petite fille qui veut vivre sa vie…**

Jacques Prévert, *Le beau langage,* Gallimard Jeunesse, Folio Junior.

Catherine Anne, *Le crocodile de Paris,* Actes Sud-Papiers.

Mike Kenny, *Pierres de gué,* Actes Sud-Papiers.

J'informe de façon efficace

 ## Je fabrique une affiche

 ## Je rédige un programme

J'observe

■ Lis tous les éléments de cette affiche.

■ Note les informations dans un tableau : date, lieu…

■ Selon toi, manque-t-il des informations ? Que pourrait-on ajouter ?

■ Regarde comment s'organise l'affiche : quelle place occupe l'image ? où se situe le texte ? que voit-on le plus ?

Sur une affiche de théâtre, on trouve des informations nombreuses. Une affiche comporte ou non une image. La grosseur des caractères et leur forme sont choisies pour mettre en valeur certaines informations.

Je m'exerce

■ Fais la liste de toutes les informations que tu veux donner sur ton affiche.

■ Fais une maquette de ton affiche. Il y aura ou non une image. Tu choisis les caractères et tu disposes le texte sur la page.

J'observe

■ Voici la présentation d'une pièce de théâtre dont tu peux lire un extrait dans *l'Île aux mots* (pp. 327-329).

> **La jeune fille, le Diable et le moulin**
> Cette pièce nous entraîne dans les méandres d'une histoire insolite. Un pauvre meunier rencontre un inconnu qui lui promet la fortune contre la promesse de lui céder ce qui se trouve derrière son moulin.
>
> Un spectacle qui associe la richesse d'un propos à la tendre légèreté d'une troupe de comédiens en permanent état de bonne humeur.

■ De quoi parle-t-on dans la 1re partie ? Te raconte-t-on toute l'histoire ?

■ De quoi parle-t-on dans la 2e partie ? Qu'est-ce qui donne envie d'aller voir le spectacle ?

Pour donner envie au public d'aller voir un spectacle, on rédige une courte information sur la pièce (sans en dire trop…) et on montre les mérites de l'interprétation et de la mise en scène. Dans le programme, on trouve aussi le nom de ceux qui ont préparé le spectacle. (C'est la distribution.)

Je m'exerce

Voici une très courte présentation de *S'acheter un visage* et une liste d'expressions et d'adjectifs en désordre. À toi de rédiger un texte attirant !

C'est l'histoire d'une demoiselle qui désire s'acheter un visage avec tous les accessoires indispensables. Deux comédiens interprètent cette scène.
Avec talent et brio. Insolite. La plus drôle. Qui ont beaucoup préparé leur rôle.

■ Fais la liste de ceux qui t'ont aidé pour la scène que tu vas jouer. Classe les informations et choisis la taille des caractères.

Après avoir réuni tous les éléments pour ton affiche et pour le programme de ta représentation, tu peux utiliser le traitement de texte pour les réaliser et les imprimer.

1 Fais lire à un camarade l'affiche et le programme que tu as préparés. Demande-lui ce qu'il a vu en premier et si tout est lisible.

2 Essaie d'améliorer ton affiche et ton programme en utilisant la grille de réécriture suivante.

1. J'ai écrit un petit texte pour présenter la pièce et pour donner envie au public d'assister à la représentation.

2. J'ai indiqué le nom et la fonction de ceux qui participent à la présentation du spectacle, la date, l'heure et le lieu de la représentation.

3. J'ai choisi des tailles de caractères et des polices d'imprimerie différentes pour bien mettre en valeur certaines informations.

4. J'ai illustré l'affiche et le programme. J'ai mis un titre.

Récréation

Jouer au malade...

Monsieur a l'air très malade. Il attend le docteur avec Madame. On sonne.

MADAME, *à la cantonade* – Bonjour, docteur.

LE DOCTEUR, *entrant* – Bonjour, madame. Permettez-moi de vous embrasser.

MADAME – Attention à mon indéfrisable !

LE DOCTEUR – N'ayez pas peur, je m'y connais.

Ils arrivent près du malade la main dans la main.

LE DOCTEUR – Alors, monsieur, qu'est-ce qu'il y a ?

MONSIEUR – Je suis malade, docteur, j'ai pris froid au bureau.

LE DOCTEUR – Ah ! ah ! c'est très dangereux, le bureau. Voyons, voyons, vous avez de la température ?

MADAME – Oh ! oui, docteur, il a de la fièvre, depuis tout à l'heure.

LE DOCTEUR – Faites voir votre main… Tiens, elle est bien sale. Vous vous lavez souvent ?

MONSIEUR – Pas souvent, docteur, il n'y a plus de savon.

LE DOCTEUR – C'est juste, c'est juste. Et votre langue ?

Monsieur tire la langue.

LE DOCTEUR – Un peu noire, je parie que vous avez mangé de la réglisse ?

MONSIEUR – Oui, docteur, j'achète de la réglisse au bureau.

LE DOCTEUR – Ah ! ah ! décidément très dangereux, très dangereux ce bureau !

Jean Tardieu,
Extrait de *Le style enfantin*,
scène 3, © Gallimard.

La jeune fille, le Diable et le moulin

Scène 1

Au cœur de la forêt. On entend les oiseaux.

LE PÈRE — Je ne suis jamais venu ici. Pourtant je croyais bien connaître cette forêt si profonde, si obscure que mes paupières s'alourdissent. Je sens une grande fatigue. Je vais me reposer un
5 peu. La tête sur cette pierre sèche. Je ne dors pas. Je ferme simplement les yeux.

Il s'éloigne, le fracas de ma vie. La nuit tombe sur moi. Je ne dors pas, je ferme simplement les yeux.

(Les oiseaux se taisent.)
10 Le silence ! Ce silence m'a réveillé.

(Le Diable apparaît dans son dos.)

Qui est là ? Qui est là, dans mon dos ?

(Il se retourne, mais le diable tourne avec lui.)

Non, personne.
15 LE DIABLE — Je suis là.

LE PÈRE — Qui a parlé ?

LE DIABLE — Ici.

Le Père se retourne, le Diable aussi.

LE PÈRE — Où ?
20 LE DIABLE — Toujours derrière toi.

LE PÈRE — Qui êtes-vous ?

LE DIABLE — On m'a donné bien des noms.

Bruit d'orage.

Poids de rien.

25 Roi de ruse. [...]

Mais aujourd'hui, « Celui qui est toujours derrière toi ».

LE PÈRE — Toujours derrière moi et chaque fois que je me retourne.

LE DIABLE — C'est un jeu.

30 **LE PÈRE** — Ça ne m'amuse pas.

LE DIABLE — Alors prends ce petit miroir et regarde par-dessus ton épaule.

LE PÈRE — Vous n'êtes pas très beau.

Le Diable change de visage.

35 **LE DIABLE** — Tu préfères ce visage ?

LE PÈRE — Visage de crampe.

LE DIABLE — Encore un nom qui me va bien. *(Le Diable change encore de visage.)* Et celui-là ?

LE PÈRE — Crampe de visage.

40 **LE DIABLE** — Homme qui rit de tout.

LE PÈRE — Il le faut bien.

LE DIABLE — Il le faut bien, tu dis cela avec tristesse.

LE PÈRE — Ma vie est dure.

LE DIABLE — Tu es pauvre ?

45 **LE PÈRE** — Aussi pauvre que cette pierre qui m'a servi d'oreiller. [...]

LE DIABLE — Je peux te rendre riche.

LE PÈRE — Je n'ai rien à donner en échange, je ne sais pas chanter, et je ne suis drôle que malgré moi.

50 **LE DIABLE** — Je ne veux qu'une chose.

LE PÈRE — Laquelle ?

LE DIABLE — Ce qu'il y a derrière ton moulin.

LE PÈRE — Qu'y a-t-il derrière mon moulin ? Mon vieux pommier.

55 **LE DIABLE** — Tu seras riche si tu jures de me donner, dans trois ans, ce qu'il y a derrière ton moulin.

LE PÈRE — Cela vaut peut-être la peine de sacrifier mon vieux pommier. Pourtant, quelque chose me retient.

Le Diable — Je te laisse le temps de réfléchir. *(Un temps.)*
60 Alors ?

Le Père — J'accepte.

Le Diable — Pour signer le pacte, cligne des yeux.

Le Père — J'hésite encore.

Le Diable — J'attends. Un temps. *(Le père cligne des yeux.)*
65 Tu as cligné !

Le Père — Malgré moi !

Le Diable — Malgré toi ?

Le Père — Je ne sais pas, trop tard, c'est fait.

Le Diable — Oui.

70 Le Père — Où êtes-vous ? Il a disparu. Il faut rentrer, la forêt est froide.

Olivier Py, *La Jeune Fille, le Diable et le moulin*,
© L'École des loisirs Théâtre.

1 Où se trouve le Père ? Qu'est-ce qui est étrange dans le début de la scène ?

2 Comment le Diable apparaît-il au Père ?

3 Quel marché le Diable propose-t-il au Père ? Pourquoi, d'après toi, celui-ci hésite-t-il ?

4 Comment sait-on que le Père, finalement, accepte le marché ?

5 Choisis avec un(e) camarade un passage du texte que vous aimez (une dizaine de répliques). Entraînez-vous à le lire à haute voix, en cherchant à opposer la voix du Père et celle du Diable.

J'écris — les paroles d'un personnage

Qu'y a-t-il donc derrière le moulin ? À ton avis, n'y a-t-il qu'un vieux pommier ?

1 Oralement, avec quelques camarades, imaginez plusieurs réponses à cette question (un trésor, une personne, un animal fabuleux, etc.).

2 Choisis la réponse qui te plaît le plus. Puis rédige un court texte (10 lignes environ) où le Diable explique ce qu'il sait et pourquoi il est tellement intéressé par ce qu'il y a derrière le moulin.

Je distingue dialogue et monologue

Faire parler des personnages

J'observe

■ **Relis ce passage du texte *La Jeune Fille, le Diable et le moulin.***

LE DIABLE — Je peux te rendre riche.

LE PÈRE — Je n'ai rien à donner en échange, je ne sais pas chanter, et je ne suis drôle que malgré moi.

LE DIABLE — Je ne veux qu'une chose.

LE PÈRE — Laquelle ?

LE DIABLE — Ce qu'il y a derrière ton moulin.

LE PÈRE — Qu'y a-t-il derrière mon moulin ? Mon vieux pommier.

■ **Comment sait-on qui parle dans ce dialogue de théâtre ?**

Dans un dialogue de théâtre, chaque réplique est attribuée à un personnage. On place souvent son nom suivi d'un point ou d'un tiret au début de la réplique. On va à la ligne à chaque nouvelle réplique.

On n'utilise les guillemets que si un personnage cite (ou rapporte) les paroles de quelqu'un à l'intérieur de sa propre réplique.

Je m'exerce

Trois ans plus tard, le Diable vient réclamer ce qui lui est dû, c'est-à-dire la fille du Père, qui étendait du linge derrière le moulin...

■ **Dans ce début de scène, à toi d'attribuer au Père et au Diable chacune de leurs répliques et de bien présenter le dialogue.**

Voici l'heure, trois ans ont passé. Tu as eu ce que tu voulais, donne-moi ce que je veux. Elle est là. Tu le lui as dit ? Elle a dit : « Vivons comme si de rien n'était, quand il faudra me battre, je me battrai. » Il est temps. Me voici, jeune fille, tu es belle comme de manger en silence.

Écrire un monologue

J'observe

■ **Voici deux manières de raconter le début de *La Jeune Fille, le Diable et le moulin* :**

A. Il était une fois un Père très fatigué qui était allé au cœur d'une forêt profonde. Il croyait bien la connaître et pourtant, il se retrouva dans un endroit inconnu. Les oiseaux chantaient et il posa sa tête sur une pierre pour se reposer. Mais il ne dormit pas, il se contenta de fermer les yeux.

B. LE PÈRE — Je ne suis jamais venu ici. Pourtant je croyais bien connaître cette forêt si profonde, si obscure que mes paupières s'alourdissent. Je sens une grande fatigue. Je vais me reposer un peu. La tête sur cette pierre sèche. Je ne dors pas. Je ferme simplement les yeux.

■ **Quelles différences constates-tu entre ces deux textes ?**

Lorsqu'un personnage parle seul en scène, on dit qu'il fait un monologue.

Le personnage dit « je », il donne ses impressions, ce qu'il ressent. Il explique sa situation. Nous vivons la scène à travers son regard.

Je m'exerce

■ **Imagine un court monologue dans lequel la princesse dit ce qu'elle découvre de son royaume en ouvrant chaque fenêtre et exprime ce qu'elle ressent.**

Il était une fois une princesse qui possédait un château ; tout en haut d'une tour il y avait une salle percée de douze fenêtres. Quand elle y montait et regardait au-dehors, elle pouvait voir tout son royaume...

LA PRINCESSE — Quelles montagnes magnifiques ! Et comme ces vallées sont douces...

D'après J. et W. Grimm, « Le lièvre de Mer », dans *Contes,* © Gallimard.

Le petit violon

La roulotte de Léo le camelot.
La roulotte est fermée. Le camelot est assis sur les marches. Il est
vieux, il a des cheveux tout blancs. Il se tient voûté et joue du vio-
lon sur un petit violon. Il s'arrête, regarde l'assistance et dit...

5 LÉO — Bonjour, je suis Léo le camelot. Aujourd'hui, je n'ai
plus rien à vendre, je suis seul, vieux et triste.
Il joue cette fois un air plus enjoué.
Mais hier j'étais jeune.
Il ôte sa perruque blanche et se redresse.
10 Jeune, plein de forces, avec beaucoup de marchandises et très
peu de clients.
Il ouvre l'arrière de sa roulotte, son étalage apparaît débor-
dant de marchandises. Il bonimente[1] avec entrain.
Tout pour la maison, tout pour le ménage, tout pour la
15 femme, les enfants, tout pour la table, tout pour l'école, tout pour
le jeu, donnez-moi non pas cent, non pas cinquante, non pas quarante, non pas trente, non pas vingt, donnez-moi... tenez dix
francs, dix francs tout ronds, et vous emporterez cette pile d'assiettes et sa soupière, ces cuillères et ces couteaux avec fourchette,
20 louche et écumoire, ou alors ce magnifique ours en peluche qui
joue du tambour et qui danse, et tout ça, avec en prime gratis
offert par la maison le secret du bonheur, oui, j'ai bien dit, à tout
acheteur j'offre le secret du bonheur. Comment mon garçon ? Le
petit violon ? Ah non, désolé, le petit violon n'est pas à vendre.

1. bonimente :
vante sa
marchandise.

LE GÉANT, *qui a posé la question* — Alors donnez-moi juste le secret du bonheur.

LÉO — Tout de suite mon brave, le secret du bonheur, c'est comme si vous l'aviez, tenez, avec ce magnifique lot d'assiettes plates et creuses, avec deux soupières, une série de bols et des saucières venant directement de Limoges, le tout pour dix francs.

LE GÉANT — Non, non, juste le secret. Je suis seul au monde, une seule assiette me suffit, d'ailleurs je n'ai jamais d'appétit, je n'ai pas besoin de tant d'assiettes, je préfère acheter le petit violon plus cher, tenez, voilà vingt francs pour le violon.

LÉO — Impossible, je te l'ai déjà dit, le petit violon n'est pas à vendre, c'est justement lui qui me console quand j'ai le cœur gros.

LE GÉANT — Tu as le cœur gros, toi qui possèdes le secret du bonheur ?

LÉO — Tiens, voilà tes cinquante assiettes et maintenant en prime je vais te dire le secret du bonheur, mais tout bas à l'oreille, il ne faut pas que les autres entendent.

Il essaie de lui parler à l'oreille.
Le géant, pile d'assiettes dans les bras, tend son oreille.
Léo chuchote quelque chose.

LE GÉANT, *très loin de la bouche de Léo, demande* — Quoi ?

LÉO *hurle* — Il ne faut pas rester seul !

LE GÉANT — C'est ça le secret du bonheur ?

LÉO — Exactement. Et maintenant que tu as les assiettes, le secret, il ne te reste plus qu'à fonder une famille.

LE GÉANT — Hélas, je suis trop grand, je suis le plus grand géant du monde et le plus triste aussi.

LÉO — C'est parce que tu es seul.

LE GÉANT — Qu'est-ce que je vais faire de toutes ces assiettes ?

LÉO *lui montre comment jongler avec* — Regarde.

Il jongle. Le géant essaie de faire pareil, les assiettes tombent et se cassent. Il se met à pleurer. Autour de lui on rit et on se disperse.
Alors le bonimenteur joue un air gai sur son petit violon, puis constate…

LÉO — Tu as fait fuir mes clients.

Il joue encore, pousse un soupir et cesse de jouer.

LE GÉANT — Tu as le cœur gros ?

LÉO — Oui et non, je m'ennuie.

LE GÉANT — Pourquoi ?

LÉO — Parce que moi aussi je suis seul au monde.

65 LE GÉANT — Tu n'as pas d'ami ?

LÉO — Je change de ville tous les jours.

LE GÉANT — Moi aussi. Je suis géant dans un cirque, le cirque Univers.

LÉO — Je le connais, je le vois souvent sur les foires.

70 LE GÉANT — Et qu'est-ce qu'il te faudrait pour que tu ne sois plus seul ?

LÉO — Un enfant. […]

Silence.

LE GÉANT — Écoute, comme tu m'as donné le secret du bon-
75 heur, moi aussi je veux t'aider. Viens ce soir au cirque Univers. Il y a là-bas une petite fille bien malheureuse qui doit jouer sur un petit violon comme le tien mais elle n'y arrive pas et monsieur Univers la bat à tour de bras, il ne lui donne rien à manger parce qu'elle ne rapporte aucun argent. Demande-lui qu'il te la donne contre une sou-
80 pière et des cuillères, comme tu as l'air bon, la petite fille ne sera plus malheureuse et moi non plus. Rien que de la voir si triste, je pleure.

Il repleure.

LÉO — Ne pleure pas, géant au grand cœur, je serai ce soir au cirque Univers.

Jean-Claude Grumberg, *Le Petit Violon*, © Actes Sud Papiers.

1 Combien y a-t-il de personnages dans cette scène ? De quels autres personnages le géant nous parle-t-il ?

2 À qui s'adresse Léo au début de la scène ?

3 Comment redevient-il jeune ?

4 Qu'est-ce que Léo essaie de vendre ? Que donne-t-il en prime ?

5 Qu'est-ce qui intéresse le géant ?

6 Pour que Léo ne soit plus seul, que lui propose le géant ?

7 Que penses-tu de ce « secret du bonheur » ?

8 Essaie de lire le « boniment » du camelot Léo (lignes 14 à 24) avec la vitesse, la force et l'entrain d'un bon vendeur.

1 T'est-il arrivé de conclure un marché avec quelqu'un ? Dans quelles circonstances ? Raconte oralement.

2 Tu vas écrire une petite scène de théâtre. Choisis entre ces deux propositions celle qui te plaît le plus :
– Deux personnages se rencontrent et concluent un étrange marché (par exemple, l'un propose le secret de l'éternelle jeunesse, ou encore le secret pour devenir riche, pour vivre à l'époque de son choix...).
– Tu inventes la scène suivante du *Petit violon* : Léo arrive au cirque Univers. Il rencontre le terrible monsieur Univers et essaie de conclure un marché pour sauver la petite fille malheureuse.

N'oublie pas la ponctuation des dialogues.

Des mots pour mieux écrire

1 Voici trois expressions imagées tirées du texte *Le petit violon*. Elles ont un sens figuré. Trouve une autre façon de dire la même chose.

avoir le cœur gros - tendre l'oreille - battre à tour de bras.

2 Continue cette liste d'expressions imagées formées à partir de mots désignant une partie du corps (tête, jambe, pied, main, etc.).
Tu peux chercher avec des camarades ou consulter un dictionnaire.
Pense à utiliser ensuite ces expressions pour faire parler tes personnages.

Pistes de lecture

Une comédie fantastique
où se rencontrent trois contes de Grimm et un feuilleton télévisé.

Si tu as envie de découvrir
le monde du théâtre et son histoire…

Un recueil pour lire et jouer
en classe.

❈❈❈ Bruno Castan,
Neige écarlate,
Très Tôt Théâtre.

❈❈❈ *Les Théâtres du monde*,
coll. Les racines du savoir,
Gallimard Jeunesse.

❈❈❈ *Mille ans de contes* (T. 2),
Théâtre,
Milan.

Je donne des précisions sur la mise en scène

Introduire des indications scéniques

J'observe

■ **Lis attentivement ces phrases extraites des deux textes que tu as lus.**

A. *Au cœur de la forêt. On entend les oiseaux.*
(Les oiseaux se taisent.)
(Le Diable apparaît dans son dos.)
B. *La roulotte de Léo le camelot.*
Il joue cette fois un air plus enjoué.

■ **I. Quels types de renseignements sont donnés par ces phrases ?**

■ **2. Pourquoi sont-elles écrites d'une manière différente ?**

Dans un texte de théâtre, certaines phrases ne sont pas entendues par les spectateurs. Elles donnent des informations (lieux, bruits, attitudes, actions, manières de parler…) à ceux qui lisent ou qui jouent la pièce. Elles sont en caractères italiques et parfois entre parenthèses.

Je m'exerce

■ **Dans ce début de la scène 3 du *Petit violon*, il manque des indications scéniques. À toi de les replacer pour que l'on comprenne bien la scène.**

Léo et la petite fille. ★
LÉO ★ — Moi Léo.
★
LÉO — Mon nom est Léo. Et toi ? […] Moi prendre toi pour être heureux tous les deux... toi ma fille, moi ton papa, papa Léo.

La petite fille regarde sans comprendre.
(Il se tape sur la poitrine.)
La roulotte de Léo.

D'après J.-C. Grumberg, *Le Petit Violon*, © Actes Sud Papiers.

Situer le lieu, décrire les mouvements des personnages

J'observe

■ **Lis ce début d'une pièce. Relève les informations qui permettent d'imaginer la scène.**

L'intérieur d'une salle de restaurant. La salle est vide et obscure. La famille D. apparaît sur le seuil.

ENSEMBLE. — Y'a des places ?
— C'est vide… Ils ont pas l'air de servir…

Ils restent hésitants sur le pas de la porte.
LE PREMIER FILS — Y'a pas de menu...
LE DEUXIÈME FILS — Alors qu'est-ce qu'on fait ?

D'après J.-C. Grumberg, « Les vacances », dans *Les Courtes*, © Actes Sud Papiers.

Dans un texte de théâtre, certaines indications permettent de se représenter le décor, les objets sur scène, les lumières et le mouvement des personnages.

Je m'exerce

■ **Replace les indications scéniques au bon endroit.**

Acte II, Scène 4 / KNOCK, LA DAME EN NOIR

★

KNOCK — Ah, voici les consultants. ★ C'est vous qui êtes la première, madame ? […] Et vous souffrez.
LA DAME — Ce n'est pas le mot. J'ai plutôt de la fatigue.
KNOCK — Oui, vous appelez ça de la fatigue... […] ★ Baissez la tête. Respirez. Toussez. Vous n'êtes jamais tombée d'une échelle ?

Il l'ausculte.
Il fait entrer la dame et referme la porte.
Le cabinet médical et la salle d'attente […]

D'après J. Romains, *Knock*, © Gallimard.

1 Fais lire par un(e) camarade le début de la scène que tu as écrite (voir p. 334) : peut-il(elle) dire où se trouvent les personnages ?
Si ce n'est pas le cas, améliore ton texte en donnant toutes les informations nécessaires dans des indications scéniques au début du texte.

2 Corrige ton texte avec cette grille. Elle doit t'aider à n'oublier aucune des caractéristiques d'un dialogue de théâtre.

1. J'ai bien indiqué le nom des personnages devant chaque réplique.

2. Je suis allé(e) à la ligne chaque fois qu'un personnage différent parle.

3. Mes personnages expriment des réactions et des émotions.

4. J'ai utilisé des tournures de l'oral pour les faire parler.

5. J'ai utilisé quelques expressions imagées dans le dialogue.

6. J'ai donné des indications scéniques, utiles pour comprendre et jouer la scène.

Devinette

Voici le début curieux d'un petit dialogue curieux.

Monsieur A, *avec chaleur* — Oh ! Chère amie. Quelle chance de vous...

Madame B, *ravie* — Très heureuse, moi aussi. Très heureuse de... vraiment oui !

Monsieur A — Comment allez-vous, depuis que ?...

Madame B, *très naturelle* — Depuis que ? Eh bien ! J'ai continué, vous savez, j'ai continué à...

Monsieur A — Comme c'est !... enfin, oui vraiment, je trouve que c'est...

Madame B, *modeste* — Oh, n'exagérons rien ! C'est seulement... Je veux dire, ce n'est pas tellement...

Monsieur A, *intrigué* — Pas tellement, pas tellement, vous croyez ?

Jean Tardieu, *La Comédie du langage*, coll. Folio, © Gallimard.

▶ À ton avis, quel titre l'auteur, Jean Tardieu, a-t-il donné à sa pièce ?

André et Brigitte – La grande colère – Finissez vos phrases ! – Une soirée en Provence.

Complicités et conflits

Un ballet amoureux

Nous sommes à Venise, en Italie. Arlequin dîne avec son maître, Federigo Rasponi, à l'intérieur d'une auberge. Sméraldine arrive devant l'auberge et appelle Arlequin : elle porte une lettre que sa maîtresse lui a demandé de faire parvenir à Federigo...

Arlequin paraît, un pichet de vin d'une main, un verre de l'autre et une serviette autour du cou.

ARLEQUIN. — Qui est-ce qui me demande ?

SMÉRALDINE. — C'est moi, monsieur. Je suis désolée de vous avoir dérangé.

ARLEQUIN. — Je vous en prie ! Je suis tout à vos ordres.

5 SMÉRALDINE. — À ce que je vois, j'ai l'impression que vous étiez à table.

ARLEQUIN. — J'étais effectivement à table, mais ne vous inquiétez pas, j'y retournerai.

SMÉRALDINE. — Sincèrement, je suis navrée...

10 ARLEQUIN. — Et moi, je suis ravi. Pour tout vous dire, j'ai le ventre plein et ces beaux petits yeux là tombent à pic pour me faire digérer.

SMÉRALDINE, *à part.* — Il est vraiment charmant !

1. **courtaud :**
de taille courte.
2. **râblé :**
qui a le dos large
et puissant.
3. **maître de
cérémonies :**
personne chargée
du service de
la chambre
d'un noble.

ARLEQUIN. — Je pose ce petit flacon et je suis tout à vous, ma chérie.

15 SMÉRALDINE, *à part.* — Il m'a appelée chérie !
(À Arlequin.) Ma maîtresse envoie ce billet à monsieur Federigo Rasponi [...] et j'ai eu l'extrême hardiesse de vous déranger pour que vous le lui remettiez.

ARLEQUIN. — Je le lui remettrai volontiers, mon petit cœur, mais,
20 auparavant, apprenez que, moi aussi, j'ai une commission à vous faire.

SMÉRALDINE. — De la part de qui ?

ARLEQUIN. — De la part d'un fort honnête homme. Dites, connaissez-vous un certain Arlequin Batocchio ?

25 SMÉRALDINE. — Il me semble l'avoir entendu nommer, mais je suis incapable de me rappeler où.
(À part.) Est-ce que ce ne serait pas lui ?

ARLEQUIN. — C'est un bel homme : courtaud[1], râblé[2], spirituel, éloquent. De son métier, maître de cérémonies[3]...

30 SMÉRALDINE. — Je ne le connais absolument pas.

ARLEQUIN. — Et pourtant, lui, il vous connaît et il est amoureux de vous.

SMÉRALDINE. — Oh, vous vous moquez de moi !

ARLEQUIN. — Et s'il pouvait espérer être un tout petit peu payé de
35 retour, il se ferait connaître.

SMÉRALDINE. — Je vais vous dire, monsieur : si je le voyais et qu'il me plût, il se pourrait fort que je ne lui sois point cruelle.

ARLEQUIN. — Vous voulez que je vous le fasse voir ?

SMÉRALDINE. — Je le verrai volontiers.

40 ARLEQUIN. — C'est l'affaire d'un instant...
Il entre dans l'hôtellerie.

SMÉRALDINE. — Ce n'est donc pas lui.
Arlequin sort de l'hôtellerie, fait des révérences à Sméraldine, passe près d'elle, soupire et puis rentre dans l'hôtellerie.

45 SMÉRALDINE. — Je n'y comprends rien.

ARLEQUIN, *reparaissant.* — Vous l'avez vu ?

SMÉRALDINE. — Qui ça ?

ARLEQUIN. — Celui qui est amoureux de vos beautés.

SMÉRALDINE. — Mais je n'ai vu que vous.

50 ARLEQUIN, *soupirant...* — Eh oui !

SMÉRALDINE. — Celui qui prétend avoir un sentiment pour moi, serait-ce vous ?

ARLEQUIN, *avec un soupir.* — C'est moi.

SMÉRALDINE. — Pourquoi ne l'avez-vous pas dit tout de suite ?

55 ARLEQUIN. — Parce que je suis un tout petit peu timide.

SMÉRALDINE, *à part.* — Il rendrait amoureux un rocher !

ARLEQUIN. — Et alors, qu'est-ce que vous me répondez ?

SMÉRALDINE. — Eh bien, je vous réponds que...

ARLEQUIN. — Allons, parlez !

60 SMÉRALDINE. — Oh, c'est que moi aussi, je suis un petit peu timide.

Carlo Goldoni, *Arlequin, valet de deux maîtres*,
trad. Michel Arnaud, © L'Arche Éditeur, Paris, 1961.

❶ Quels sont les personnages en scène ? Quels sont ceux dont on parle mais qui ne sont pas présents ?

❷ Comment Arlequin manifeste-t-il son intérêt pour Sméraldine ?

❸ À qui s'adressent les paroles « à part » (l. 13 et 15) ? Que nous apprennent-elles ?

❹ Comment Arlequin fait-il pour dire à Sméraldine qu'il est amoureux d'elle ?

Relève la réplique de Sméraldine qui montre qu'elle se doute de qui il s'agit.

❺ Dessine le plan de la scène : l'auberge, la rue, la position des deux personnages. Avec des flèches, montre les déplacements d'Arlequin pendant la petite comédie qu'il joue à Sméraldine.

❻ Que cache la timidité de Sméraldine ?

❼ Quelle est pour toi la réplique la plus drôle de cette scène ? Explique ton choix.

J'écris / **le canevas d'une scène à jouer**

❶ Avec un(e) camarade, imagine une situation où deux personnages éprouvent exactement le même sentiment.

❷ Rédigez à deux un petit canevas : qui sont les personnages ? où se trouvent-ils ? que font-ils ? qu'éprouvent-ils en commun ?

❸ Préparez-vous à jouer cette petite scène.

J'écris un duo entre des personnages

1 Parler en écho

J'observe

■ **Lis ce début d'une scène.**

Tohu est noir. Bohu est blanche. Malgré le fleuve et la guerre qui les séparent, ils s'aiment et cherchent un pays où ils pourraient vivre ensemble.

TOHU. — Ah maman j'aimerais
dans ton bol de lait
tremper mon visage
ressortir nuage
visage blanc comme lait...
BOHU. — Ah maman j'aimerais
dans mon chocolat
tremper mon visage
ressortir nuit noire
visage chocolat.
TOHU. — Ah papa [...] Tohu ton petit fabrique en secret des bateaux oui oui pour que ce grand fleuve moi je le traverse pour ramener ma petite Bohu que je ne connais pas de près.
BOHU. — Ah papa [...] Bohu ta petite tire sur ses nattes comme sur deux cordes qu'elle voudrait lancer à son petit Tohu pour que ce grand fleuve Tohu le traverse à la corde de mes cheveux.

M. Morgaine, *Tohu Bohu*, © L'École des loisirs.

■ **1. Relève ce qui est commun dans les répliques de Tohu et Bohu.**

■ **2. Qu'y a-t-il de différent ?**

Pour montrer que deux personnages éprouvent le même sentiment, on peut construire leurs répliques sur des effets de répétition. Ce « duo » donne l'impression que les paroles de l'un font écho aux paroles de l'autre.

Je m'exerce

■ **Reprends le canevas que tu as écrit (voir p. 339). Écris quatre répliques qui se font écho pour montrer l'accord entre tes personnages.**

2 Varier sur le même sujet

J'observe

■ **Lis cet extrait.**

Aldébaran, un vieil homme, apprend à l'Enfant à devenir coureur cycliste. Ils sont en plein effort dans une montée...

ALDÉBARAN. — Dis, tu entends ?
L'ENFANT. — Quoi ?
ALDÉBARAN. — Ce que j'entends, tu l'entends ?
L'ENFANT. — Un étourneau ?
ALDÉBARAN. — Deux, ils sont deux.
Et là, maintenant ?
L'ENFANT. — Un martinet !
ALDÉBARAN. — [...] Tiens, vise un peu la couleur des maillots : grise, la perdrix ; noir, le gobe-mouches ; et bleue... ?
L'ENFANT. — La mésange.
ALDÉBARAN. — Dans le mille !
L'ENFANT. — Facile !
ALDÉBARAN. — Facile, facile, jusqu'ici oui, mais elle s'annonce corsée la montée...

J. Jouanneau, *Dernier rayon*, © L'École des loisirs.

■ **1. Quel jeu Aldébaran invente-t-il pour occuper l'esprit de l'Enfant ?**

■ **2. À ton avis, pourquoi propose-t-il ce jeu ?**

■ **3. Relève les mots qui évoquent la course cycliste.**

Pour montrer l'accord entre deux personnages, on peut leur choisir un sujet de conversation commun avec lequel ils jouent.

Je m'exerce

■ **Voici des noms d'oiseaux :**
loriot - rossignol - fauvette - hirondelle - alouette...
et voici des expressions pour les identifier :
aux plumes grisâtres - au plumage jaune vif - au chant harmonieux - aux ailes fines et très longues - à la couleur fauve...

■ **Imagine la suite du dialogue d'Aldébaran et de l'Enfant.**

Il faut tuer Sammy

Nous sommes dans une ferme loin du monde. Le soleil brûle toujours.
Ed (un homme gros, la soixantaine) et Anna (une femme petite et agile,
entre cinquante et soixante ans) sont condamnés à subir cette canicule et à
nourrir le cochon, Sammy.
Quand le dialogue commence, Ed et Anna sont à distance l'un de l'autre et
se parlent fort. Ed affûte un couteau. Anna ramasse des pommes de terre.
Le cousin, enfermé dans son frigo-cabane, tente de jouer une mélodie au
violoncelle...

DÉCOR : *Un champ de pommes de terre occupe tout le plateau.*
[...] Sous un arbre sec, un tapis encore présentable et un canapé
en cuir. Au milieu du plateau deux tabourets de part et d'autre
d'un tas de pommes de terre fraîchement cueillies [...]. À cour un
vieux frigo sert d'abri au cousin. À l'avant-scène cour, le trou au
fond duquel vit Sammy.

ANNA. — Tu n'as pas eu froid cette nuit ?

ED. — Terriblement !

ANNA. — Plus qu'hier ?

ED. — Bien plus qu'hier !

5 ANNA. — C'est l'hiver le plus terrible qu'on ait passé depuis
au moins...

ED. — Oh oui, facilement... et peut-être même plus !

ANNA. — À mon avis, il n'y aura pas d'été. [...] Maintenant
qu'on a mis le doigt dans l'engrenage, on va déguster.

10 ED. — Oui, tel que c'est parti, ça va être tempête de gel sur
tempête de gel.

Tous deux sont alors très proches. Ils lèvent les yeux au ciel.
Déception.

ED. — Tu parles, ça ne marchera jamais.

15 ANNA. — Tu te décourages trop facilement... c'est pourtant
simple, tu penses profondément à ce que tu dis et tu oublies le
reste.

ED. — Je ne peux pas oublier ça ! *(Il désigne le soleil.)*

ANNA. — Alors, ferme les yeux... recommençons.

20 Tu n'as pas eu froid cette nuit ?

ED. — Terriblement !

ANNA. — Tu n'y mets aucune conviction, comment veux-tu me
persuader !

ED. — Je n'arrive pas à me persuader moi-même.

25 ANNA. — Allons, fais un effort, c'est dans ta façon de dire... pas « terriblement » mais plutôt « terriblement ».

ED. — Terriblement !

ANNA. — Terriblement !

ED. — Terriblement !

30 ANNA. — Terriblement ! *Regards. Encouragements.*

ED. — Terriblement !

ANNA. — Voilà ! Tu n'as pas eu froid cette nuit ?

Ed tente visiblement de répondre mais n'y parvient pas. Anna lui sourit, nouvelle tentative. Ed peine... Anna le soutient.

35 ED. — Non... Non... Non !... je n'y arriverai pas.

ANNA. — Mais si, mais si. Allons, encore un effort. Tu n'as pas eu froid cette nuit ?

ED *(excédé, il explose)*. — Non je n'ai pas eu froid cette nuit ! Pas plus que la nuit dernière, ni aucune autre. J'ai eu chaud ! Chaud !

40 Terriblement chaud et je vais encore avoir chaud toute cette fichue journée, et demain j'aurai chaud et après-demain j'aurai chaud et tous les autres jours aussi, et on ne pourra rien y faire et ce n'est pas avec tes trucs à la noix que tu vas faire venir les gelées ou la pluie parce que dans ce maudit pays c'est comme ça et ça ne

45 changera jamais !

ANNA. — Si ça changera, il n'y a que les imbéciles qui ne changent pas et toi tu en es un sacré... !

À ce moment, tambourinements violents, grognements. Notes au violoncelle très agitées. Ed et Anna sont surpris.

50 ED. — Déjà ?

ANNA. — Eh oui, déjà ! Heureusement qu'on a pris un peu d'avance hier !

ED. — À peine réveillé, le voilà qui a faim.

ANNA. — Il n'aurait peut-être pas faim aujourd'hui si tu avais

55 mieux su t'y prendre hier.

ED. — Tu ne vas quand même pas me dire que c'est de ma faute si...

ANNA. — Ah, je te vois venir, tu vas encore te trouver une bonne excuse. Mais je te préviens, aujourd'hui on en finit une bonne fois

60 pour toutes.

ED. — Ne t'en fais pas, tu peux être sûre que tout sera fini avant ce soir...

Tambourinements. Grognements. Violoncelle.

ANNA. — Il s'impatiente, allons-y !

65 *Ils prennent une bassine pleine de pommes de terre déjà épluchées.*

ED. — Il ne faut pas traîner, quand il est énervé mieux vaut ne pas être dans ses pattes.

Anna. — Oh ça ! Mieux vaut pas ! S'il était en liberté, je ne donnerais pas cher de ta peau.

70 Ed. — Ni moi de la tienne.

Anna. — Moi je cours vite, je m'en sortirais, mais toi...

Ed *(vexé)*. — Quoi moi ? Pfff !... Tu ne portes rien, c'est moi qui porte tout encore une fois !

Anna. — Ah bon, tu portes tout ? Eh ben vas-y.

75 *Elle pose la bassine. Ed tente de la soulever ; visiblement il ne peut pas.*

Anna. — Allez, pousse-toi va ! *(Elle la prend seule et l'amène jusqu'au trou.)* Ohohohoh... Bonjour le Sammy ! Il va bien le Sammy ? [...]

80 Ed *(versant le contenu de la bassine dans le trou)*. — Tiens... tout ça c'est pour toi !

Anna. — Là... Doucement, doucement... Tu vas t'étouffer !

Ed. — On dirait qu'il n'a rien mangé depuis un mois. [...]

Anna. — Il grossit chaque jour.

85 Ed. — Tu crois qu'il s'arrêtera ?

Anna. — Il ne peut pas s'arrêter.

Ed. — Et il grossira toujours ?

Anna. — Toujours, c'est dans sa nature.

Ahmed Madani, *Il faut tuer Sammy*, © L'École des loisirs.

❶ À quoi Anna et Ed essayent-ils de jouer au début de la scène ? Pourquoi font-ils ce jeu ?

❷ Relève dans le texte ce qui montre qu'Ed n'arrive pas bien à « jouer son rôle ».

❸ Quel mot Ed répète-t-il pour exprimer son désaccord (l. 35 à 45) ? À qui s'en prend-il ?

❹ Trouve les trois autres désaccords entre les personnages :
a) Anna reproche à Ed d'avoir mal nourri Sammy la veille.
b) Ed est persuadé qu'Anna mange les pommes de terre.
c) Anna prétend qu'elle court plus vite qu'Ed.
d) Ed affirme qu'Anna ne porte jamais rien.
e) Anna refuse de prendre la bassine de pommes de terre.

❺ Relève dans la présentation et le dialogue les indices qui te permettent d'expliquer le titre de la pièce.

❻ Choisis un passage que tu aimes bien. Prépare avec un(e) camarade la lecture de ces répliques à voix haute.

J'écris une scène où éclate un désaccord

1 Cherche plusieurs situations où deux personnages font éclater leur total désaccord (à propos d'un achat, d'une action à faire, d'un autre personnage…). Échange tes propositions avec un(e) camarade.

2 Parmi les situations que tu as trouvées, choisis celle qui te plaît le plus. Écris une scène (d'une quinzaine de répliques) qui pourra être jouée par deux camarades. N'oublie pas d'indiquer les déplacements de tes personnages et la manière dont ils parlent.

Des mots pour mieux écrire

1 Pour parler d'une scène de théâtre et de sa disposition, il existe un vocabulaire précis. Voici le plan d'un plateau de théâtre avec les mots utilisés couramment.

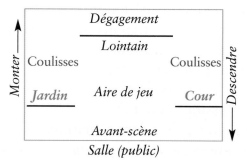

Comme sur un bateau, la scène est orientée : le *côté jardin* correspond à bâbord, le *côté cour* à tribord. Le plateau de théâtre est en général incliné vers le public, aussi dit-on que l'on « monte » au lointain et que l'on « descend » à l'avant-scène.

2 Relis la présentation du décor d'*Il faut tuer Sammy*, p. 341.
Où placerais-tu sur le plan le tas de pommes de terre, le vieux frigo et le trou de Sammy ?

Pistes de lecture

Louise et Charles se disputent sans arrêt, jusqu'au jour où…

Brigitte Smadja,
Drôles de zèbres,
L'École des loisirs.

Si tu as envie de retrouver Aldébaran et l'Enfant sur leur vélo.

Joël Jouanneau,
Dernier rayon,
L'École des loisirs.

Pour te documenter sur le théâtre de tous les temps.

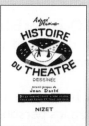

André Degaine,
Histoire du théâtre dessinée,
Éditions Nizet.

J'écris pour le plaisir d'être joué

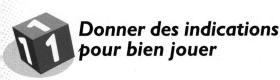 **Donner des indications pour bien jouer**

 Créer le rythme d'une scène

J'observe

■ Relis ces extraits des scènes que tu as lues.

A. SMÉRALDINE, *à part*. — Il m'a appelée chérie ! *(À Arlequin.)* Ma maîtresse envoie ce billet à monsieur Federigo Rasponi...
B. ED *(excédé, il explose)*. — Non je n'ai pas eu froid cette nuit ! Pas plus que la nuit dernière, ni aucune autre. J'ai eu chaud !
C. ANNA. — Ah bon, tu portes tout ? Eh ben vas-y.
Elle pose la bassine. Ed tente de la soulever ; visiblement il ne peut pas.

■ 1. Quelles indications te renseignent sur la manière de jouer chaque réplique ?

■ 2. Classe ces indications à l'aide du tableau.

Pour indiquer un geste, une action	......
Pour indiquer la façon de parler	......
Pour dire à qui le personnage s'adresse	......

> *En dehors des informations sur le lieu et le décor, les indications scéniques précisent la manière de dire et de jouer la scène (« à part, précipitamment... »).*

Je m'exerce

■ Imagine et insère des indications scéniques pour préciser la manière de jouer ce dialogue.

TITO. — Mon nom c'est Tito, T-I-T-O. Avec un O au bout comme...
MONA. — Comme ouistiti, mon Titi.
TITO. — En tout cas, la grosse, ne compte pas sur moi pour vider ce crabe sans le manger.
MONA. — Arrête de m'appeler la grosse, je ne suis pas grosse.
TITO. — Ça va bien... ma Momo.
MONA. — Mon nom, c'est Mona, M-O-N-A.

Guillaume Le Touze, *À cause de la cheminée*,
© L'École des loisirs.

J'observe

Harpagon, le père, et Cléante, le fils, aiment tous les deux Mariane. Pour les réconcilier, le valet de la maison a fait croire à chacun que l'autre lui laissait Mariane... Ils se retrouvent face à face.

CLÉANTE. — Je vous promets, mon père, que, jusques au tombeau, je conserverai dans mon cœur le souvenir de vos bontés.
HARPAGON. — Et moi, je te promets qu'il n'y aura aucune chose que de moi tu n'obtiennes.
CLÉANTE. — Ah ! mon père, je ne vous demande plus rien ; et c'est m'avoir assez donné que de me donner Mariane.
HARPAGON. — Qui est-ce qui parle de t'accorder Mariane ?
CLÉANTE. — Vous, mon père.
HARPAGON. — Moi !
CLÉANTE. — Sans doute.
HARPAGON. — Comment ? c'est toi qui as promis d'y renoncer.

Molière, *L'avare*, Acte IV, scène 5.

■ 1. Comment commence cet extrait ?

■ 2. Quel mot déclenche le conflit entre les deux personnages ?

> *Pour donner du rythme à une scène, on peut créer un renversement de situation. La scène commence par un duo. Un mot, une réplique ou une attitude déclenchent ensuite un conflit, appelé « duel » au théâtre.*

Je m'exerce

■ Voici quelques expressions qu'Harpagon pourrait employer pour parler à Cléante :
Pendard - Fils indigne - Coquin - Je te déshérite.

■ Amuse-toi, en quelques répliques, à écrire leur duel !

1 Reprends le début de la scène que tu as écrite (voir p. 344) et ajoute quelques répliques de « duo » entre tes personnages. Fais toutes les modifications nécessaires pour introduire ce duo avant de faire éclater le duel.

2 Prépare-toi à jouer ton texte avec un(e) camarade.
Vérifie auparavant que tu n'as rien oublié à l'aide de cette grille.

1. J'ai indiqué le nom des personnages avant chaque réplique.
2. Mes deux personnages s'affrontent, j'ai bien écrit un duel.
3. J'ai donné du rythme à la scène, en passant du duo au duel.
4. J'ai pensé à écrire toutes les indications nécessaires pour jouer la scène.
5. J'ai utilisé un vocabulaire de théâtre précis dans mes indications.

Récréation

Une autre déclaration d'amour...

LUBIN. — Écoute.

CLAUDINE. — Que veux-tu que j'écoute ?

LUBIN. — Tourne un peu ton visage par-devers moi.

CLAUDINE. — Hé bien, qu'est-ce ?

LUBIN. — Claudine.

CLAUDINE. — Quoi ?

LUBIN. — Hé ! là, ne sais-tu pas bien ce que je veux dire ?

CLAUDINE. — Non.

LUBIN. — Morgué, je t'aime.

CLAUDINE. — Tout de bon ?

LUBIN. — Oui, le diable m'emporte ! Tu me peux croire, puisque j'en jure. [...] Viens donc ici, Claudine.

CLAUDINE. — Que veux-tu ?

LUBIN. — Viens, te dis-je.

CLAUDINE. — Ah ! doucement.

LUBIN. — Eh ! un petit brin d'amitié.

CLAUDINE. — Laisse-moi là, te dis-je.

LUBIN. — Claudine.

CLAUDINE. — Ahy !

LUBIN. — Fi ! que cela est malhonnête de refuser les personnes ! N'as-tu point de honte d'être belle, et de ne vouloir pas qu'on te caresse ? Eh là !

CLAUDINE. — Je te donnerai sur le nez !

LUBIN. — Oh ! la farouche, la sauvage. Fi, poua ! la vilaine, qui est cruelle.

CLAUDINE. — Tu t'émancipes trop. [...]

LUBIN. — Adieu, rocher, caillou, pierre de taille, et tout ce qu'il y a de plus dur au monde.

Molière, *George Dandin*, Acte II, scène 1.

Index des auteurs

Index des titres

Coordination éditoriale : **Laurence Michaux**
Édition : **Élisabeth Moinard**
Coordination artistique : **Léa Verdun**
Conception graphique et couverture : **Killiwatch**
Mise en page : **Typo-Virgule**

Nº d'Éditeur : 10079363 - (I) - (30) -CSB 90º - CGI - Juin 2001
Imprimé en Espagne par Gráficas Estella
Nº Imprimeur : 00092197